美代子阿姨的心情

安部慎一

目次

溫和的人

安部慎一

入選作品

會冷嗎？
很冷啊。
很冷呢。
說是那樣說，時間真的很短呢，簡直是去旅行。
你這次是做什麼？

酒保。
酒保呀。
墨鏡可以借我嗎？
當酒保好玩嗎？
喂
有休養到喔。
感覺像準備大考對吧？
畫了嗎？
啊

讓我看看！
別弄髒喔。
噢
あれえ
這是我？

嚓
漫畫……
已經不能回頭了呢。
謝謝你。
嚓嚓嚓嚓
嚓嚓……
新年

喂
感覺還不賴吧！
像在喫茶店呢。
天花板反射了光喔。
啊……
真有看頭呀。
給我一根！
呼——

眼睛都冷起來了。
開窗吧。
拍照嗎？
危

請便。
危険につき
茲茲
這個呀，要是沒弄好就會水水的喔。
我就說很屌吧！
很高雅的味道耶。

你在那邊吃了什麼？
加蛋烏龍麵，加蛋拉麵。
拉麵也加蛋啊。
覺得不添加點營養不行啊。
你需要討個老婆啦。
你這人……結不了婚喔。
女人？
應該二十歲左右……很棒的女孩子。

為什麼不能結婚啊……
會一——直……
盯著你看喔。
看著你逐漸老去。
不知道我能不能結婚呢……
能啦。

你是藝術家吧？
歲末防犯
不，是漫畫家。
みかん
唧～唧～唧～
三村幸雄唧
你的電話唧
唧～
你的電話唧～
唧

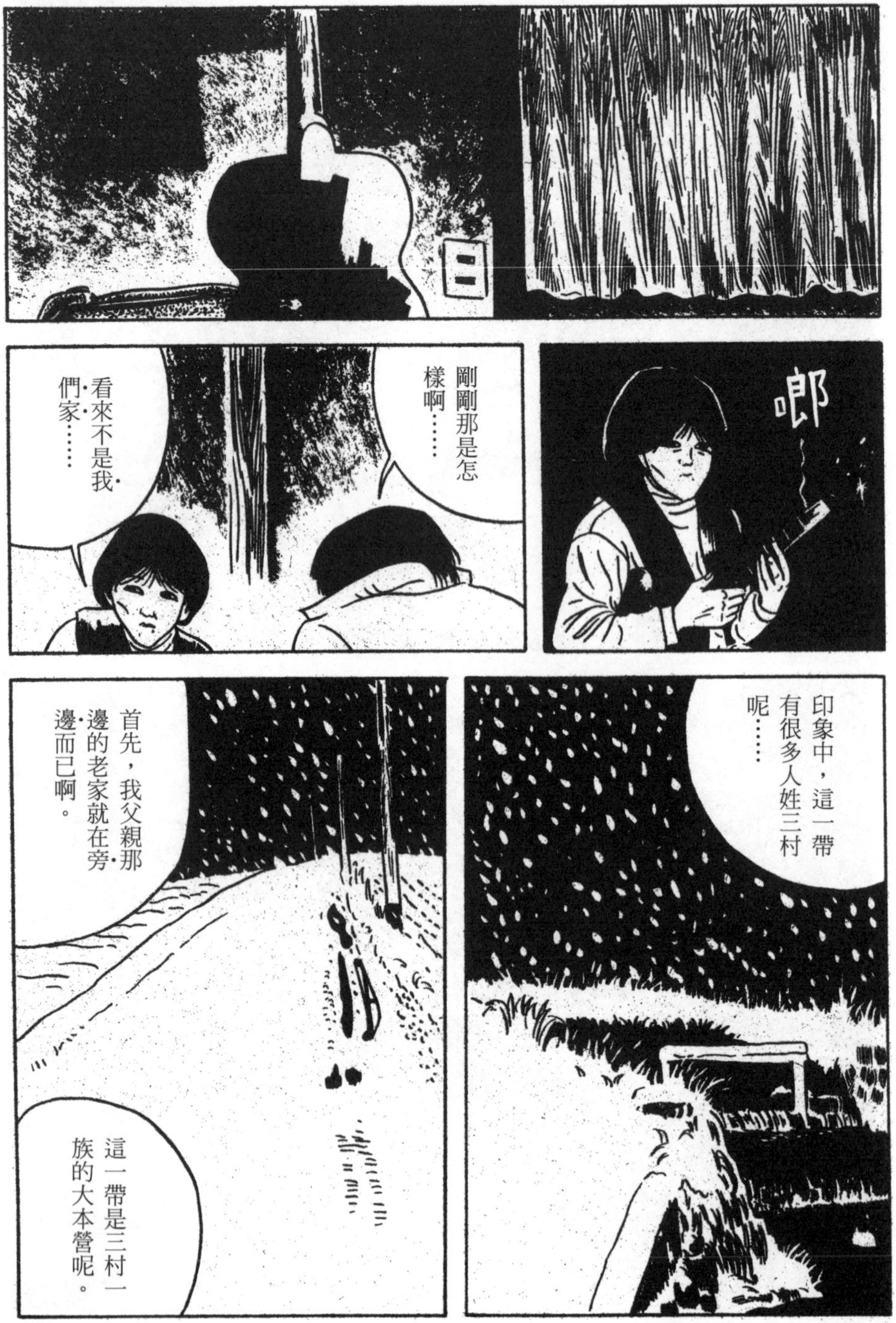
唧
剛剛那是怎樣啊……
看來不是我們家……
印象中，這一帶有很多人姓三村呢……
首先，我父親那邊的老家就在旁邊而已啊。
這一帶是三村一族的大本營呢。

所以呀，要搬來這裡的時候呢，
哇，吵得可兇了。
老爸也已經退休了……
這一年，老媽的神經總是細得像游絲咧……
我家也很辛苦呢。
這樣不行咧。
如果是水果刀就能切得很漂亮了。
吉他借我看看。

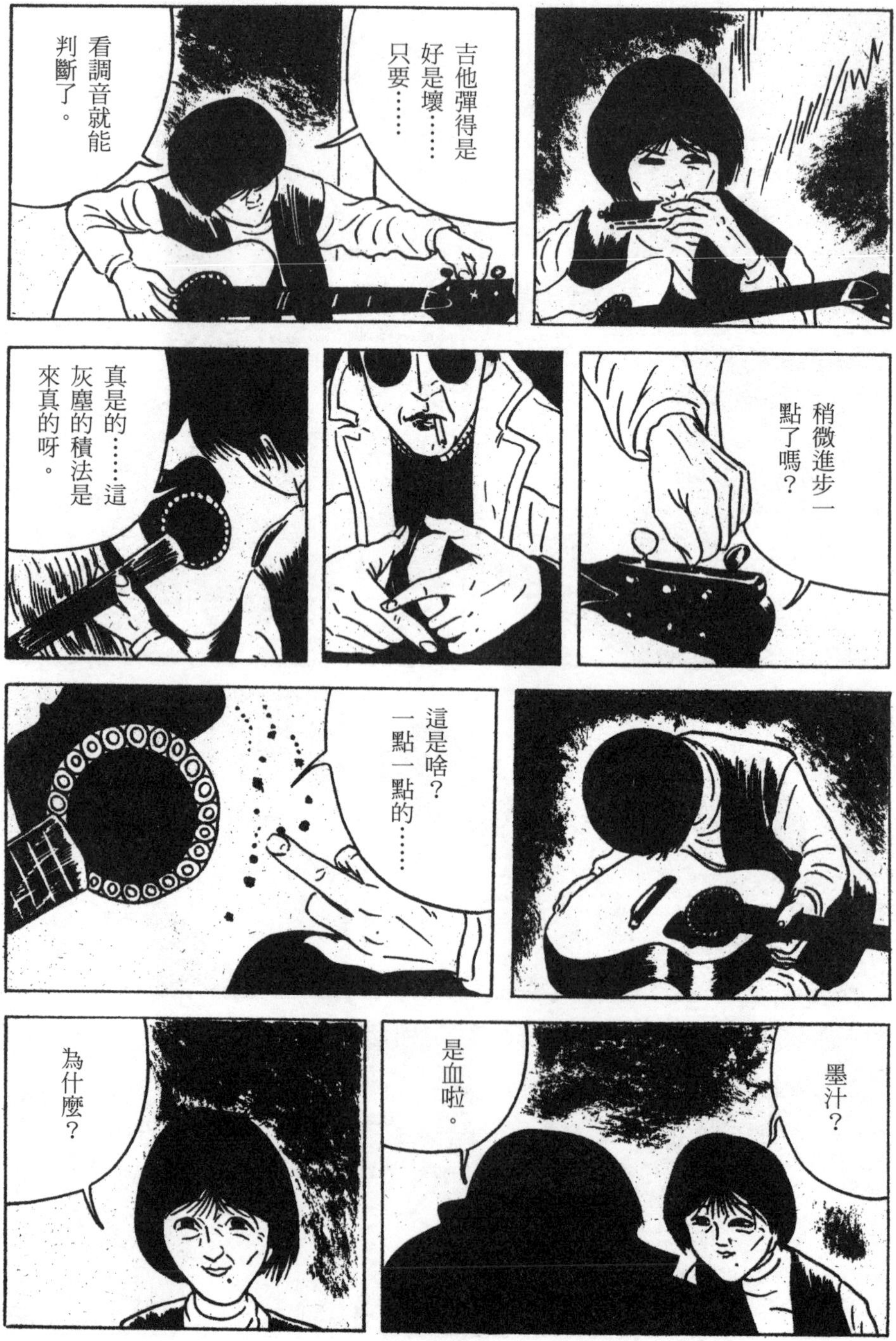
吉他彈得是好是壞……只要……
看調音就能判斷了。
稍微進步一點了嗎？
真是的……這灰塵的積法是來真的呀。
這是啥？一點一點的……
墨汁？
是血啦。
為什麼？

會是因為什麼呢？

終究……不是環境差異的問題吧。
墨鏡會破掉喔。
喂…………
你睡著了嗎？
不用摘下來嗎？
喂。

完

1970.2.6 -19-
<b> 慎一

孤独未満

池田隆男是大學生。
今天睽違一個月去了學校，並且，
在踏入教室的瞬間，
考試中
打了個冷顫，
慌慌張張地回來了。

再也去不了學校了，
他心想。
沒有比去不了大學的
大學生活更悲慘的了。
他從中午就
開始喝酒。
等待睡意。
房間內的東西都是西式
的，廁所也是西式的。
獨立出入口。

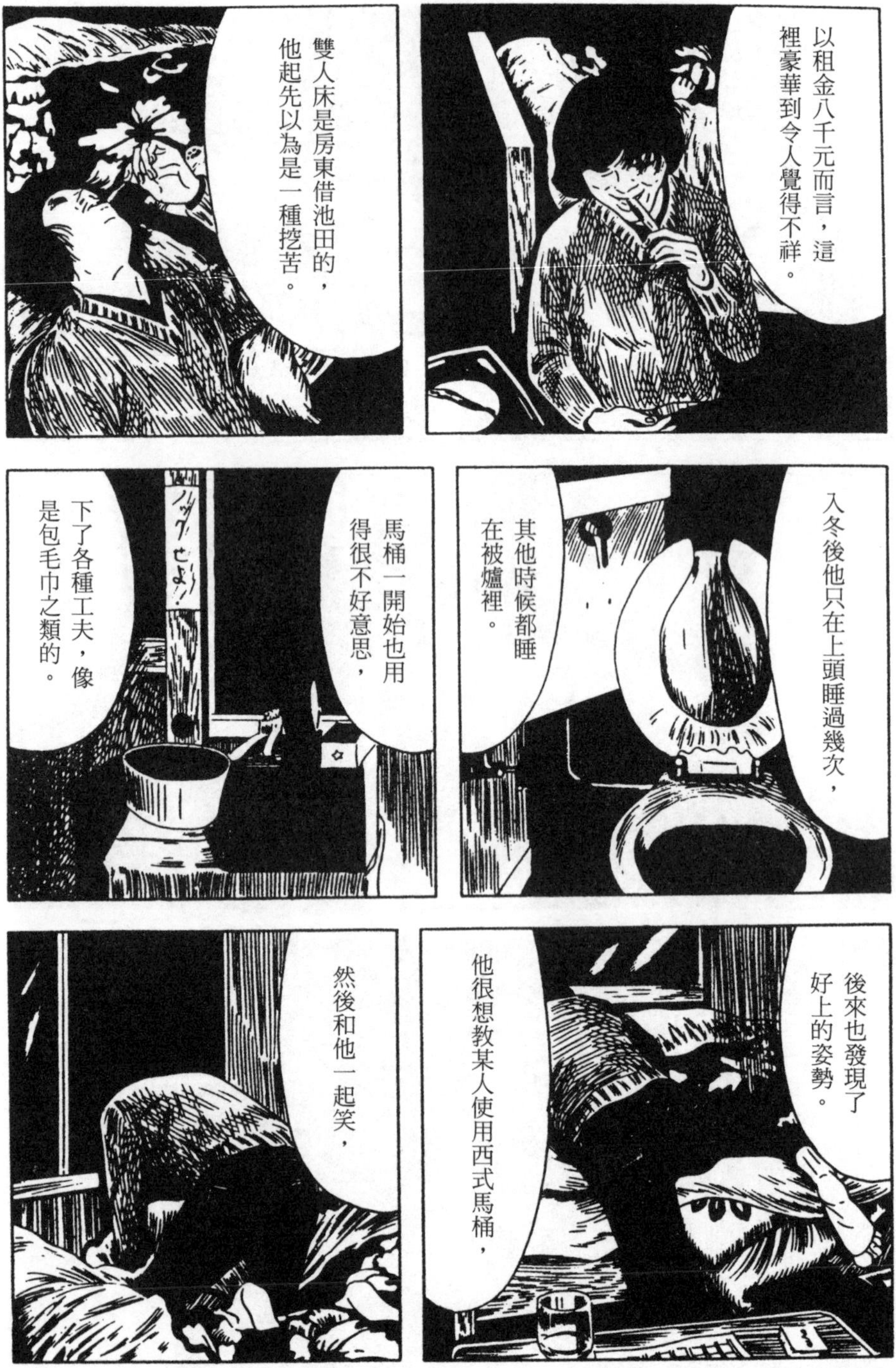
以租金八千元而言，這裡豪華到令人覺得不祥。
雙人床是房東借池田的，他起先以為是一種挖苦。
入冬後他只在上頭睡過幾次，
其他時候都睡在被爐裡。
馬桶一開始也用得很不好意思，
ノックせよ!
下了各種工夫，像是包毛巾之類的。
後來也發現了好上的姿勢。
他很想教某人使用西式馬桶，
然後和他一起笑，

不過沒有任何人上門。
最近他把波吉當成來往對象。
波吉是房東的愛犬，住在池田家隔壁。
你很冷吧。
每到清晨5點，
牠就會開始運動。

白天大多時候靜靜待著，
到了晚上，
グアッ
齁齁
就會打呼。
我說真的，波吉也有不為人知道的辛苦之處。
牠偶爾，
ぎゃあ
あ
噭
會發狂！
ぎゃ
は
は
噭哈哈

池田一出去看狀況，
牠便會突然安靜下來。
你在做什麼啊？
在哭呀。
池田和波吉四目相接，
哭了出來。
起了想死的念頭。

他已經不行了。
這裡有剃刀。
也有臉盆。
看吧。
上頭沾著一根體毛。
他買了酒。
挑了最高級的。

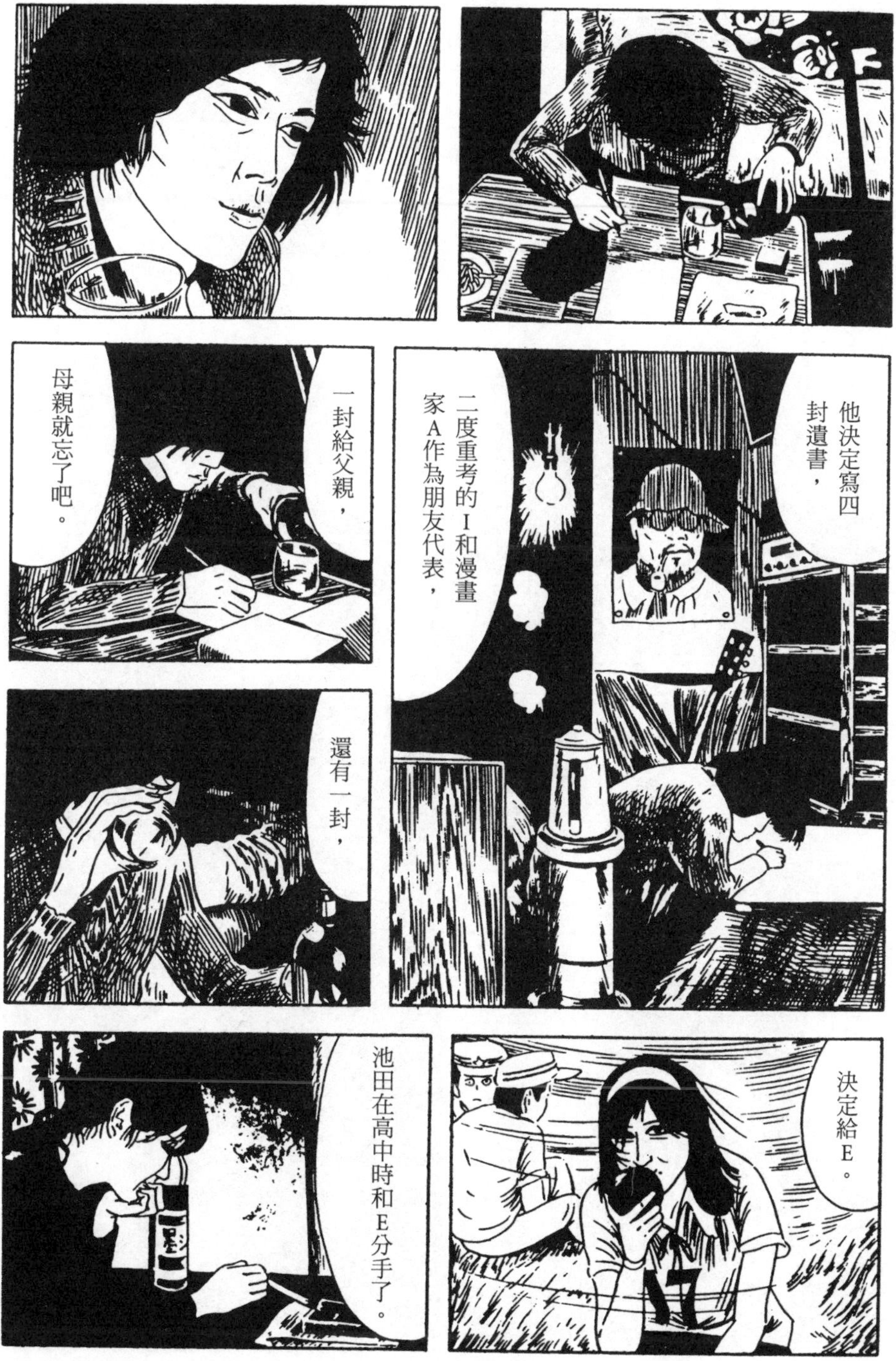
他決定寫四封遺書，
二度重考的I和漫畫家A作為朋友代表，
一封給父親，
母親就忘了吧。
還有一封，
決定給E。
池田在高中時和E分手了。

你太一板一眼了，我應付不來。
E這麼說，
然後離開了池田。
遺書，
就寫四封，
主旨相同的吧，
決定了。
都區内
外縣市
池田對文學算是有憧憬的，
這姑且是個好開頭。

雖然那女人沒什麼教養，令人擔心，
哎，那又有什麼關係呢。
酒醉後，男子氣概就出來了。
留下辭世之語吧。

一個小時過了。
誕生到這世上，我感到歉疚
我耗盡了一生在撕毀寫壞的原稿……
裝滿冰水，割開手腕……
我也走得上絕路……
然後又過了一個小時。
就在他快要惱怒之際，
啊！
他中意的一段話浮現了。
太好了。
倒熱水進臉盆，趕快去死吧。
他嘿一聲起身，

的瞬間……
ぢゃっ
喳
據說池田飽受屈辱地，
把臉塞到盆子裡頭。

雨少年

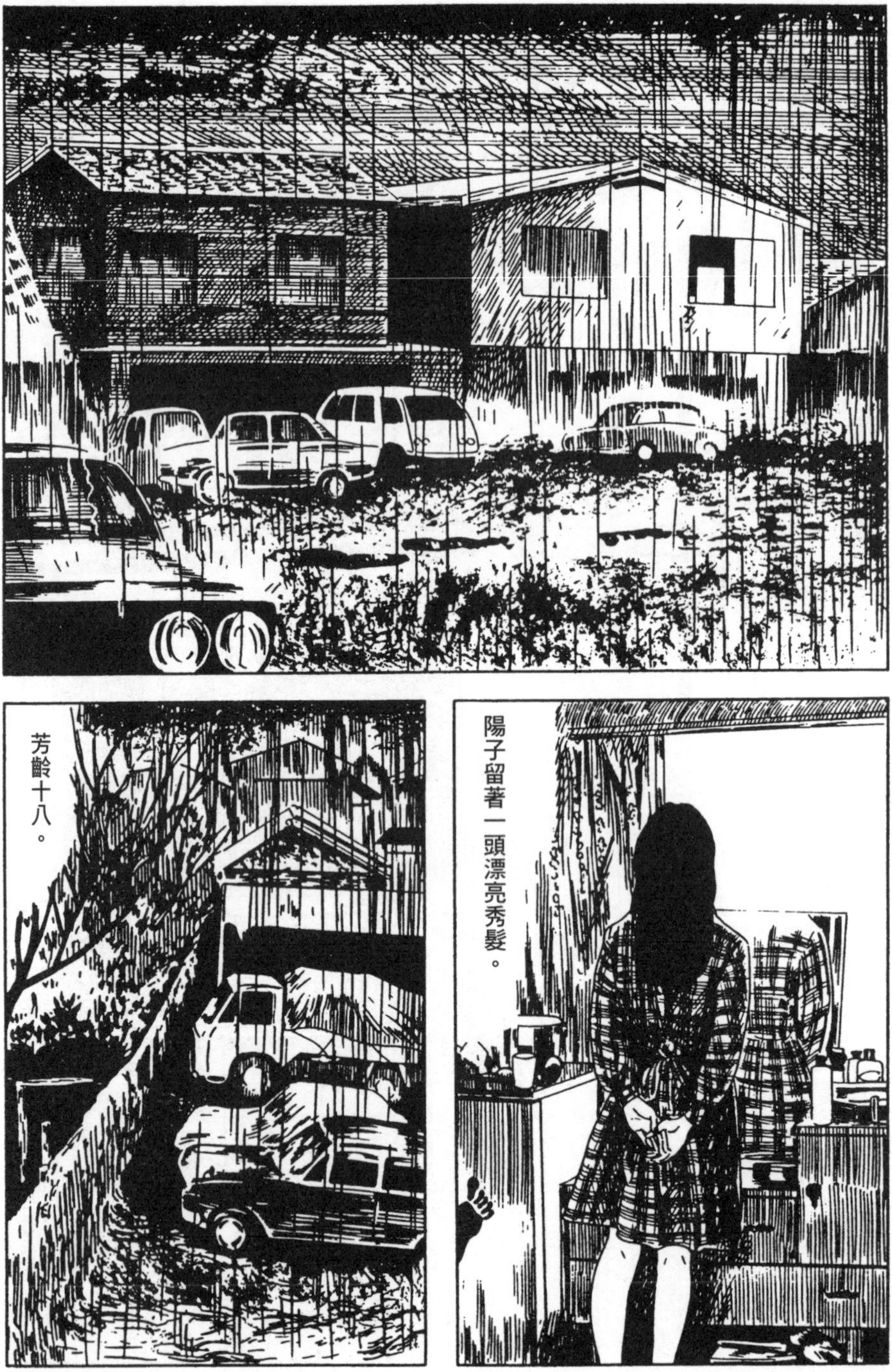
陽子留著一頭漂亮秀髮。
芳齡十八。

她十五歲的時候……
剛進高中不久時，
突然有了想死的念頭。
她咕嚕咕嚕吞下藥劑，躺上床，
突然把母親叫了過來。
陽子喝了兩升之多的水，
接著，仍保有原形的藥劑，
閃亮亮地從她口中溢出，落下。
除此之外，她什麼也沒吐露。
請假休息了一個禮拜。
在那期間，和K上了床。

K是大她兩屆的正直青年。
陽子的身體已成熟了，她充滿柔情，彷彿天生通曉那檔事。
她並未感到恍惚，也不痛苦，儘管如此，內心還是洋溢著十足的幸福。
她愛著K。她彷彿無法去愛任何人似地，愛著任何人。
即使曾與異性同床，她的肉體仍然不帶色彩。
柔軟發熱，而且透明。
K畢業去了東京後，她和大一屆的M上床。
就這麼一次，暗結了珠胎。
醫生是女性，當時也只有母親同伴。
陽子和母親感受著彼此體內通同的血液。

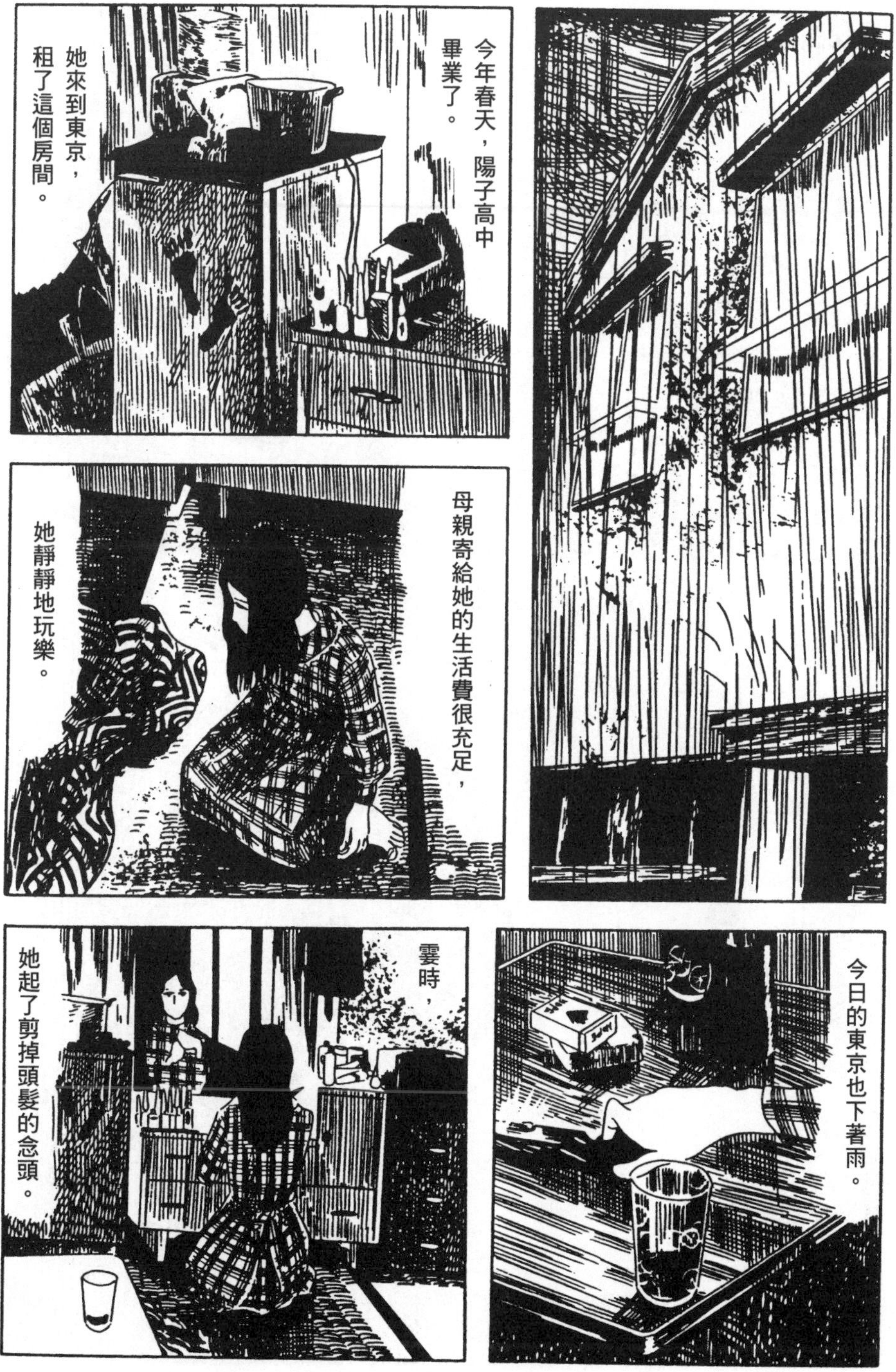
今年春天，陽子高中畢業了。
她來到東京，租了這個房間。
母親寄給她的生活費很充足，
她靜靜地玩樂。
今日的東京也下著雨。
霎時，
她起了剪掉頭髮的念頭。

她的頭髮變短了。
她試著抹上最濃豔的口紅。
裸身站到大鏡子前面，然後吃了一驚。
我……

原來是個少年呀。

猫
安部愼一

完

輕盈的肩膀
安部慎一

好啦……
匡啷！
杯子打破囉。
……
我肚子餓了啊。
等一下喔。
泡杯咖啡給妳喝吧？

冒煙
笨蛋……
唔——
啊——
喝啊！
臭屌男！
這兩個年輕人到底在想什麼？答案並不顯見。
他在暗處默默工作，但作品不怎麼受歡迎。
她還是學生。
不太回自己下榻處，
愛來他的房間閒著。

她最近買了小小的油印工具組，
開始製作詩集。
似乎打算發給朋友和母親等人。
不用擔心啦，沒錢的話我就去酒吧工作。
聽說土耳其浴比較好喔。
是喔——
欸，我是不是瘦了一點？
要是擺這姿勢呢……
就看得到骨頭。

該睡了吧。
我明天也要上學。
八點叫我起來喔。
他恐懼睡眠，不疲累時會很怕。
他的肩膀很僵硬，但不知為何總是感覺輕盈。那輕盈是不可靠的。
他想去愛人，不去愛就無法工作。
美麗的事物只會存在於眼前。

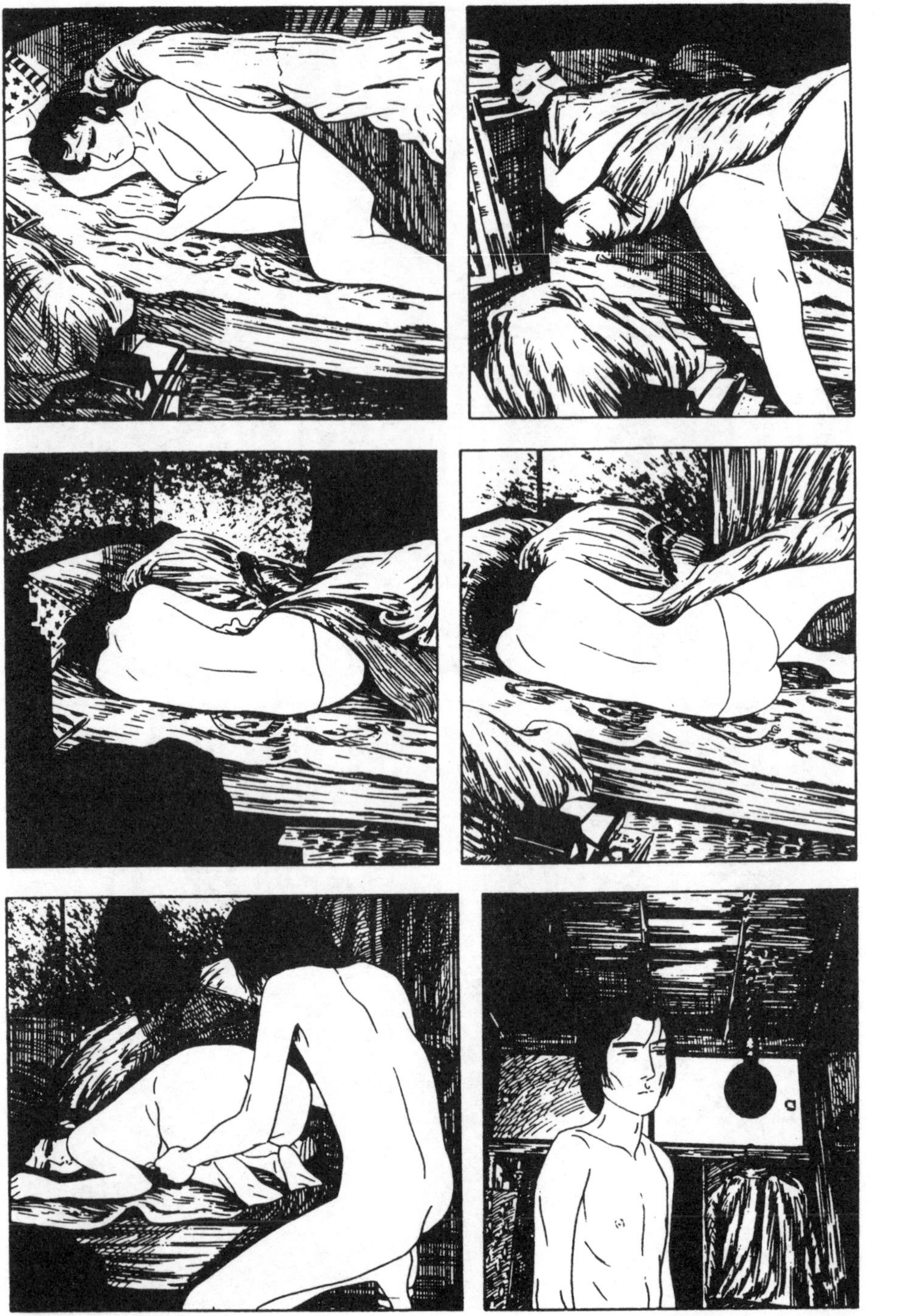

我很睏呀。

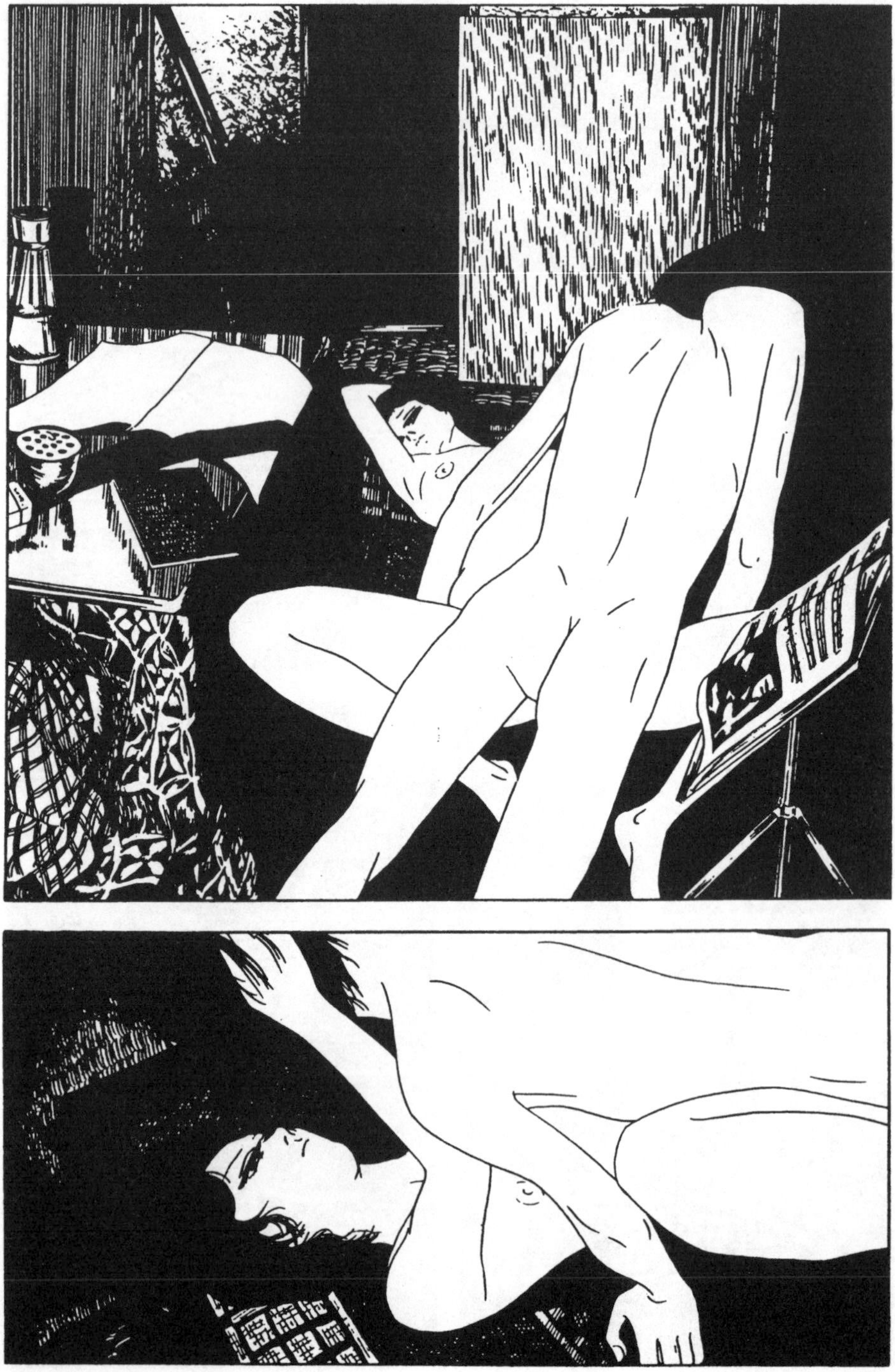

我很睏呀。

屋頂
安部慎一

來了啊，真有你的。
我就覺得你應該會來。
聽說你被革馬派※扁了呀。
嗯。
被打到血咕嚕咕嚕冒出來呢。
真要命呀。
卵酒。
挺好喝的嘛，這個。
其實是對感冒很有效，不過我想補補身體，
就天天喝了。
你正在喝酒啊？
想喝個五合左右呢。

※指新左翼組織「日本革命共產主義者同盟革命馬克思主義派」。

剛剛呢，
我做了個夢喔。
我想，
告訴你這個夢，
所以拚了命記下來。
我一面做夢，
一面可憐做那個夢的自己，
於是哭了出來。
荒卷……
要聽聽那個夢嗎？

那是天氣明朗的日子。
一開始我沒看到自己的身影。
彷彿在看剛好沒有聲音的電影片段，
場景不斷在我眼前變換，
不知不覺間開始下雨了。
由於那是天氣明朗的日子
我才沒注意到吧。

接著，遠處的消防隊總算映入我眼簾了。
啊，
這裡是我九州的家附近呢。
一察覺這點，我的心情頓時變得很惡劣。
這是因為，
畫面如我所想，
逐漸逼近了某棟住家。
那戶人家，
離高台頂端很近，
孤伶伶地和其他房子拉開距離，
裡頭住著一對母女和一隻狗。

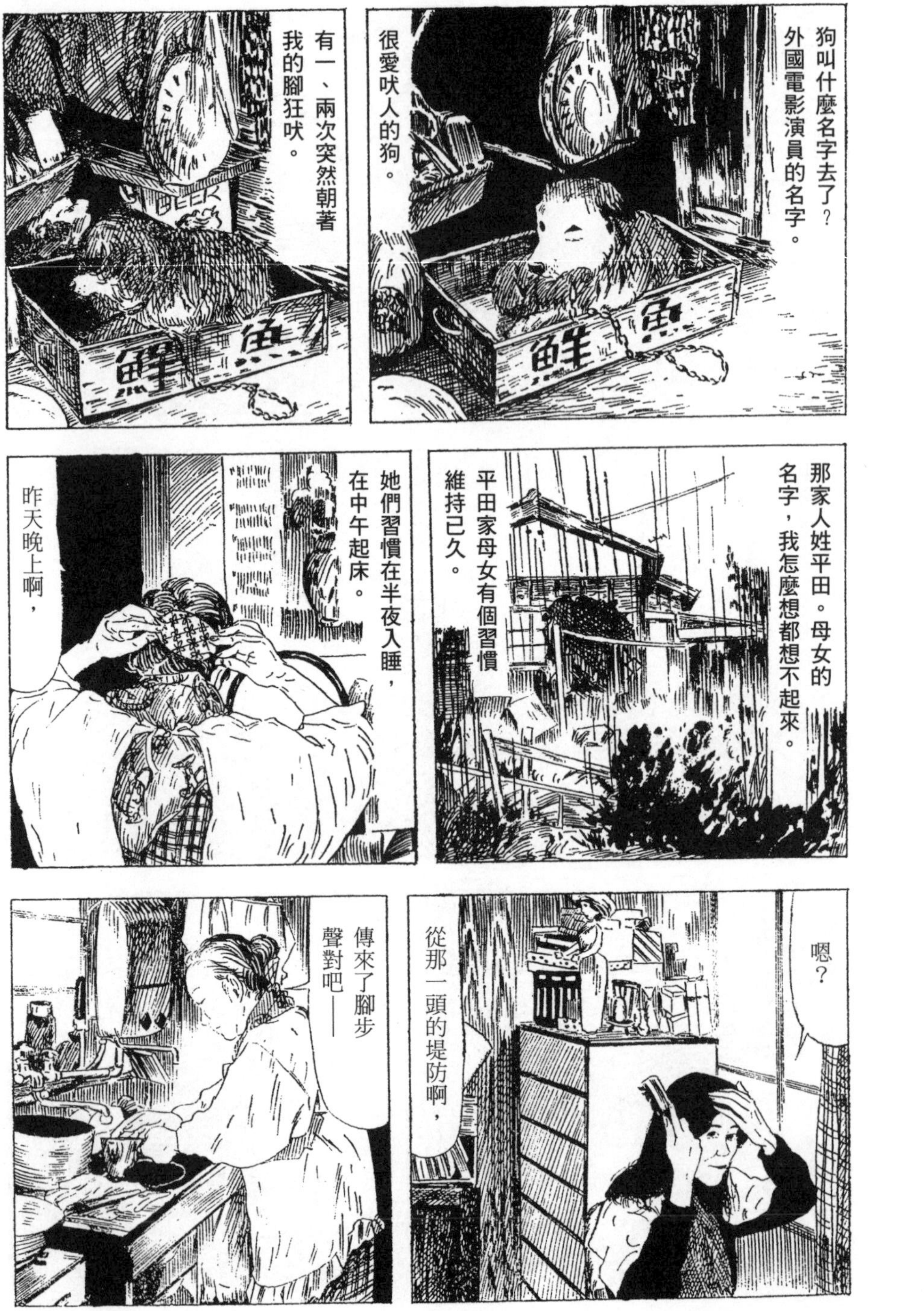
狗叫什麼名字去了？
外國電影演員的名字。
很愛吠人的狗。
有一、兩次突然朝著我的腳狂吠。
那家人姓平田。母女的名字，我怎麼想都想不起來。
平田家母女有個習慣維持已久。
她們習慣在半夜入睡，在中午起床。
昨天晚上啊，
嗯？
從那一頭的堤防啊，
傳來了腳步聲對吧——

我不知道。
一直有喔，我還以為是有強盜。
很想把妳叫醒呢。
我哪知道啊，我昨天夢到森進一呢。
森進一嗎……是說，新町有個孩子長得很像他喔。
好像是池上家的兒子吧，跟森進一長得像極了呀。
連聲音都很像。
洛克，
等等喔，我正在煮好吃的。
洛克沒什麼精神呢。
雨天害的吧。

如前所示，平田家母女的好勝心很強，因此，
鄰居都稱她們是「高知識母女」，鮮少和她們打交道。
只有養雞場那個無依無靠的倉姐一個人，
會跟這對母女往來。
來，倉姐，吃吧。
倉姐。
吃，吃吧。
好像很好吃呢。

市立醫院的事，聽說了嗎？
什麼事？
好像說有幽靈出沒呢。
噗。
這種消息是從哪聽來的啊？
松屋家的小哥說的啊。
好啦……我來吃麵包好了。
松屋家的小哥腦袋是不是有毛病啊。
叫啥名字去了？

松屋家的太太好像叫
他小勝吧。
那就是勝一
或勝二吧。
或勝助之類的。
那個人……
叫勝治，是松屋他們，
把他從東京的法政大學
叫回來的。
松屋還有另一個兒子，
叫健二，念早稻田大學
的政治學系。
幽靈的事呀，
搞不好是真的呢。
聽說那裡原本是軍方
的醫院。
接下來這話有點低級，
還請包涵。聽說醫生……

會把廁所的大便混到飯菜裡給他們吃。
嗯！
所以他們死後才出來作祟吧。
還一邊喊著「吃屎吧」，呵呵。
《Garo》也變得不太有趣了呢。
《神威團》很有趣呢。
是《神威傳》吧。
我很常搞錯。
倉姐，來喝梅酒吧。

是，
原則上一週兩次。
是。
我是很嚴格的，幾乎是嚴過頭的程度。
剩下的就看本人努力了。
是，是，我不會手軟。
好，等您聯絡。
好的，好，好。
不好意思。
龜田家有個兒子對吧。家長打電話來說，
能不能請妳現在開始幫忙指導那個庸才！
還有半年嗎……頂多加個五分吧。
要考哪呀？
日大。
真行啊。

平田老師是好老師呀，
所以格外辛苦呢。
我想也沒那麼辛苦啦，不過我在旁邊看著，
偶爾會想替她扛那些工作呢。
乾脆去當高中老師搞不好還會輕鬆些。
事到如今也不會想去工作了吧。
哎，沒辦法呀，
我這女兒，
也選了自己想走的路呀。
喂……
什麼叫秀才，你懂嗎？

我以前是秀才。
我從小學到高中，
上了七年的平田英語補習班喔。
當秀才，很寂寞呢。
就只能行走在時代
的彼岸啊。
你曾經，
嘲笑我膽小吧。不過誰
笑得出來啊。我這麼說
是因為，
被革馬派扁的時候，
我的陶醉是多麼難以言喻啊。
我理解你。你不理解秀才。這是因為，
晚安
你只不過是個英雄呀。

啊，荒卷同學？
要進來上課嗎？
打擾了。
在夢中呢，
我只感覺得到鋪木地板的堅硬喔。
然後呀……
Coke
荒卷同學——你吃醬菜嗎？
咦？
你吃的話就帶些回去當伴手禮吧。
咦？

好，來上課吧，呃……
今天該從哪頁開始去了。
二百七十三頁。
好，來吧。
close your eyes ……
我的身影從畫面上消失後，
仍有某種與鋪木地板相應的
凜然氣息，
如碎冰般殘留下來。
夜更深了。

喀嘰喀嘰喀嘰
冬天快到了。
喀嘰喀嘰喀嘰
喀嘰喀嘰
親愛的——
喀嘰喀嘰
親愛的喀嘰喀嘰
喀嘰喀嘰喀嘰
我，
所讀過的
某本書這麼說：
夢呢，

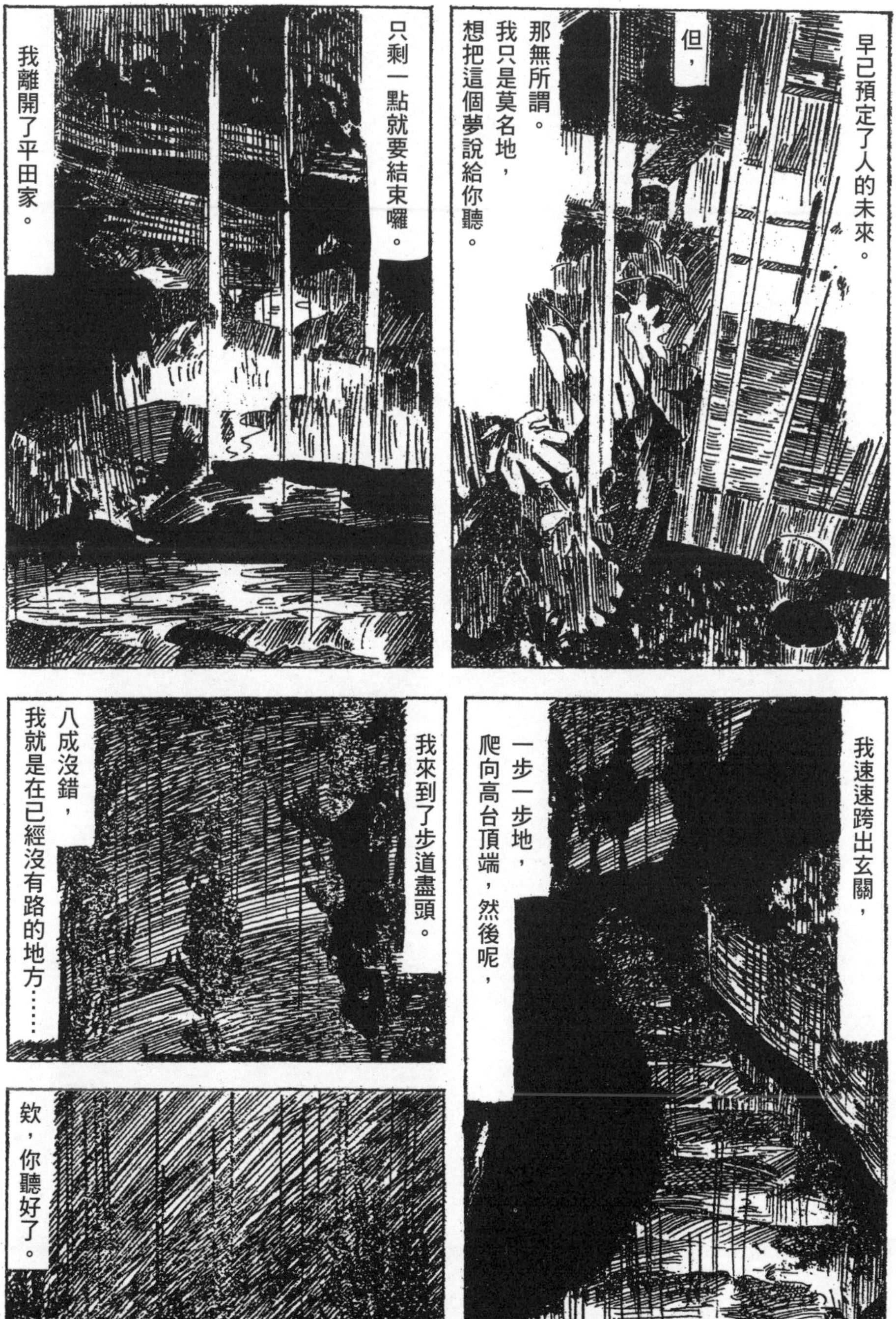
早已預定了人的未來。
但，
那無所謂。
我只是莫名地，
想把這個夢說給你聽。
只剩一點就要結束囉。
我離開了平田家。
我速速跨出玄關，
一步一步地，
爬向高台頂端，然後呢，
我來到了步道盡頭。
八成沒錯，
我就是在已經沒有路的地方……
欸，你聽好了。

我在那地方陷入了絕望。

71.11.22

獨居

72' 2.18

靠。
唔～
現在就去死吧。

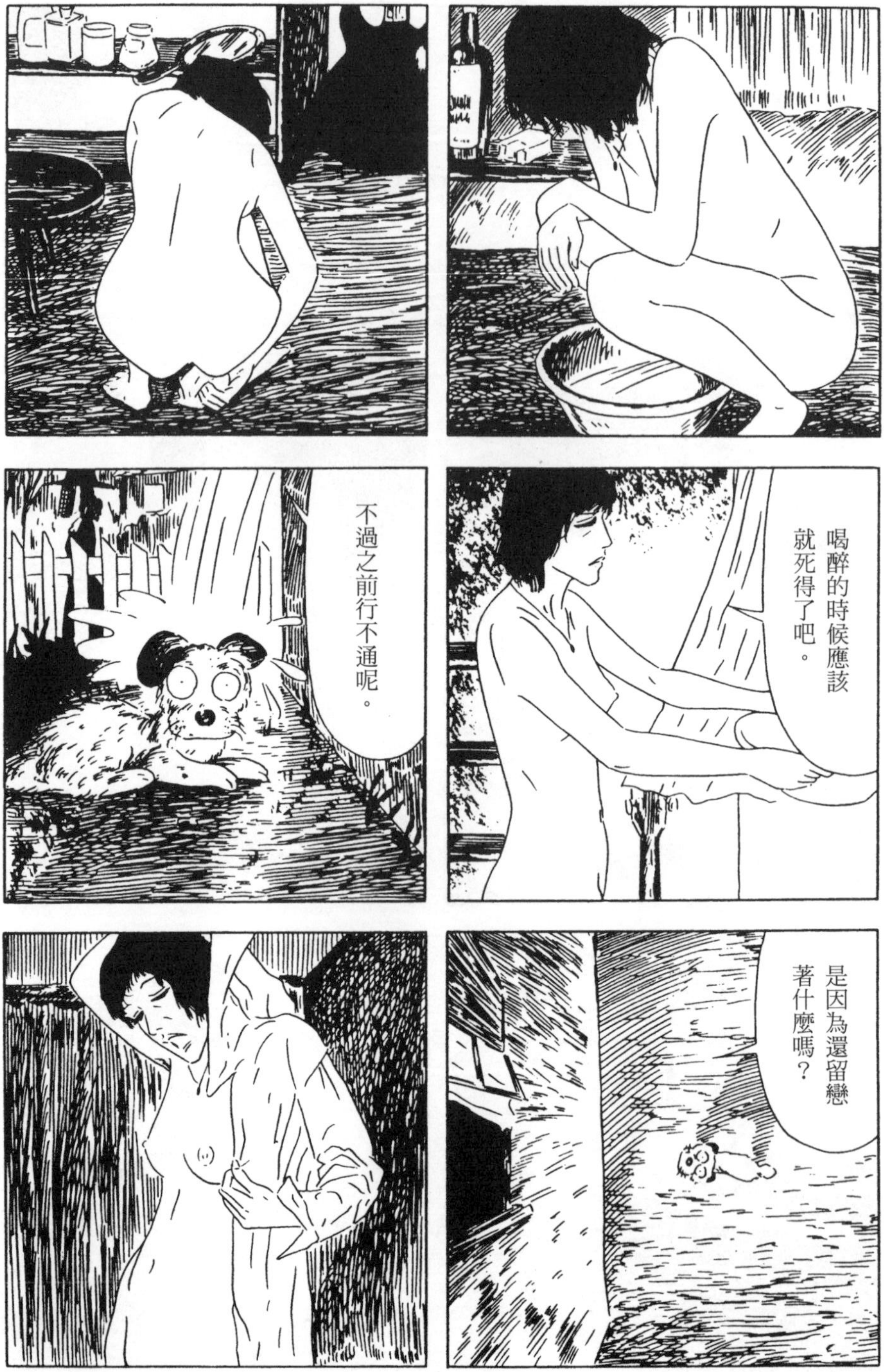
喝醉的時候應該就死得了吧。
不過之前行不通呢。
是因為還留戀著什麼嗎？

總之就是捨不得呢。

之後會碰上
好事的吧。
迷上有家室的
男人之類的。
嘿嘿。
哇！

真想弄哭他看看呢。
呼。

加油啊。
聽到了嗎？小悠。
嘿嘿。

月

安部慎一

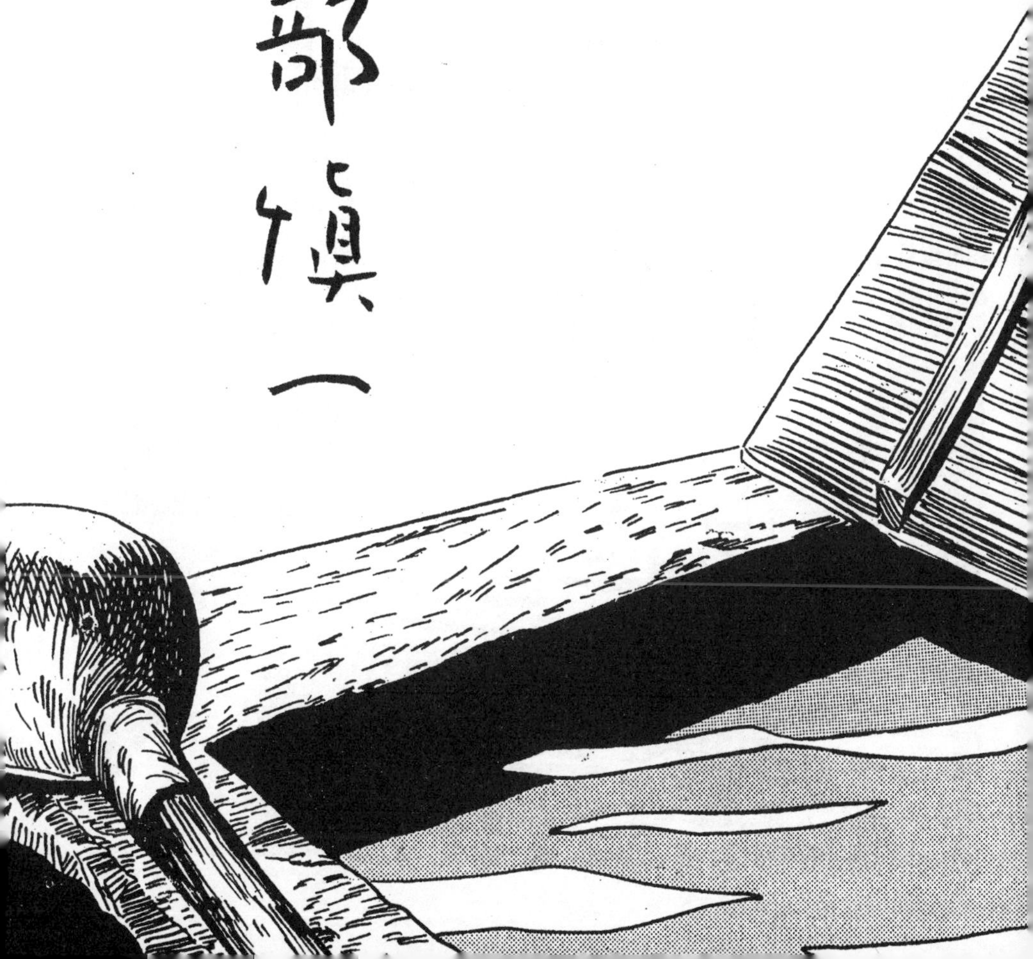

早啊。

早安。
唔~~~
這寒氣要命啊。
你畢竟上年紀了呀。
不，是對痔瘡不好。

北九州・煤礦小鎮——
渡辺産婦人科

哥，早上囉。
喔。
喔~~~
我看去買個煤油爐吧。
暖爐要三千元喔。

當鋪的？
嗯。
蠢蛋。
妳快點睡吧。
還能睡兩個小時吧。
我要讀一下書。
是喔。
……
呼、呼、呼……

啊，勝二哥！
唷。
你們搞屁啊，用跑的，跑起來！
那，您要去哪呢？
我要去工作。大家最近還好嗎？
這個嘛，
山本的女人昨晚從酒吧回家的路上，
出了糟糕的狀況。我們從昨晚就在幫他打氣。
她偷吃？
才不是呢，是被輪姦了。
……
你可別順勢搞什麼怪啊，也幫我跟山本說一聲：
好好珍惜自己的女人就對啦。
是。

勝二哥變了個人呢，自從父親過世之後。
個性好像變溫和了。
笨蛋，那就叫男人味啦。火柴。
是不是稍微瘦啦？
你說我嗎？
不，勝二哥。
他妹妹很可愛喔。
要不要回家小睡一下？工作很吃重喔。
国川高校
剣道部
呀啊！
呀！

大家反而變弱了呢。
咦？
沒那回事吧，是我們變強了吧。
是這樣嗎。
啊，
美代子來囉。
我走啦。
你要回去啦？
偶爾來一下道場比較好喔，老待在學校社團只會一直變弱啊。
我今晚會去啦，媽的。
……
高校剣道場
好冷，好冷。

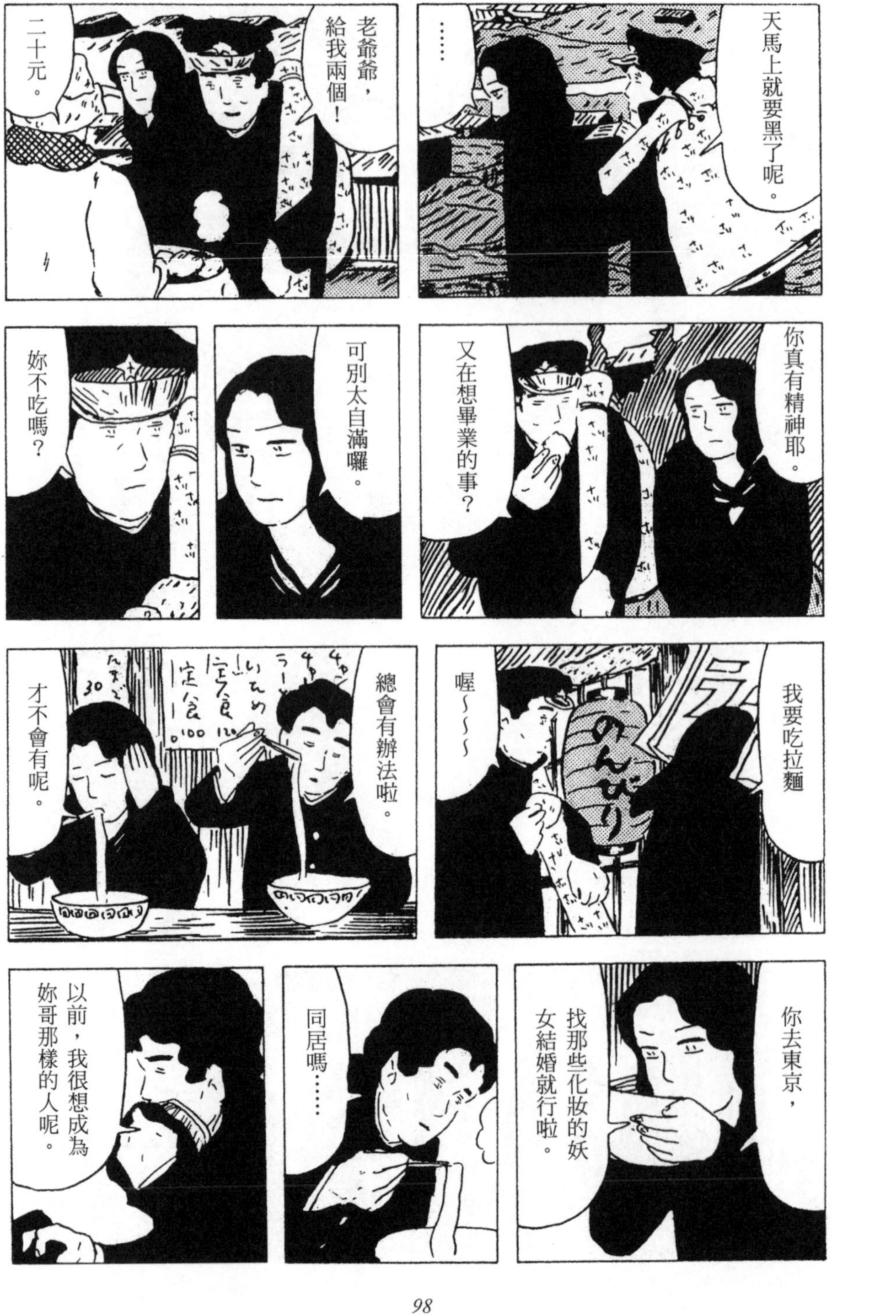
天馬上就要黑了呢。
……
老爺爺，給我兩個！
二十元。
你真有精神耶。
又在想畢業的事？
可別太自滿囉。
妳不吃嗎？
我要吃拉麵
喔~~~
總會有辦法啦。
才不會有呢。
你去東京，
找那些化妝的妖女結婚就行啦。
同居嗎……
以前，我很想成為妳哥那樣的人呢。

我走囉。
要不要來我家一下？
離開道場後也許會繞過去。
笨蛋！
裝模作樣個屁！
小美代真有男人緣呢。
……

妳回來啦。
啊。
等等再去澡堂，先吃飯吧，我也要一起去。
唷～～～態度真冷淡呢，那小妞。
真是辛苦小勝了。
正值彆扭的年紀啊。
不過已經有女人的姿色了呢？
噓！
小美最近沒什麼精神呢。
為戀愛煩惱呀。
是啊，我已經為你們家的小勝心煩五年了。
要是能結婚就好了。

我也這麼想。
話說回來，今晚真明亮呀。
真的，簡直像白天。
澡堂的煙囪也很努力了。
哈哈。
欸……
小吉，妳剛做現在這份工作時，心情如何？
……

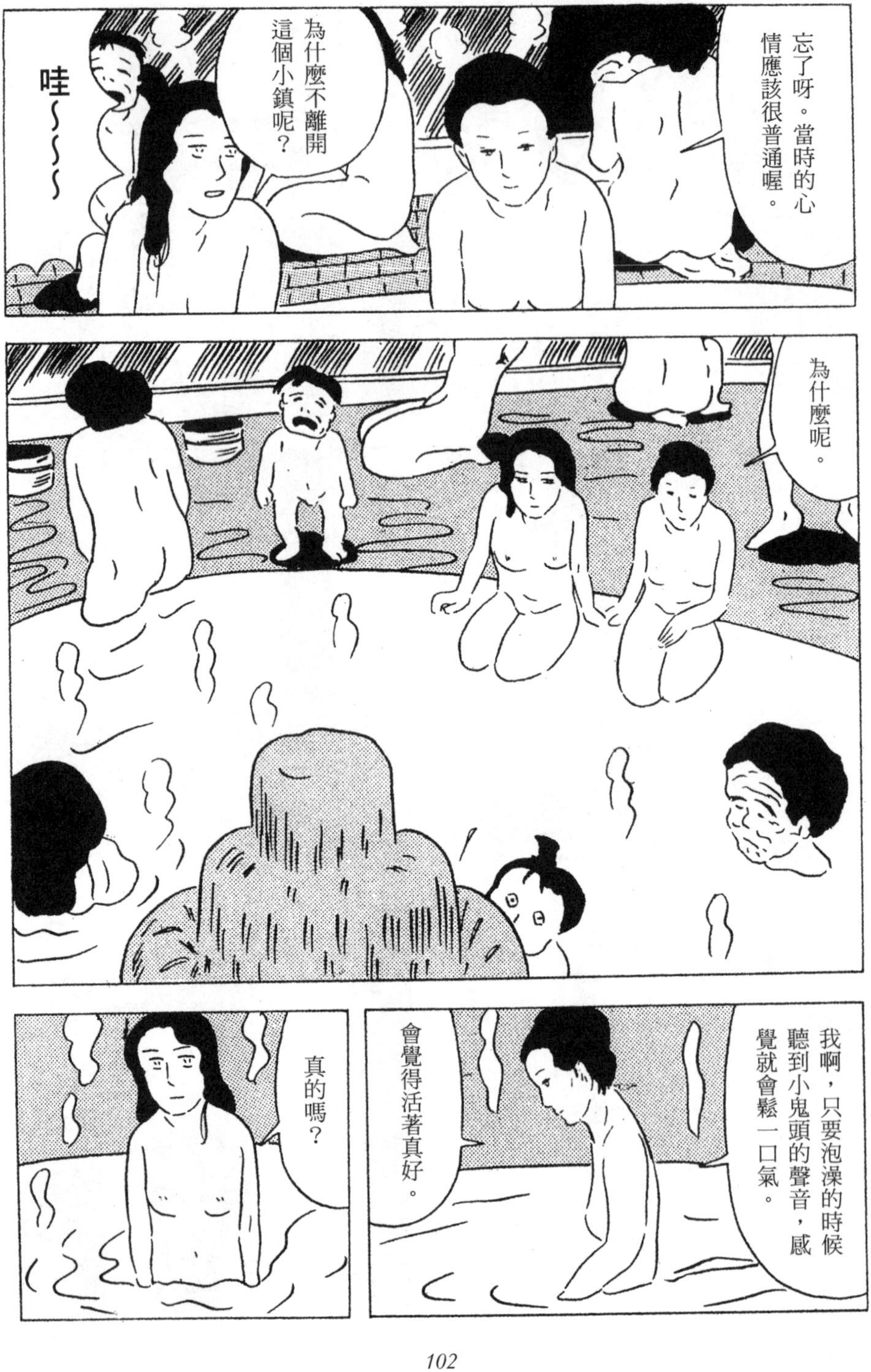

忘了呀。當時的心情應該很普通喔。
為什麼不離開這個小鎮呢？
哇～～～
為什麼呢。
我啊，只要泡澡的時候聽到小鬼頭的聲音，感覺就會鬆一口氣。
會覺得活著真好。
真的嗎？

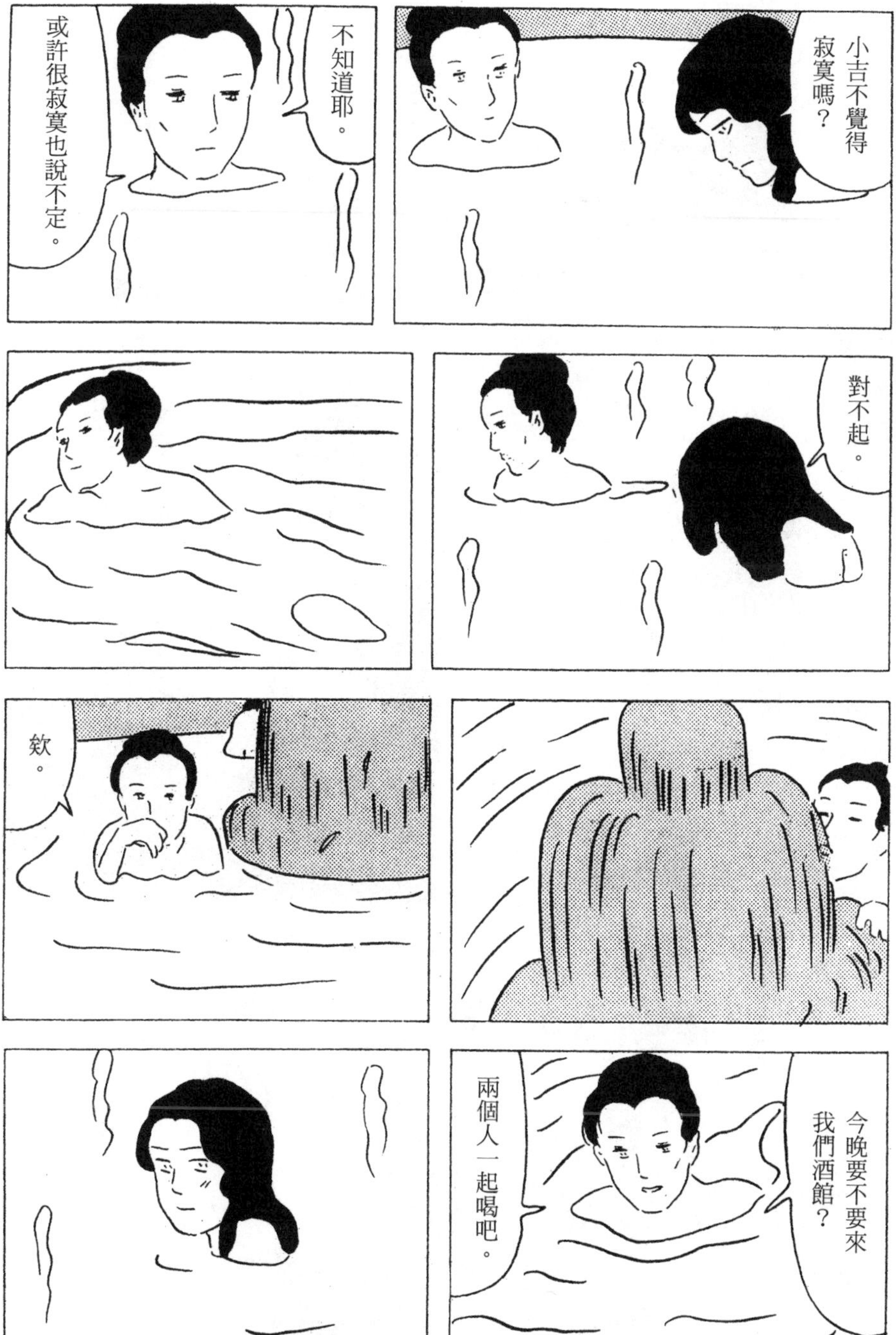
小吉不覺得寂寞嗎？
不知道耶。
或許很寂寞也說不定。
對不起。
欸。
今晚要不要來我們酒館？
兩個人一起喝吧。

うう鳴
呃啊，下班啦下班啦。
好啦，今晚來個一局吧。
喂，六哥啊，泡完澡下個一盤吧。
今晚八點，在第二工會長家預定舉辦青年部的……
笨蛋，喝酒啦，喝酒。
不好意思，青年部的人請留下！
哇，嚇了我一跳啊。
加油啊，好冷喔，好冷喔。

總之我們先舉手確認……
……
畠中君，等等啊！
你要去哪啊。
澡堂。

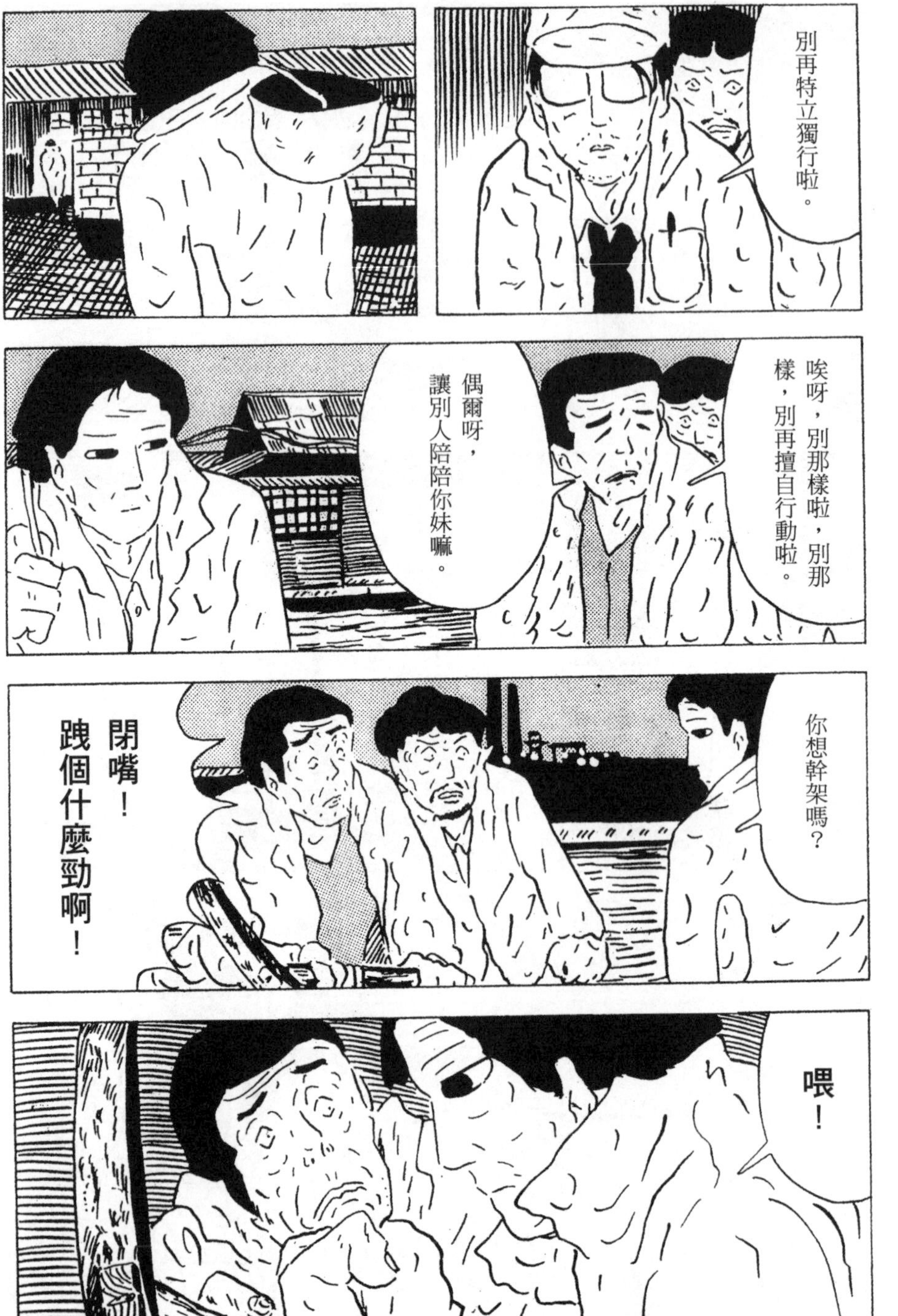
別再特立獨行啦。
唉呀，別那樣啦，別那樣，別再擅自行動啦。
偶爾呀，讓別人陪陪你妹嘛。
你想幹架嗎？
閉嘴！跩個什麼勁啊！
喂！

像話點啊，
喂！
烤魷魚
烤雞串
酒
燒酒
40
吾郎叔，
給我酒。
好。
好喝耶，
果然讚。
吾郎叔，年輕的時
候就喜歡喝酒嗎？
你老媽很能喝呢。
你老爸和
我都……

迷上了她，可迷了。
稍早，
小美代來了呢，和阿吉一起。
今晚似乎會大鬧一場呢。
酒家女。
哎，算了吧……
我慌亂也沒用呀。
真有大人的器量呀。
吾郎叔，我有個怪問題要問你。
什麼叫男人？

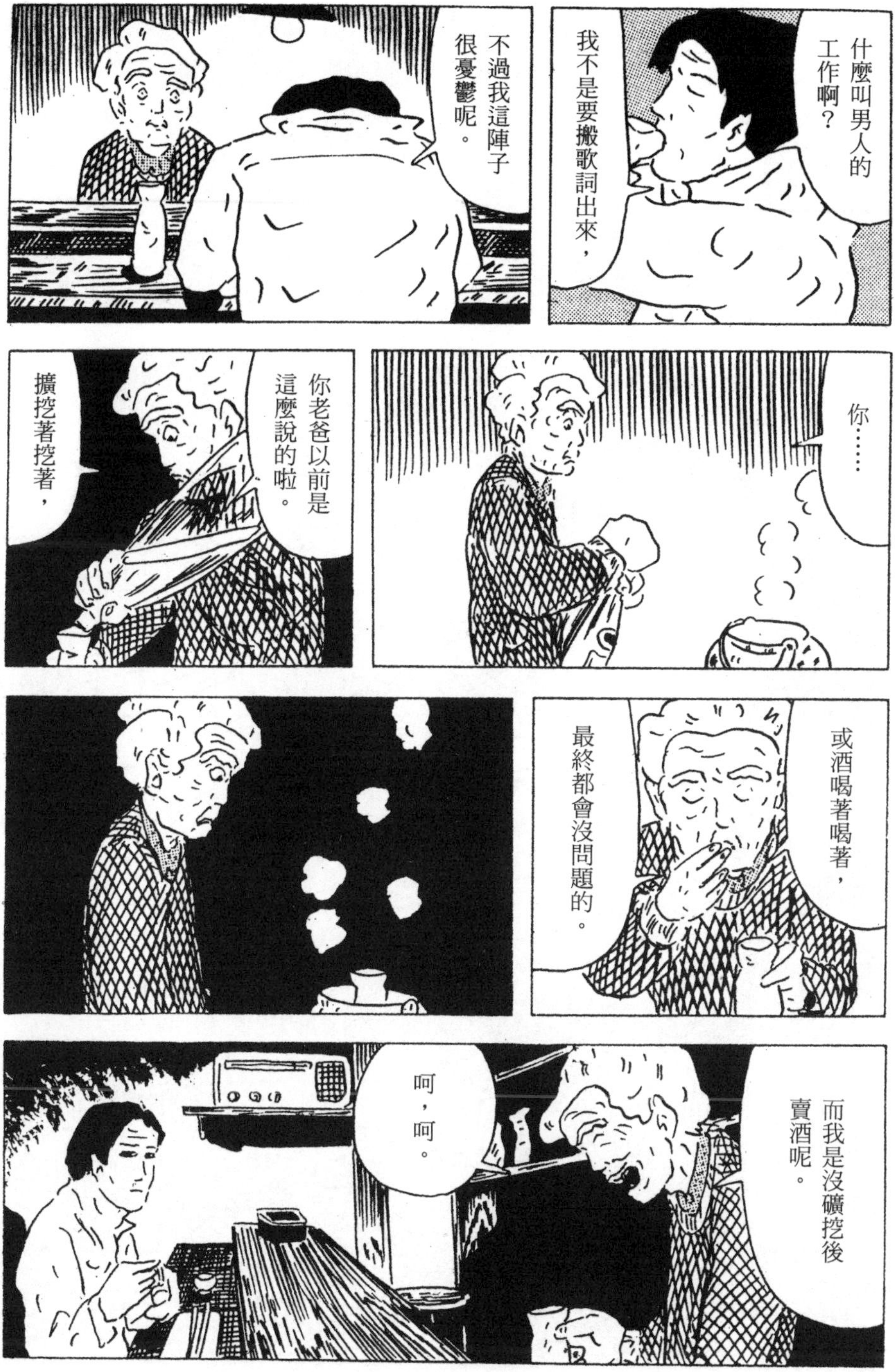
什麼叫男人的工作啊？
我不是要搬歌詞出來，
不過我這陣子很憂鬱呢。
你……
你老爸以前是這麼說的啦。
擴挖著挖著，
或酒喝著喝著，
最終都會沒問題的。
而我是沒礦挖後賣酒呢。
呵，呵。

好像有點太燙了。
燙！
晚安。
喔！現在要上工啊？

好——
三井剣道
方塊舞
教授
要上囉——
One, two,
One, two, three, four.
奇——塔卡塔塔，
奇——塔卡塔塔，
笛聲傳來。
來！

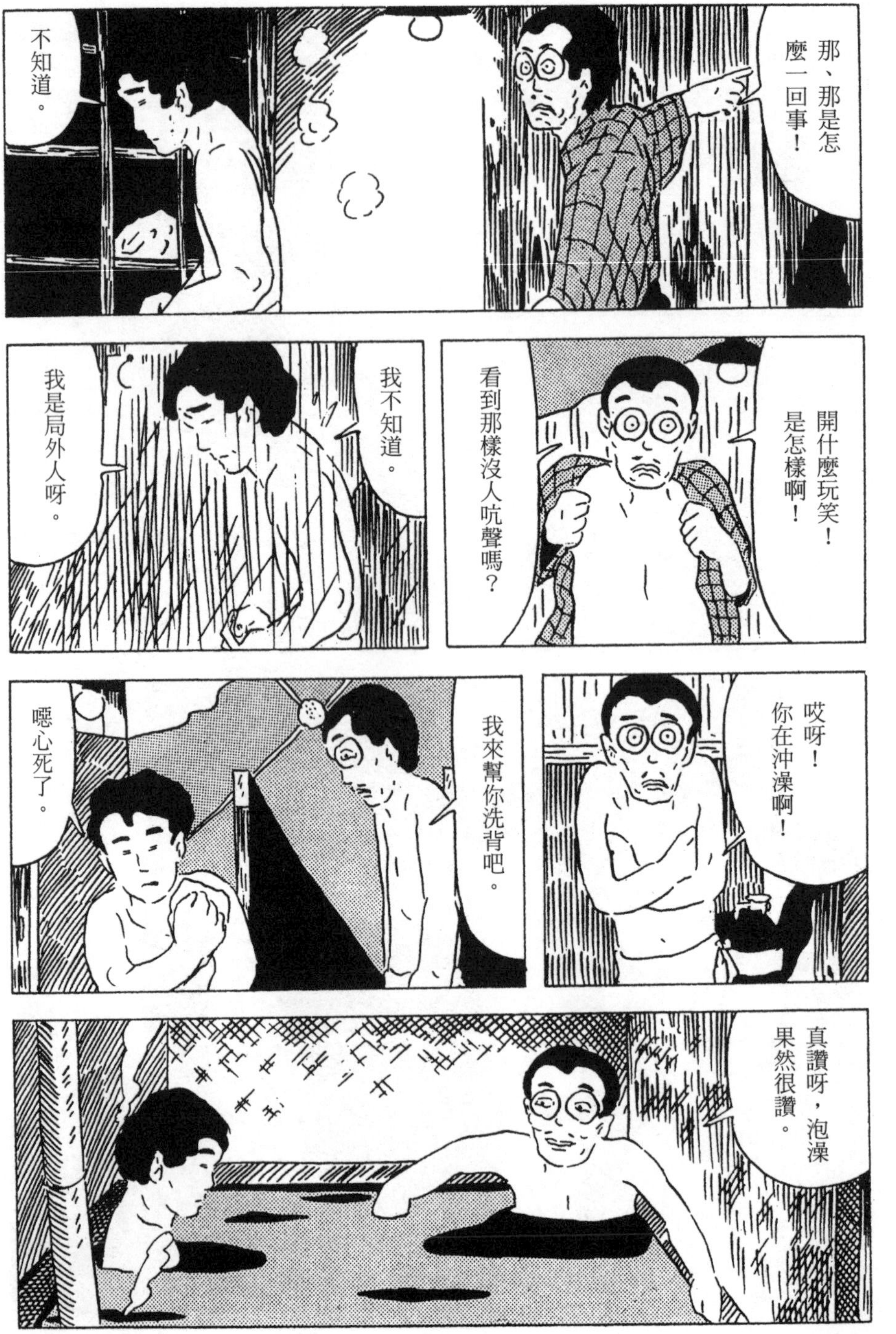

那、那是怎麼一回事！
不知道。
開什麼玩笑！是怎樣啊！
看到那樣沒人吭聲嗎？
我不知道。
我是局外人呀。
哎呀！你在沖澡啊！
我來幫你洗背吧。
噁心死了。
真讚呀，泡澡果然很讚。

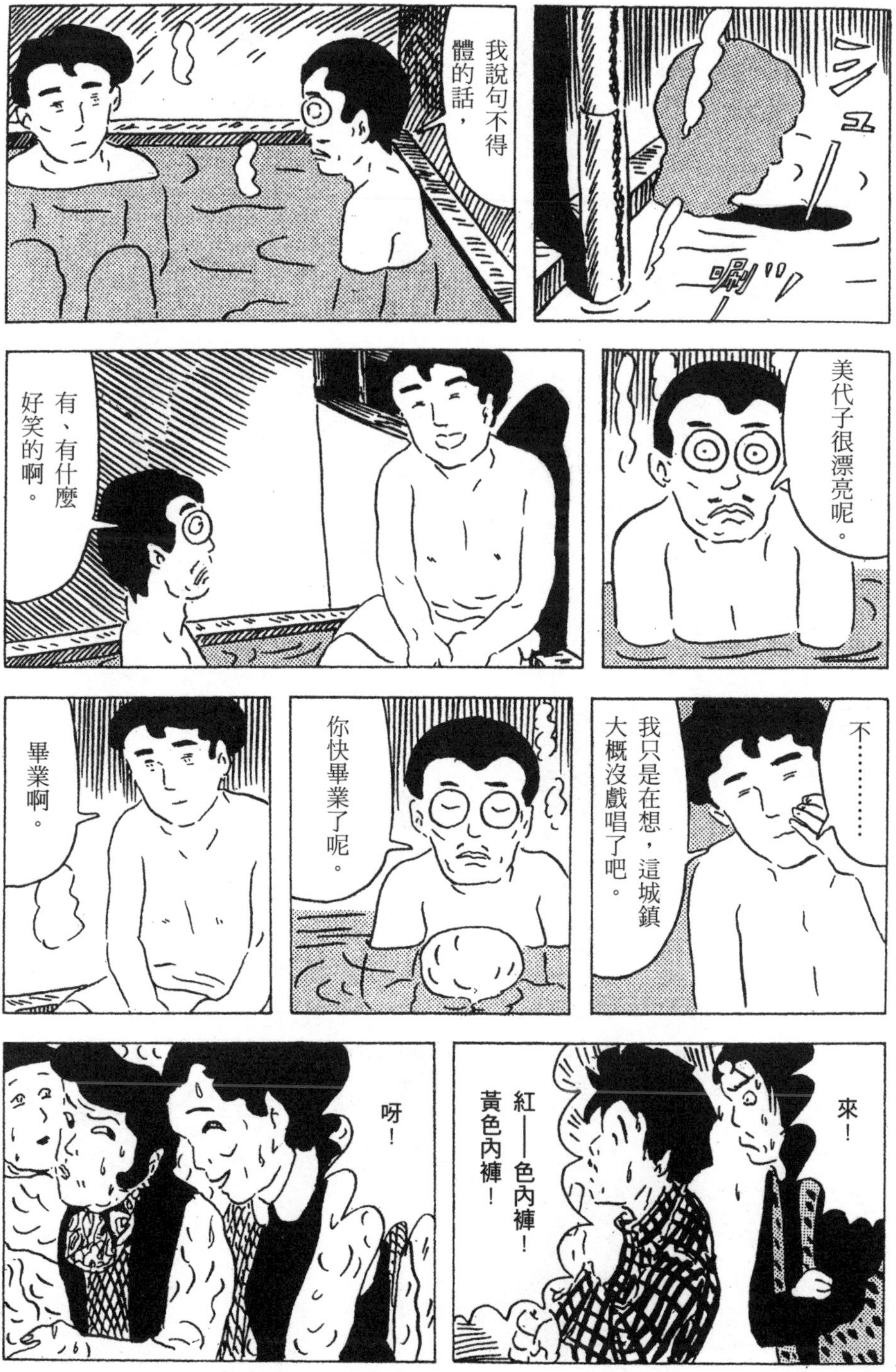
シュ
唰!!
我說句不得體的話，
美代子很漂亮呢。
有、有什麼好笑的啊。
不……
我只是在想，這城鎮大概沒戲唱了吧。
你快畢業了呢。
畢業啊。
來！
紅——色內褲！黃色內褲！
呀！

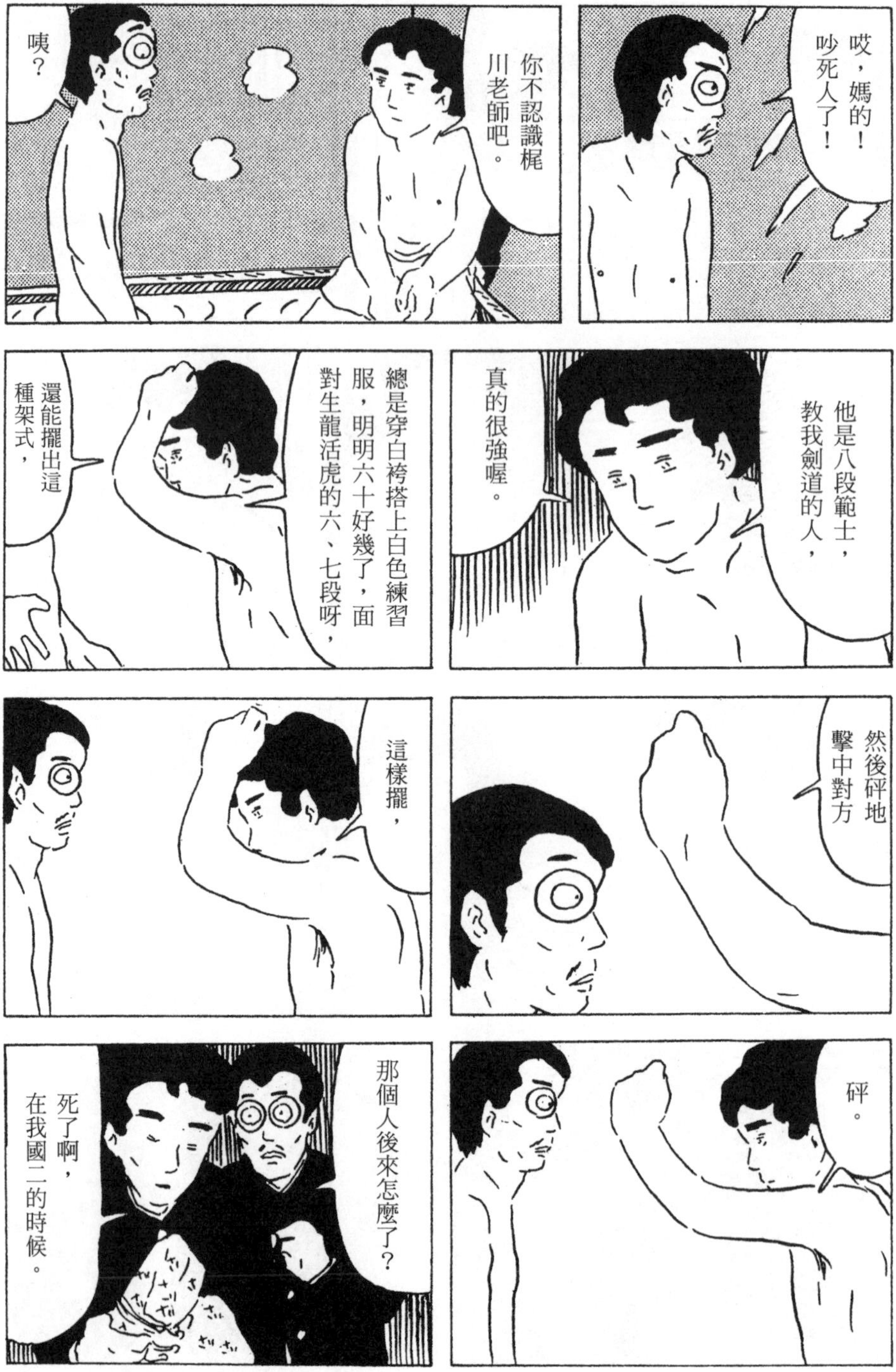
哎，媽的！吵死人了！
你不認識梶川老師吧。
咦？
他是八段範士，教我劍道的人，
真的很強喔。
總是穿白袴搭上白色練習服，明明六十好幾了，面對生龍活虎的六、七段呀，
還能擺出這種架式，
然後砰地擊中對方
這樣擺，
砰。
那個人後來怎麼了？
死了啊，在我國二的時候。

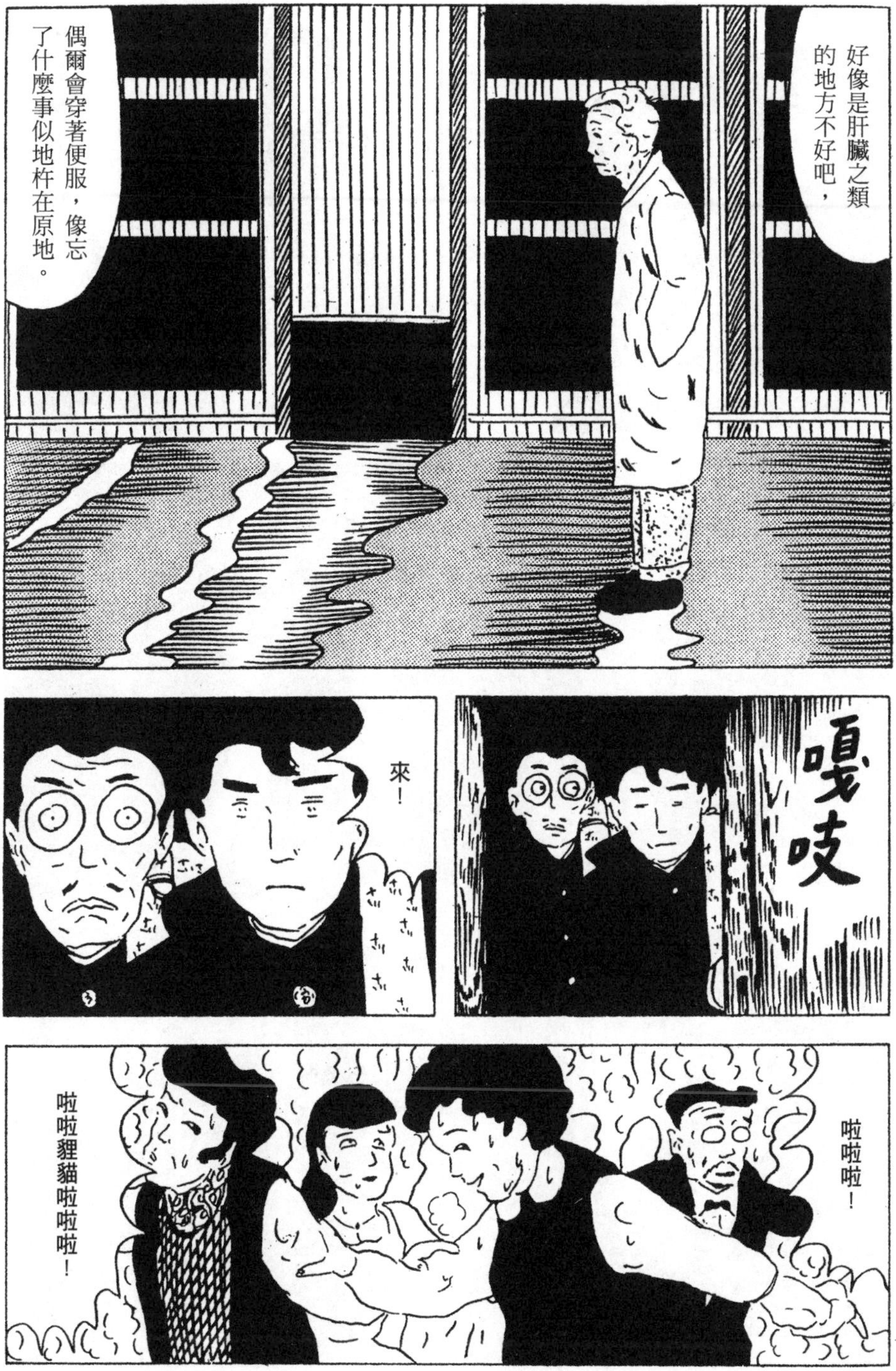
好像是肝臟之類的地方不好吧，
偶爾會穿著便服，像忘了什麼事似地杵在原地。
嘎吱
來！
啦啦啦！
啦啦貍貓啦啦啦！

接著是繞圈啦啦啦！
繞呀繞，點點頭！
不准碰竹刀。
想幹架嗎？臭小鬼。
喂！

ぼ
啪
っ
唔……
呀啊啊！
……
咿啊啊！

看我打死你！
呀—
確實是砰的一下呢，砰的一下。
你在哭嗎？
該說是因為焦急嗎？還是因為嫌惡呢？
……

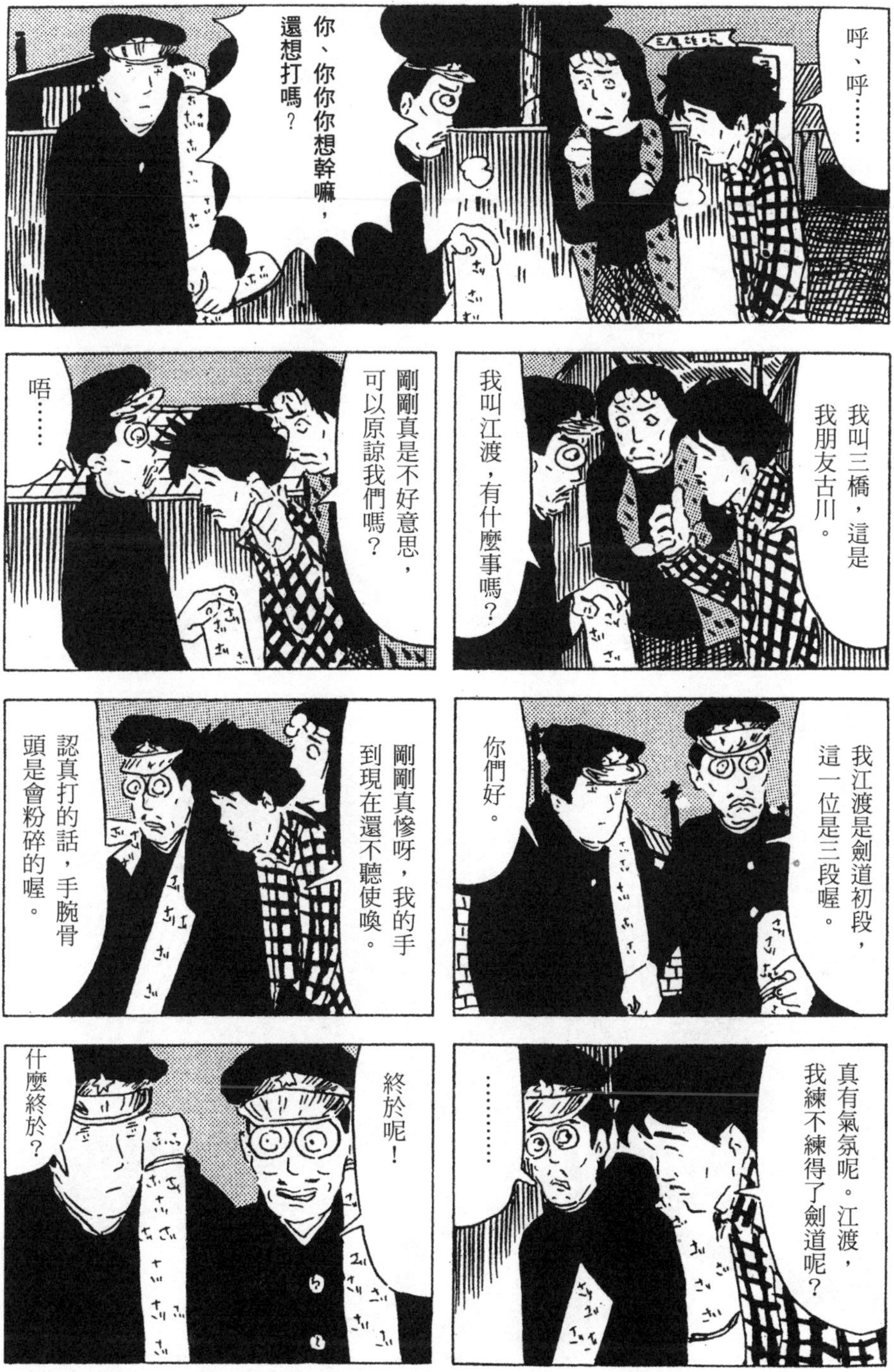
呼、呼……
你、你你你想幹嘛，還想打嗎？
我叫三橋，這是我朋友古川。
我叫江渡，有什麼事嗎？
剛剛真是不好意思，可以原諒我們嗎？
唔……
我江渡是劍道初段，這一位是三段喔。
你們好。
剛剛真慘呀，我的手到現在還不聽使喚。
認真打的話，手腕骨頭是會粉碎的喔。
真有氣氛呢。江渡，我練不練得了劍道呢？
……
終於呢！
什麼終於？

72.12.23

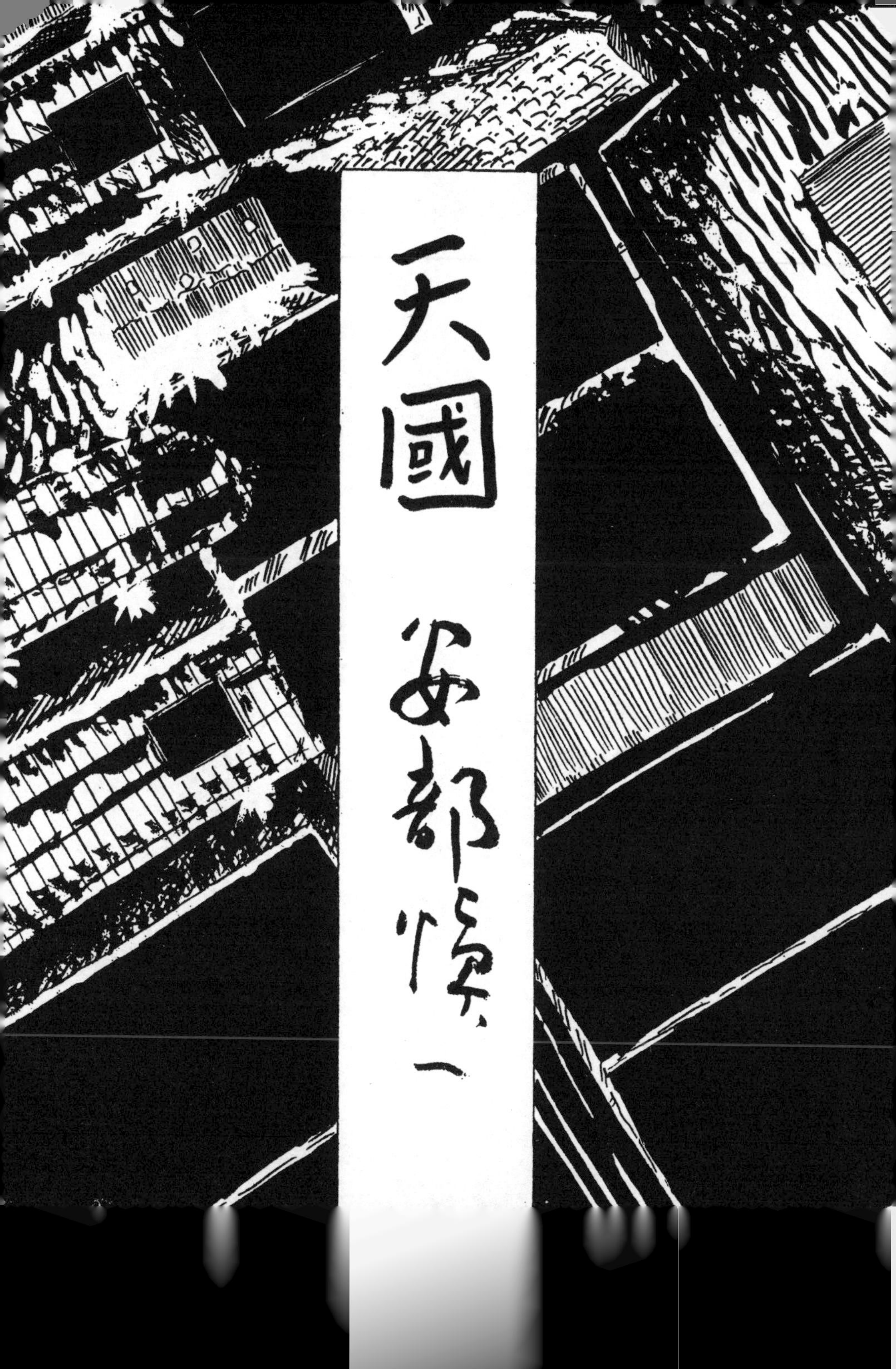
天國
安部慎一

我不喜歡上床，但喜歡看人上床喔。
那樣也叫喜歡啊。
我還特地搭計程車去門司看呢。
嗜好真特殊啊。
哎，不搭計程車去感覺就不爽快咧。
OK。
ウ
イ
嗡
嘰嘰

啊。
ギチ嘰嘰
ゴン

沒聲音，也沒任何動靜，簡直像在看電影。
為什麼纜繩會斷掉？
沒救了嗎？
沒救了吧，腦漿都跑出來了。
血啊，其他流出來的東西都黑漆漆的，和碳粉混在一起了。
咿～～～真噁心啊。
咦？下雪了。

今晚真慢來呢。
因為出了意外呀。燒酒。
我等了一會兒喔。
哎。
婆婆啊，那傢伙有沒有來？
剛剛來過囉，灌她酒，讓她回去了。
別生氣嘛。
還讓她帶了飯糰和蛋走。
外頭在下雪嗎？
在下雪。
感謝招待。
要走了嗎？
再待一下也沒差吧？

你自己喝啊。
真小氣啊。
那傢伙變小氣了。
啤酒
吃過飯了嗎？
嗯。

煎蛋嗎？
還有※目刺。
還煮了味噌湯啊。
不太好喝喔。
功課嗎？
嗯。
真辛苦呢。
你做個滑雪板吧，明天會積雪喔。
嗯。

※魚乾的一種。一般以沙丁魚製作，用竹籤穿過魚眼和下巴，串起數隻製成乾物，因而得名。

去死～～～
去死～～～
高三生～～～
危險！

ドッ
咚ン
你要滑雪就好好滑！
不滑雪的話在這很礙事啊。
怎麼啦？
這孩子待在這很危險啊。
既然很危險，你還是去別的地方吧。
那小鬼頭也是田川小學的嗎？
同班同學。
看到他就覺得煩。

喂。
我想要。
要啥？
拜託。
宗樹，你想要什麼？
拿著襪子。
妳要去哪啊？
喂——要走啦！
要去哪啊？

你們待在外頭。
真可憐。
會不會很花時間啊。

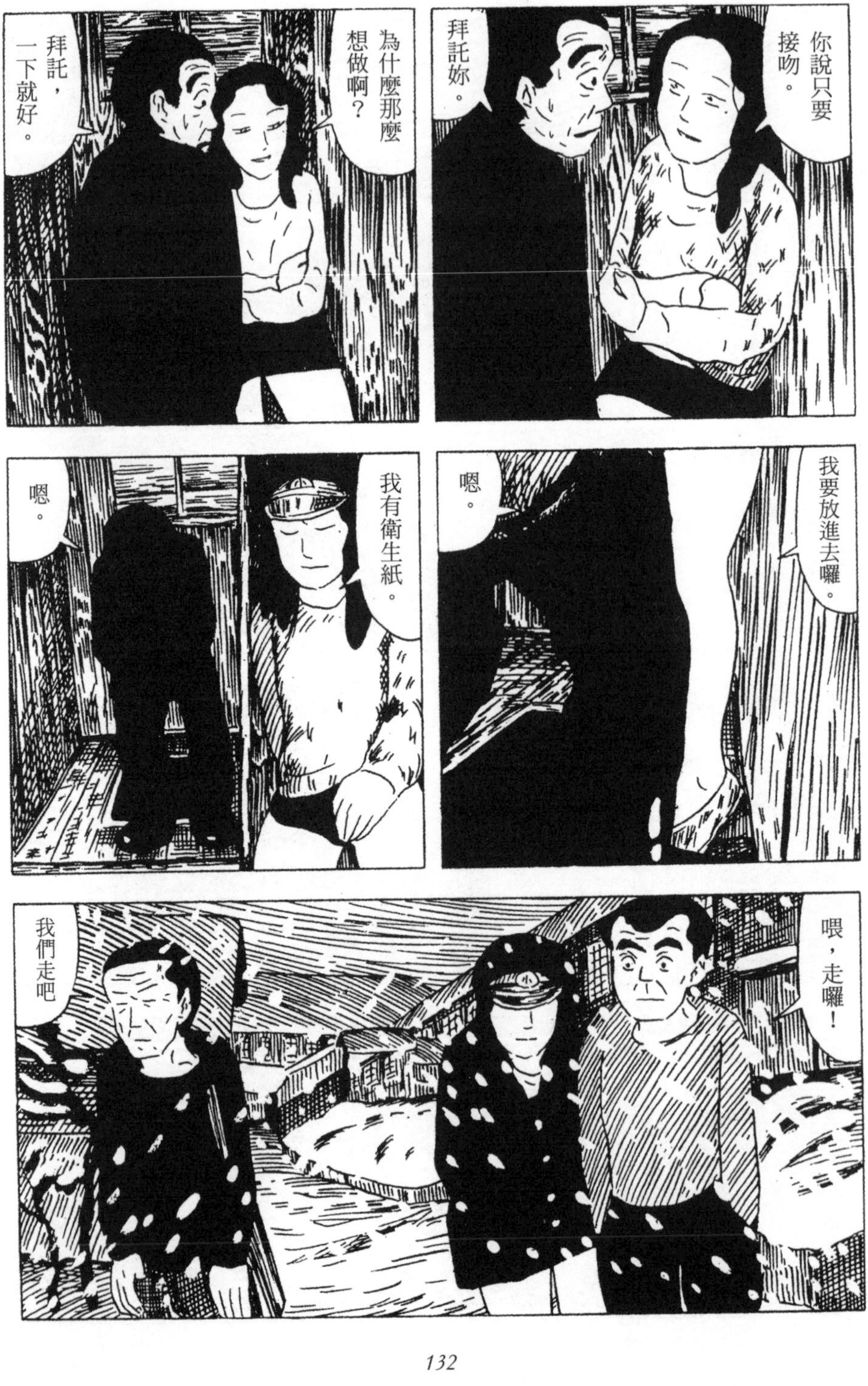
你說只要接吻。
拜託妳。
為什麼那麼想做啊？
拜託，一下就好。
我要放進去囉。
嗯。
我有衛生紙。
嗯。
喂，走囉！
我們走吧

要去哪啊？
要去哪裡啊。
你有沒有什麼能去的地方？
沒地方去吧？
沒地方去就閉嘴跟我走。
你是笨蛋嗎？

哎呀，這不是剛剛的小鬼頭嗎？
好像是呢。
唷，危險啊！
小心點，那樣很危險啊。

你那什麼臭臉啊？
討打嗎你。
我問你是不是討打啦！
算啦算啦，揍女的有什麼用呢？
什麼？
這男人是女的？
妳是女的嗎？
走吧走吧，理會她也沒用啊。

妳等等，我要
檢查她那邊。
混蛋！
啊。

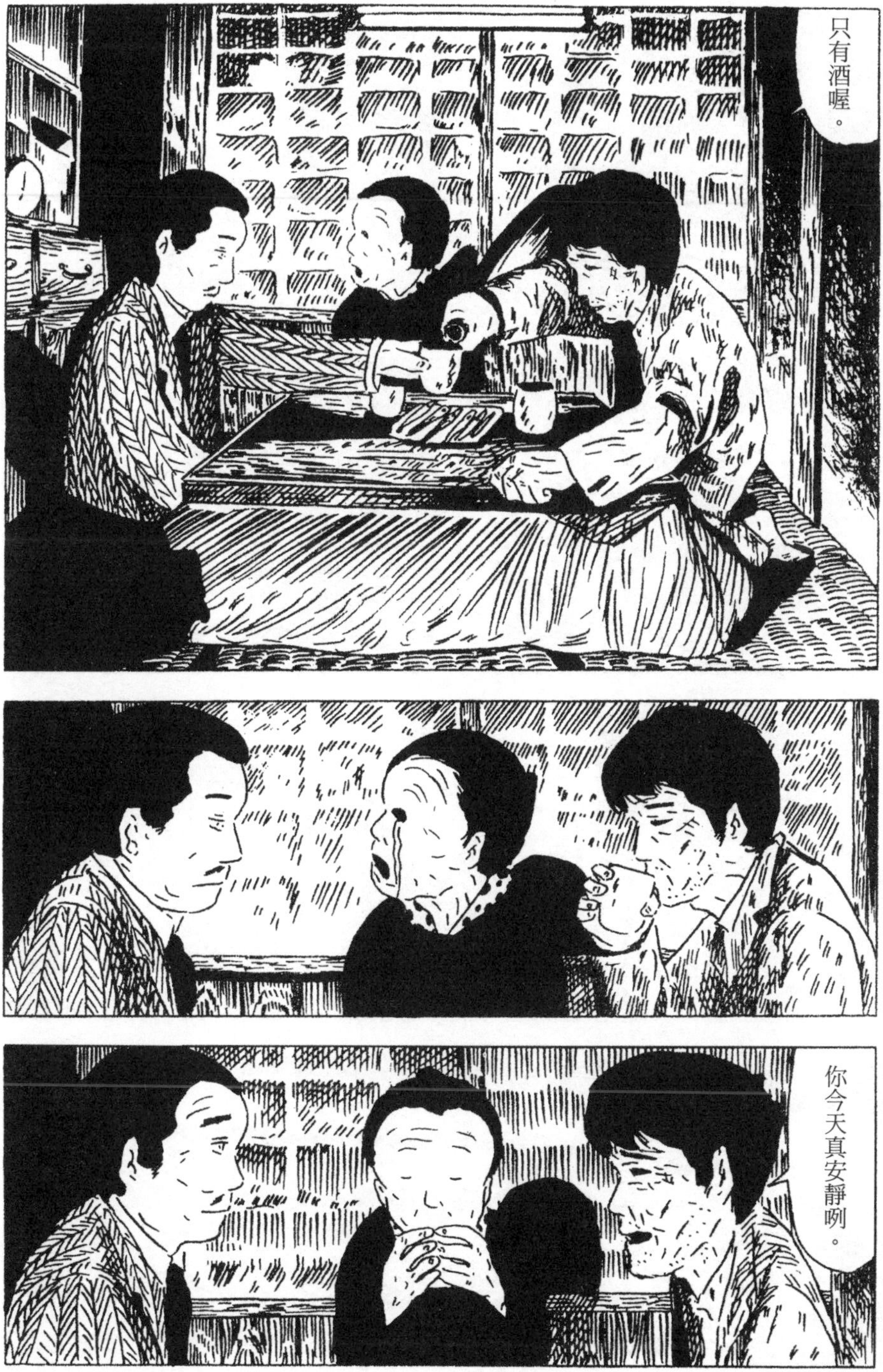
只有酒喔。
你今天真安靜咧。

也只能這樣囉。
話說回來，真的很小呢。
沒辦法啊。
婆婆今天也要工作吧。
要工作。
出去喝吧。

好久沒下成
這樣了。

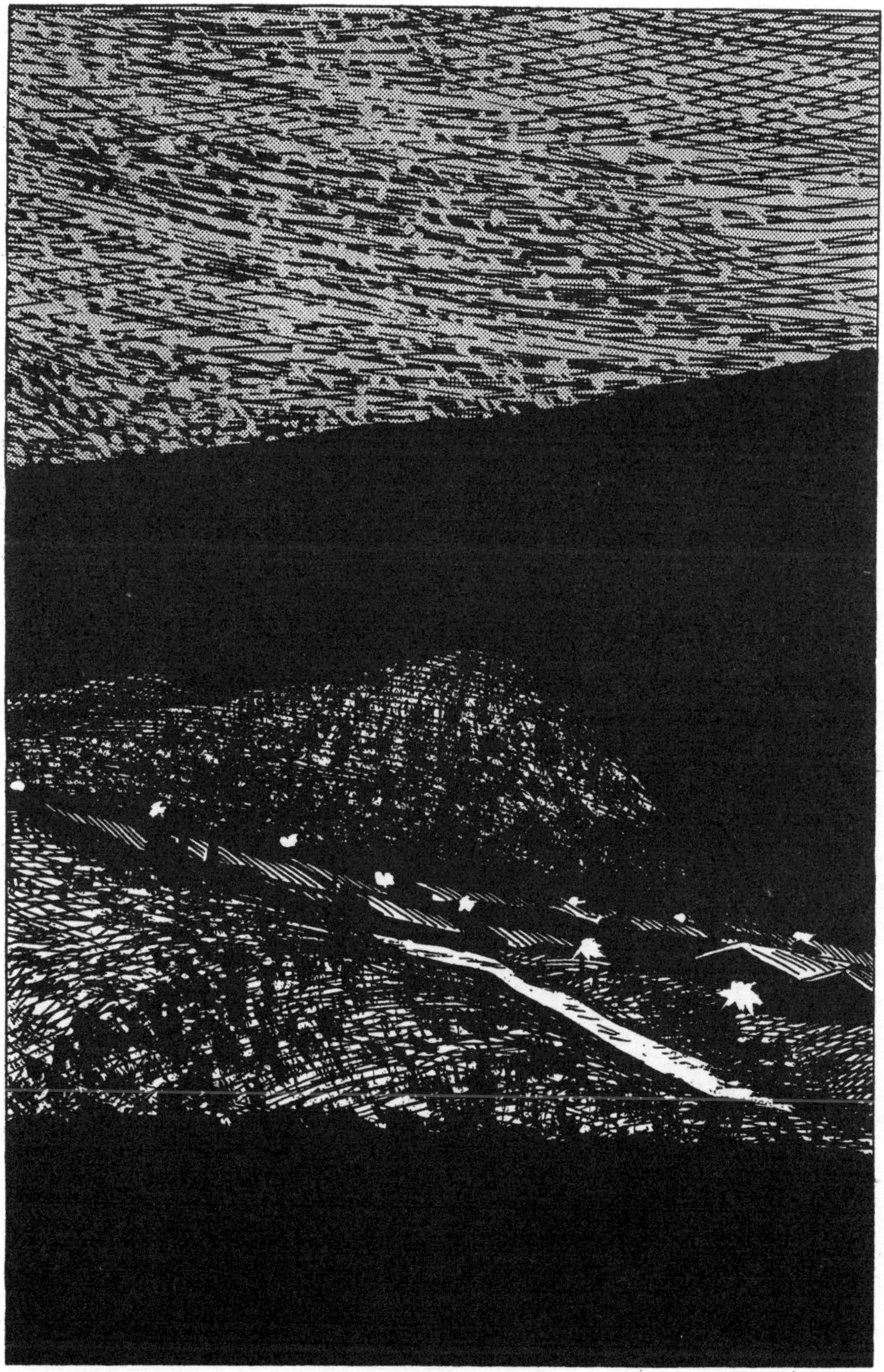

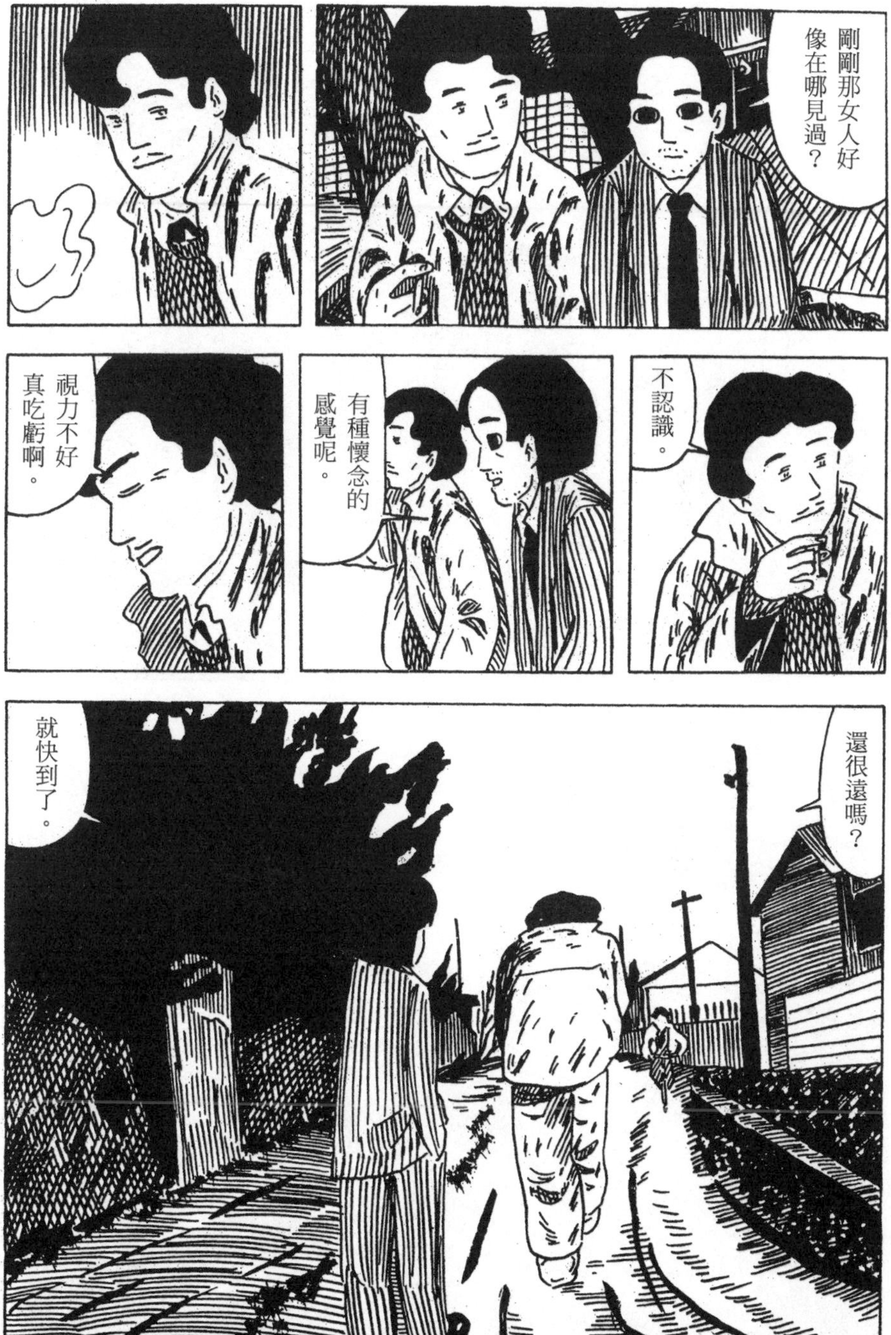
剛剛那女人好像在哪見過？
不認識。
有種懷念的感覺呢。
視力不好真吃虧啊。
還很遠嗎？
就快到了。

國中的時候，秋吉同學死在這澡堂裡呢。

從屋頂掉進女用浴池。
哈哈。

到了，進去吧。
喔。
就讓我打擾一下吧。
爸，這是○○君。
恭喜恭喜，喜事再度臨門。
這次是這小子說要結婚。
聽說這小子的漫畫在東京賣得掉，真的嗎？老夫是一概不知啦。
是真的啊，在阿佐谷無人不知。
去西式房間吧。

房子挺漂亮的吧，還有電話喔。
結婚典禮當天要幾點去會場才好啊？
應該是十二點半左右。
是十號吧。
我七上八下呢。
美代子小姐會和你一起走嗎？回程。
要搭飛機。
可累人了。
真想見見她。不知道她現在長什麼樣子。
普通的樣子啊。

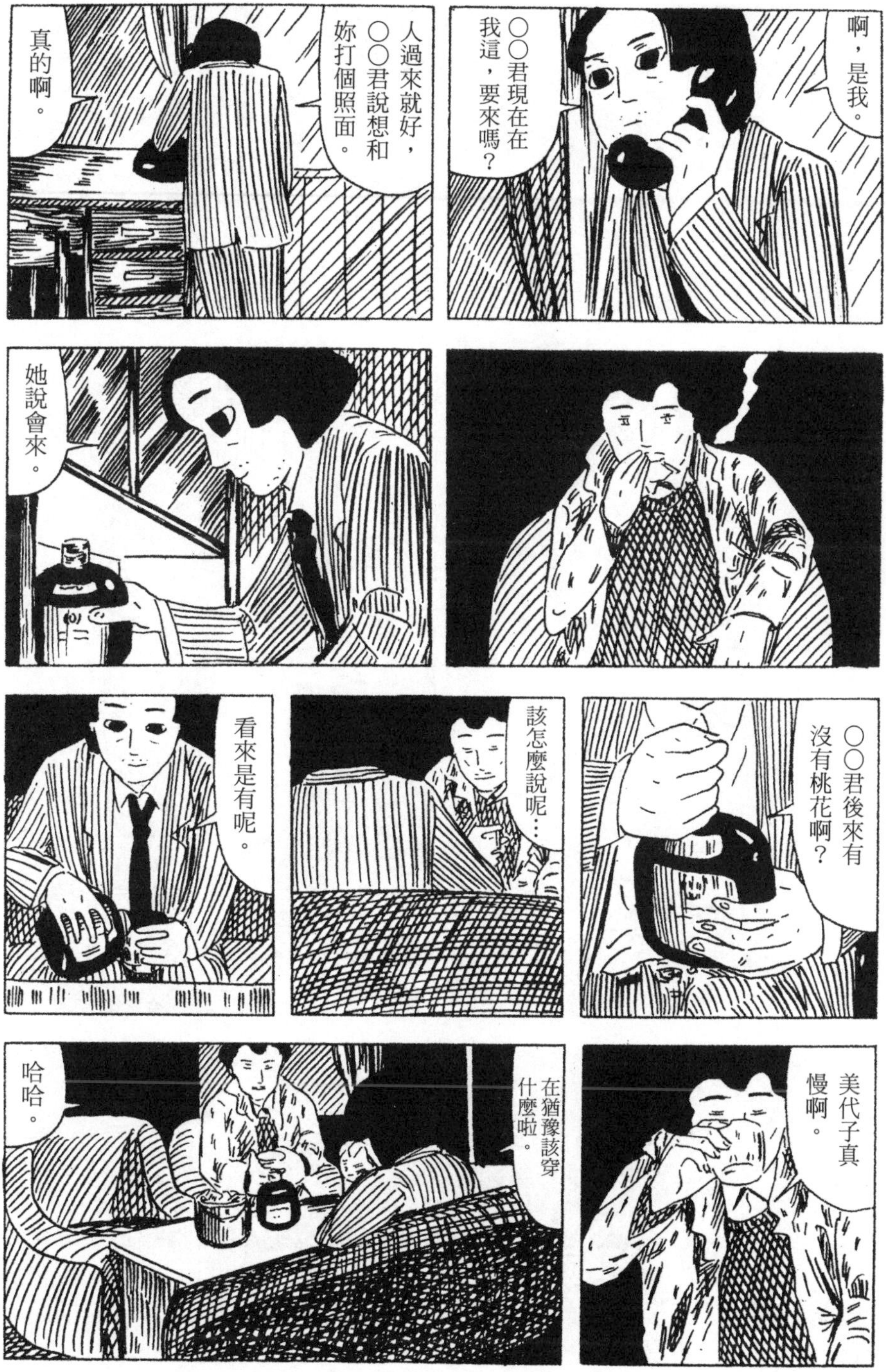
啊，是我。
○○君現在在我這，要來嗎？
人過來就好，○○君說想和妳打個照面。
真的啊。
她說會來。
○○君後來有沒有桃花啊？
該怎麼說呢……
看來是有呢。
美代子真慢啊。
在猶豫該穿什麼啦。
哈哈。

コッ
叩叩
請進。
啊，你好。
妳好。
真慢耶。
嗯，有點事耽擱。
恭喜兩位。
你們今天像電影明星呢。
結婚兩個字說出口後，感覺果然不太一樣是嗎？

問、問我嗎？
我嚇了一跳。
哈哈。
今晚可以住下來嗎？
算是跟家裡交代過了，說會很晚回去。
要過夜的話，還是打個電話比較好。
○○君還是別喝了吧，去洗個澡比較好。
這樣啊。
睡衣幫你放在外面囉。
喔，真不好意思。

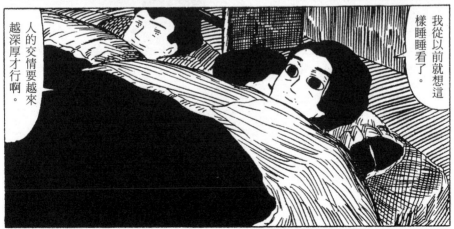

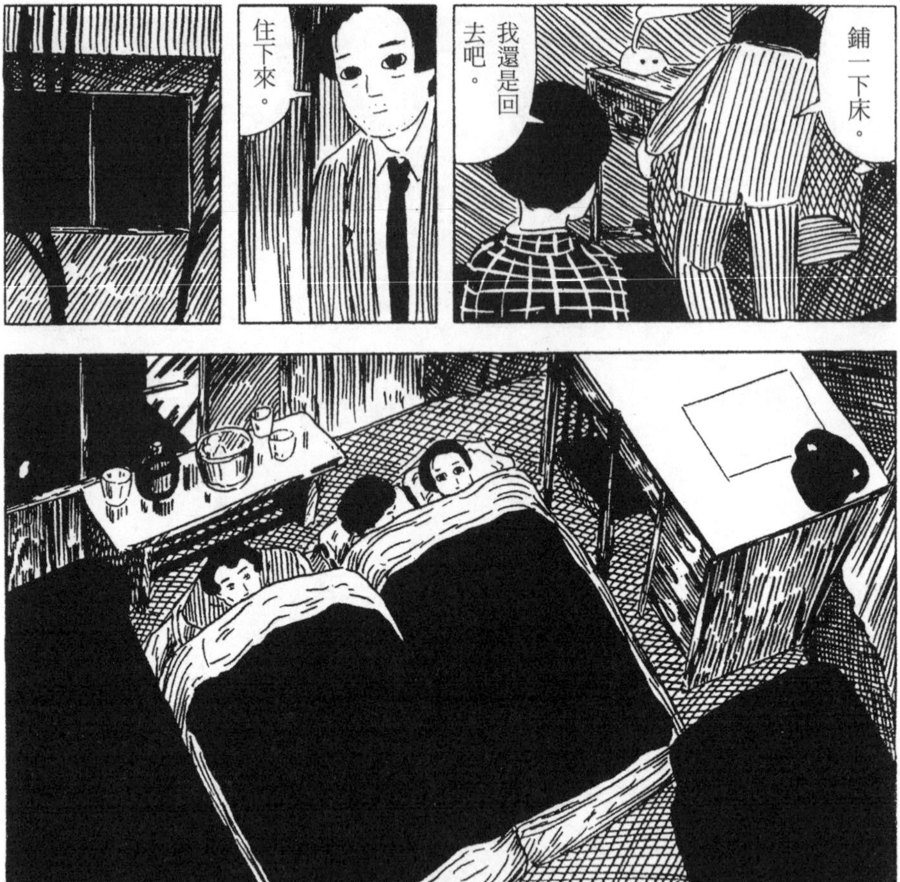
鋪一下床。
我還是回去吧。
住下來。
我從以前就想這樣睡睡看了。
人的交情要越來越深厚才行啊。

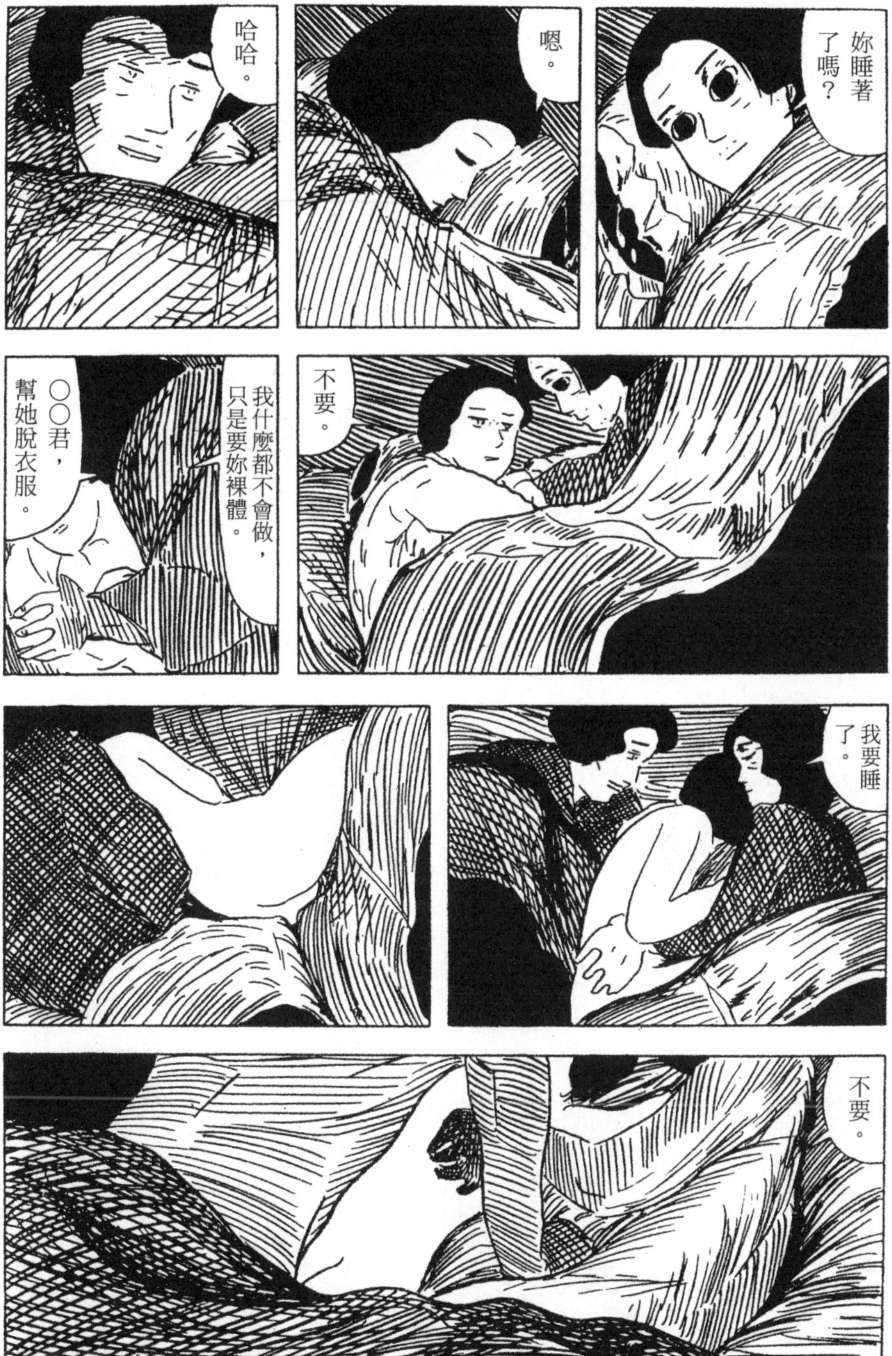
妳睡著了嗎？
嗯。
哈哈。
不要。
我什麼都不會做，只是要妳裸體。
○○君，幫她脫衣服。
我要睡了。
不要。

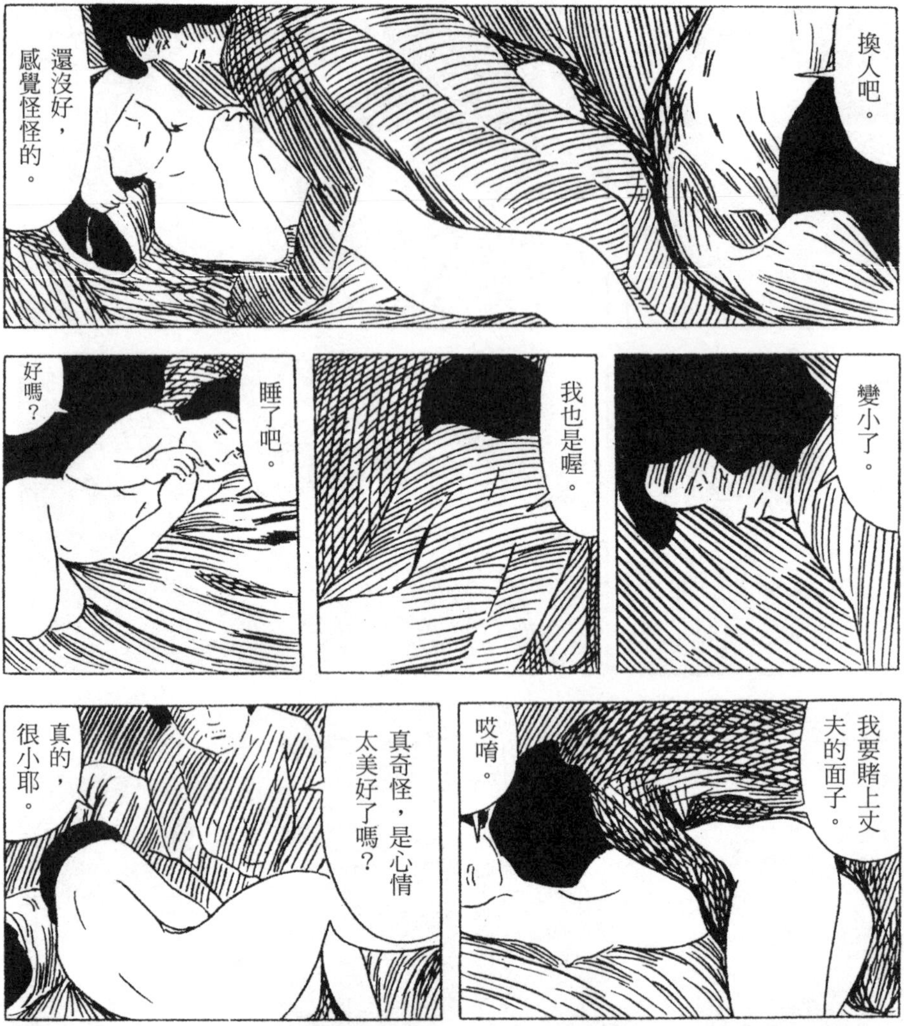
換人吧。
還沒好，感覺怪怪的。
變小了。
我也是喔。
睡了吧。
好嗎？
我要賭上丈夫的面子。
哎唷。
真奇怪，是心情太美好了嗎？
真的，很小耶。
背對我一下。
○○君，我告訴你，這樣夾住……
濕了呢。

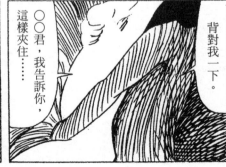

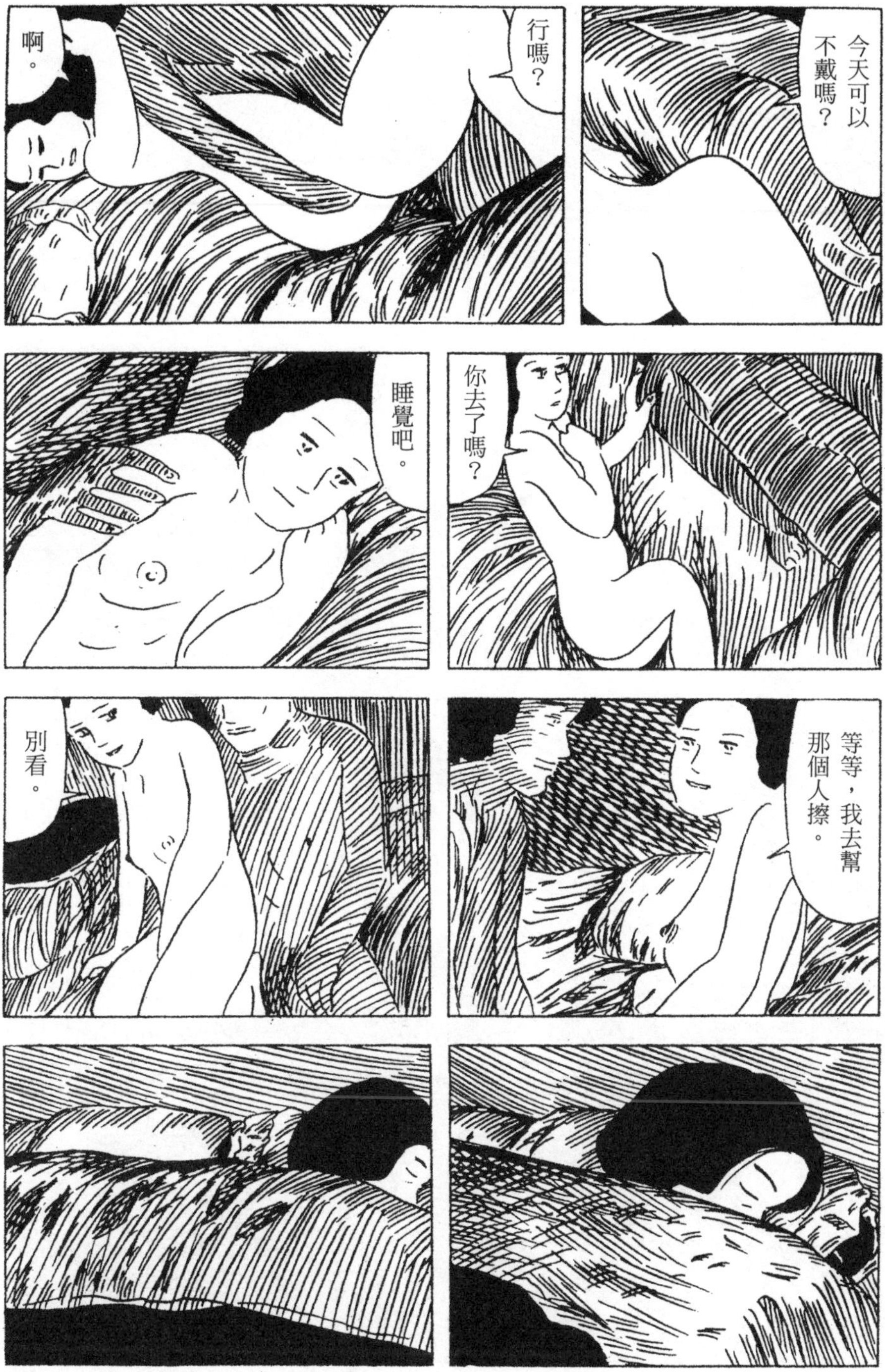
今天可以不戴嗎？
行嗎？
啊。
你去了嗎？
睡覺吧。
等等，我去幫那個人擦。
別看。

剛剛很棒喔。
我要穿睡衣。

阿幸。
妳醒著啊？
現在幾點？
工作嗎？
啊，我關燈吧。
進度有點慢。
不過快畫完了。
果然還是有點害羞呢。
晚安。

像這樣工作真舒暢呢。
我想畫個二十二頁就結束。
早安。
啊，○○君回去了吧。
阿幸。

妳不用洗澡嗎？
我去洗一下。
我們結婚真的好嗎？
別問蠢問題。

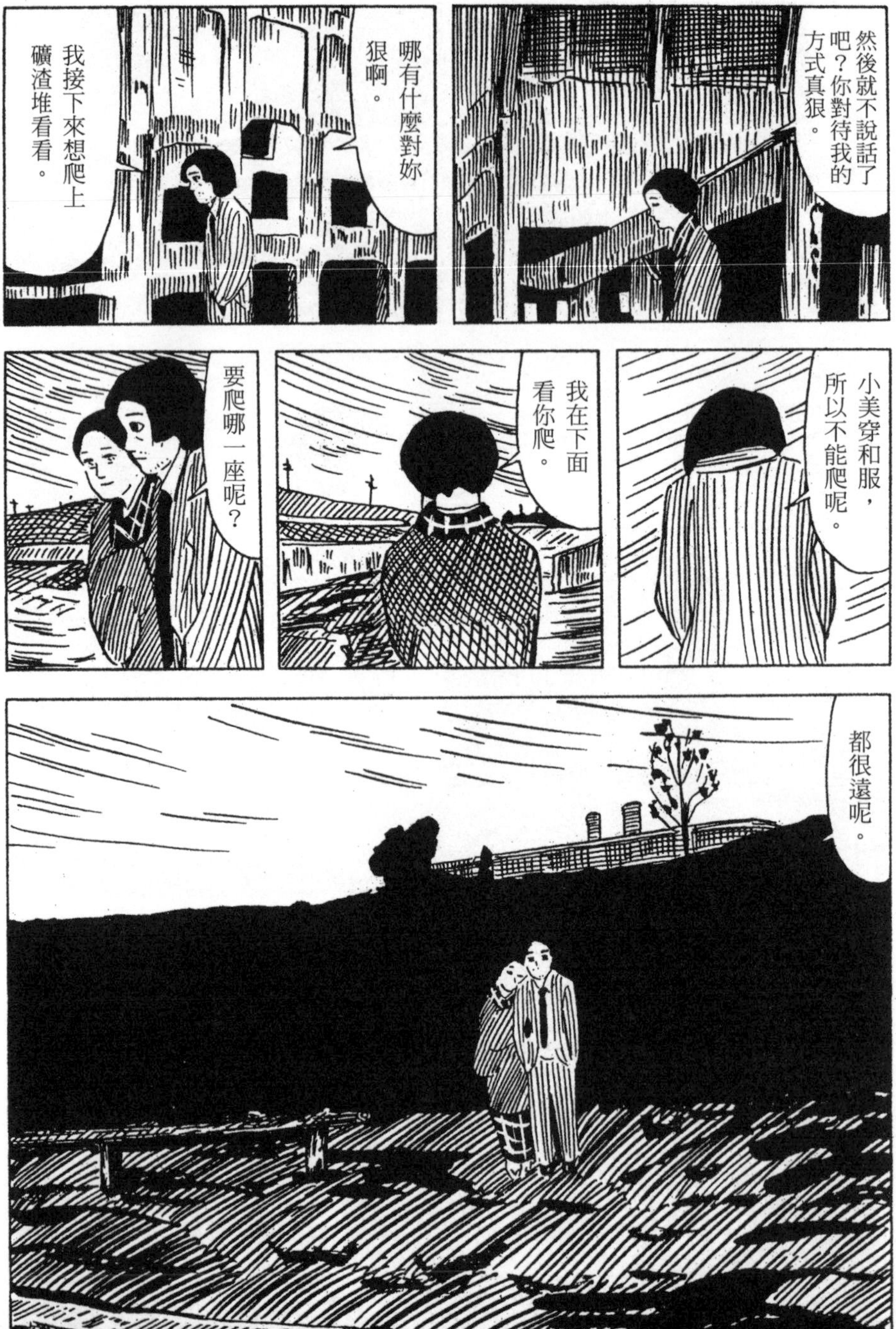
然後就不說話了吧？你對待我的方式真狠。
哪有什麼對妳狠啊。
我接下來想爬上礦渣堆看看。
小美穿和服，所以不能爬呢。
我在下面看你爬。
要爬哪一座呢？
都很遠呢。

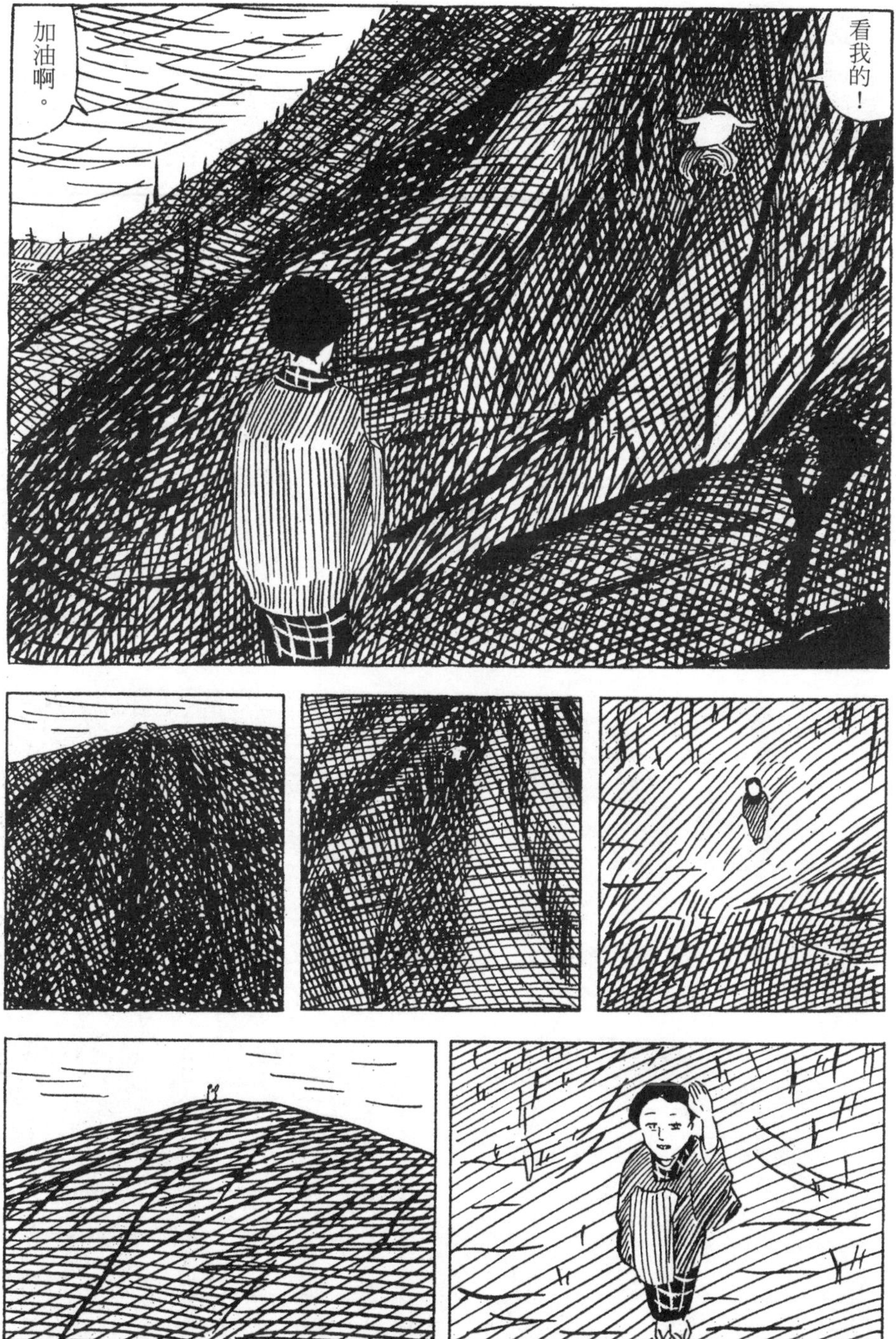
看我的！
加油啊。

危險喔~~~
哇~~~
還在想你跑去哪了呢
我在看另一頭的風景啊。
小時候，

是不是來找過透明的石頭啊？
我剛剛以為阿幸死掉了。
我不會死喔。
為什麼？
只要我體內還有一絲憎恨，
我就能活下去喔。
阿幸，
你現在心裡很寂寞嗎？
我現在很怕小美。

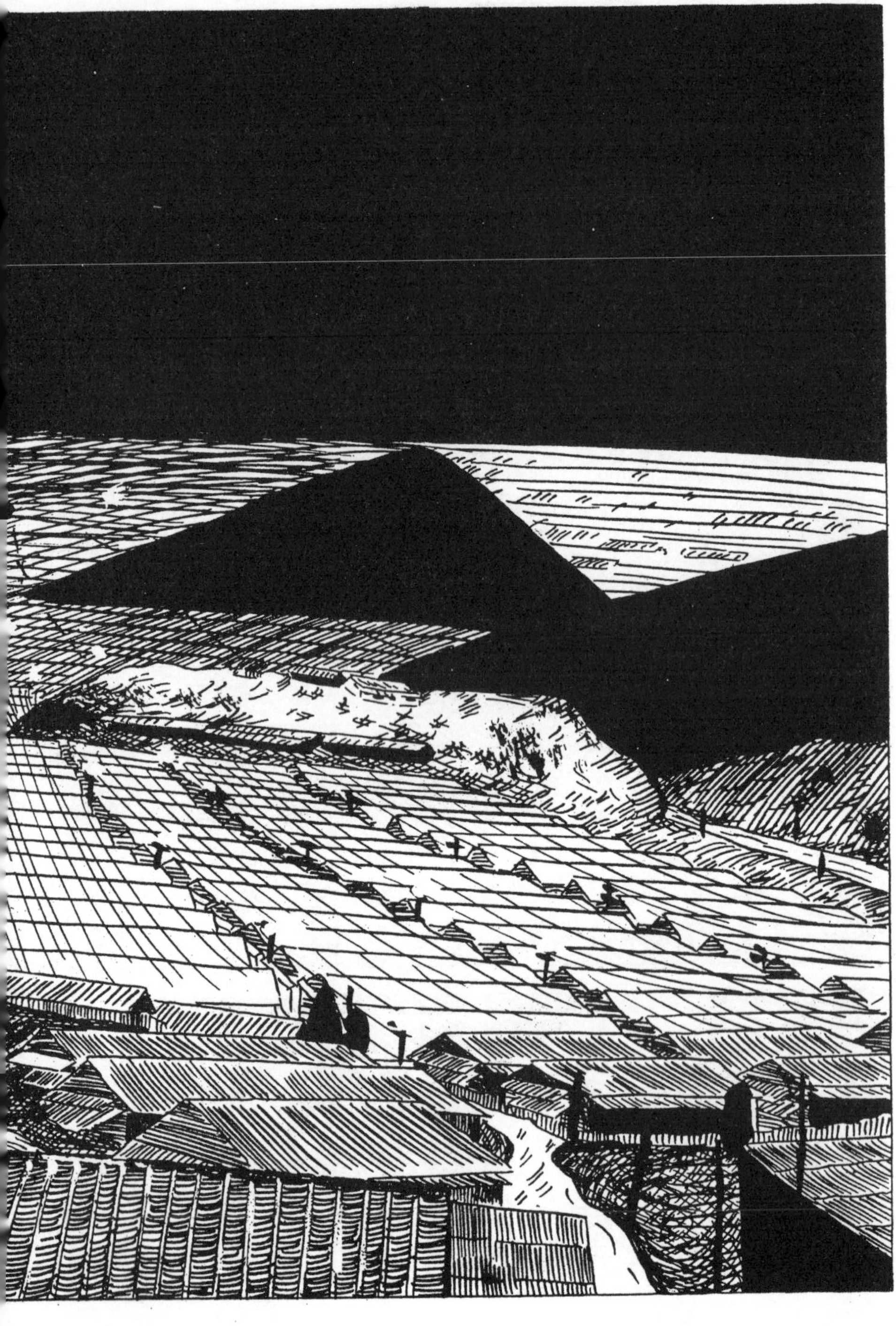

日之興奮

安部慎一

在呢，閒人們。
歡迎光臨。
裡面還有位子。
兩個定食。
小的知道了。
小鬼。

留意一下說話的口氣啊。
你也是啊。
啥！
噗
噗
土方先生，我宰了這傢伙吧？
放他一馬。

拜託妳，
我想先和妳同床再去赴死。
不要。
或許今晚後就見不到妳了啊。
我這麼愛你呀。
戀愛嗎？
哇！
我們是市內巡邏組，還是盤查一下吧。
啊哇啊！

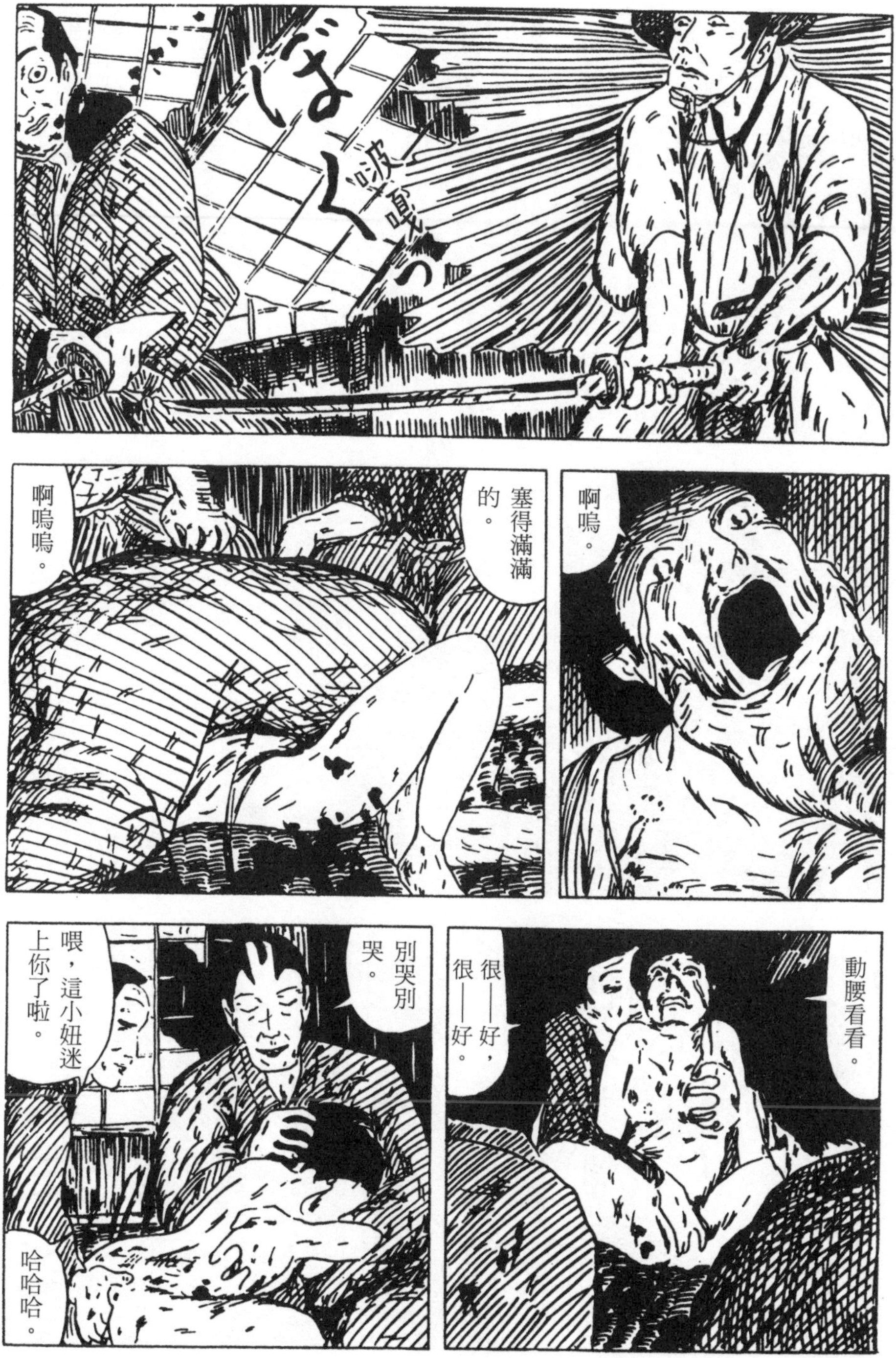
ばさくっ
啵嘎
啊嗚。
塞得滿滿的。
啊嗚嗚。
動腰看看。
很——好，很——好。
別哭別哭。
喂，這小妞迷上你了啦。
哈哈哈。

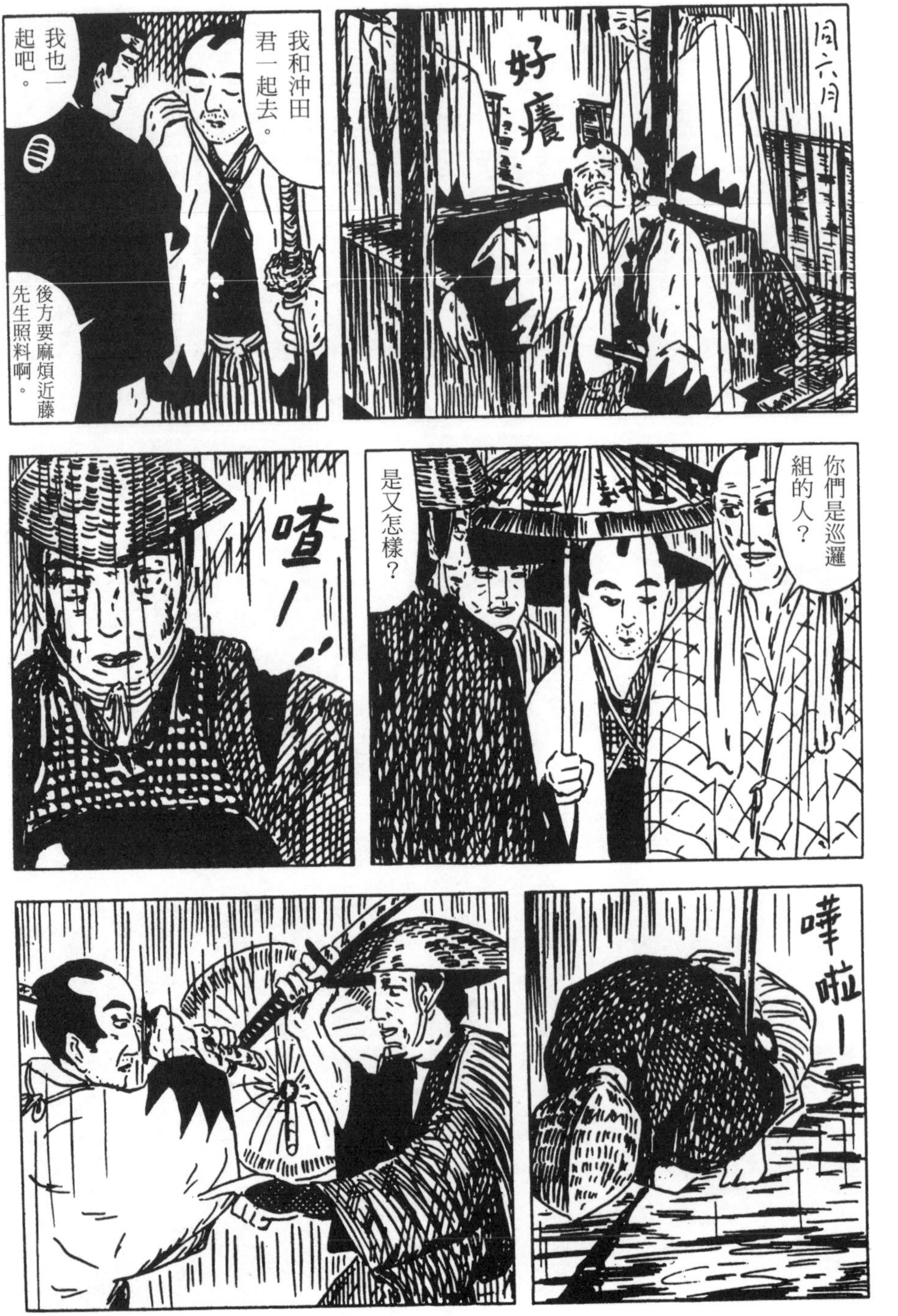
同六月
好癢
我和沖田君一起去。
我也一起吧。
後方要麻煩近藤先生照料啊。
你們是巡邏組的人？
是又怎樣？
喳！
嘩啦！

噗
噗
再殺幾個吧。
哈哈
你真有精神呢。
土方先生看臉揮刀呢。
你往什麼揮刀？
沒什麼好生氣的嘛。
是嗎。
同六月、
我想求見芹澤大人。
他現在醉醺醺的，不要緊嗎？
妳是他的這個嗎？

芹澤先生，菱屋來了個叫梅的傢伙。
請進。
我就是芹澤鴨，妳是為了欠款的事而來嗎？我和太兵衛已經在商談了。
妳是太兵衛的這個嗎？
是的。
唔——
同六月、料亭角屋
德右衛門，過來一下。
我有事想問你。
是。

你對我有什麼看法？
老實說說看。
我認為您是無比率直之人。
我叫你老實說啊。
您是無法隱瞞善良之心的大人。
吐真話！
既然這樣說就把你的女人放出來啊！
藏到哪去啦！
芹澤先生，這樣不妥啊。
不妥？新見錦，你說什麼不妥啊！
新見錦～你要背叛我嗎！
芹澤先生。
伸出脖子來看看啊，你們這些混帳～
說真話來聽聽啊～
局長啊！

你蠢到了極點啊！在這種地方問個屁！
怎麼可能懂嘛！連酒都不喝的傢伙懂個屁。
吵死了，要打架就到外頭去。
啥～～～
要不要到外頭去？
你這臭小鬼。
喂，藥罐子，別嘻皮笑臉了，去擋一下年輕人啊。
會平息的事自己就會平息吧。
真骯髒啊你。
你打從骨子裡就是個窮人啦。
芹澤先生，差不多可以了，酒都要糟蹋了呀。
近藤勇～～～
你真丟人現眼啊，天天行得正、坐得端才算是男人嘛。
你在迷惘個屁啊，娘們似的。
哈
哈
哈

七月，芹澤鴨斬殺力士
ぼら
啵
あ
唷
你不了解庶民。
你從小吃米飯長大。
芹澤鴨應該要朝固定方向發揮刀劍之力。
不然你就是二流的！
你醉了嗎？
不管有醉沒醉，
你都沒資格挑剔我吧。
無禮之徒！
斬殺平隊士渡邊正實

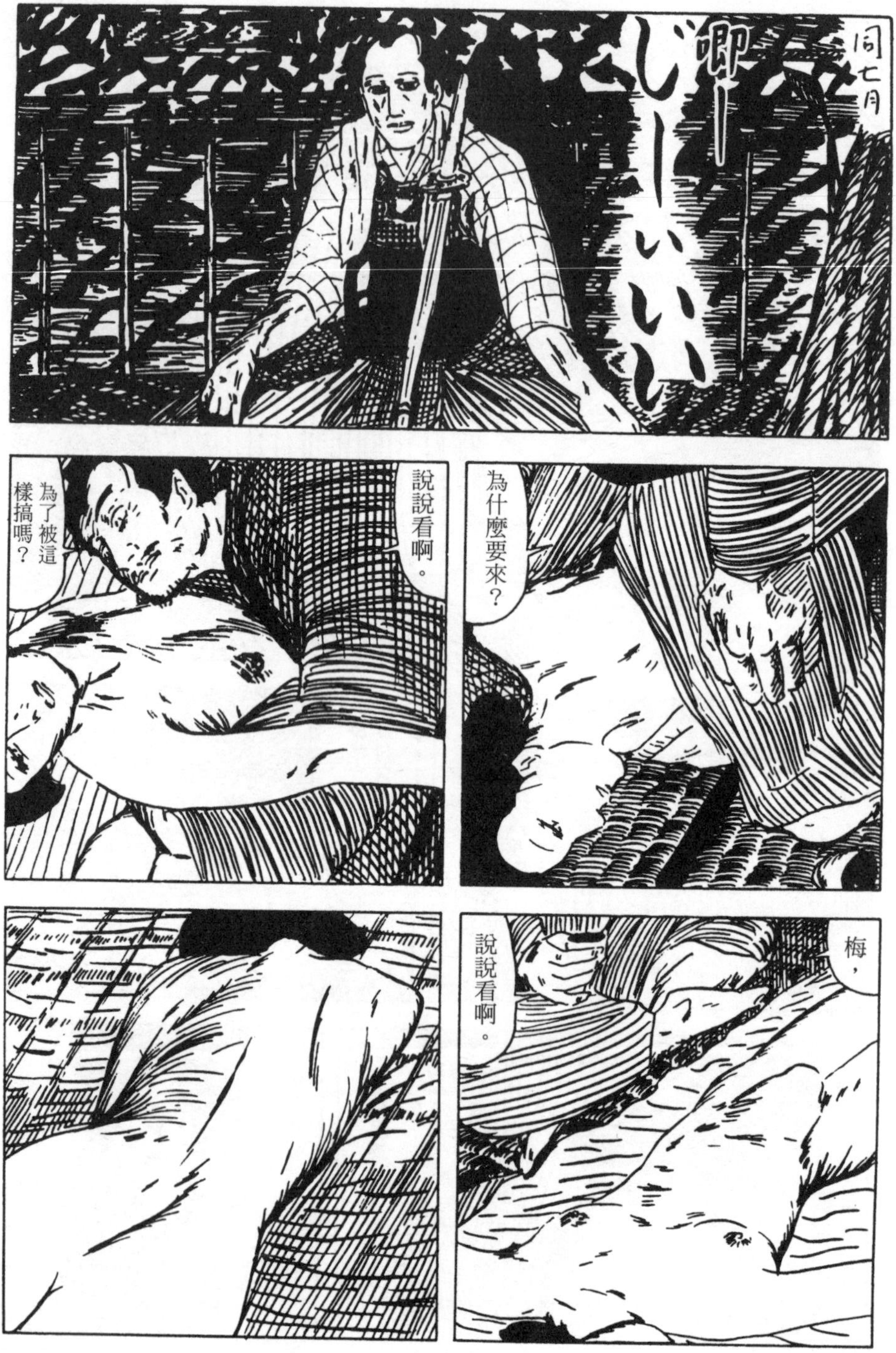
同七月
唧ー
じーいいい
為什麼要來？
說說看啊。
為了被這樣搞嗎？
梅，
說說看啊。

誠
嘔嘔
沖田君，近藤先生叫你喔。
我吐血了。
說得太誇張了。
才那種量，我的痰裡也有啊。

土方先生，
你再稍微表現得笨拙一點才會有好處不是嗎？
什麼意思啊。
你三十歲，
我二十。
我在想呀，讓我迷上你，你才有好處不是嗎？
不過是血嘛。
沒有人會迷上我的啊。
那年夏天，梅遊走於丈夫（菱屋太兵衛）與鴨之間。

喂，還沒好嗎？大家都在等喔。
需要協助嗎？
那請你為炭爐搧風吧。
哈哈。
搧是沒問題，不過新見君啊，
不找近藤君他們來行嗎？
叫他們來也行啊。
不過之後心情會變惡劣吧。
是嗎？大概吧。
不過那票人應該也很寂寞呀。
要叫他們來嗎？
還是算了吧。
反正那些傢伙也不喝酒。
那就麻煩了。

嗯，好吃。
真的啊。
妳真是個壞人呀。
菱屋為什麼要讓妳和芹澤先生上床呢？
妳天生愛偷吃嗎？
大爺們總是考慮很多呢。
局長啊，來唱歌吧！
你醉得真快呀。
喔～～～
局長還說別人呢。

喝個痛快吧！
你喔，喝酒的格調要高才是啊。
怎、怎麼啦？
我明白了。
芹澤鴨被女人迷昏頭了，你也變成一個普通人了。
在說什麼啊？自己有多少體力，你心裡沒底呀。
不——不不，芹澤鴨不會那樣說話。
你不是芹澤鴨。
他不是從前的他了。
去死去死。
綻放的櫻花煎熬嗎
還是使花綻放的我才煎熬呢

還好嗎？
啊，沒事沒事。
先告辭了，因為我昨晚沒睡。
這樣啊。
明天來比個一場吧。
哈哈。
新見大人回去了。
剛剛和他打到照面了。
他也沒什麼精神呢。
跟當初剛見面時的第一印象差相當多呢。
差在哪？
感覺變蒼白了。

燒酒。
好。
大叔也喝吧。
好。
大叔每晚都會在這擺嗎？
這邊是夏天擺。
會有女客。
真辛苦呢。
閣下是志士嗎？
哈哈。
你們再怎麼鬧，我都很清楚，

不管是不是女人，孜孜矻矻活下去，
才是難事呀。
大叔你幸福嗎？
我們以前，
或許更不一樣吧。
更加…
該怎麼說呢。
我們從前應該是幸福的吧？
嘓嘓
小哥，你好像很孤單呀。
那是什麼在叫？
青蛙吧。

能和我溫存嗎？
行啊。
我是第幾個？
總共嗎？
這樣啊……
我來幫妳擦。
不用了，放著吧。
別麻煩了。

少瞧不起人了。
唔—
唔唔
咻咻
ぶふぶふ
咻咻
新見錦，加把勁啊。
你說啥啊！酒鬼！
呀啊！
鏘—

嚇ー
嚇ー
我要什麼時候死才好呢……
一、不許私下爭鬥
新見君，我根據局中律法，令你切腹。
芹澤先生呢？

切腹吧。
你們……
哼
九月八日新見錦切腹

沙ー
睡不著嗎？
菱屋過得好嗎？
我也許是個沒用的男人呢。
那男人會和妳上床嗎？
別出聲……

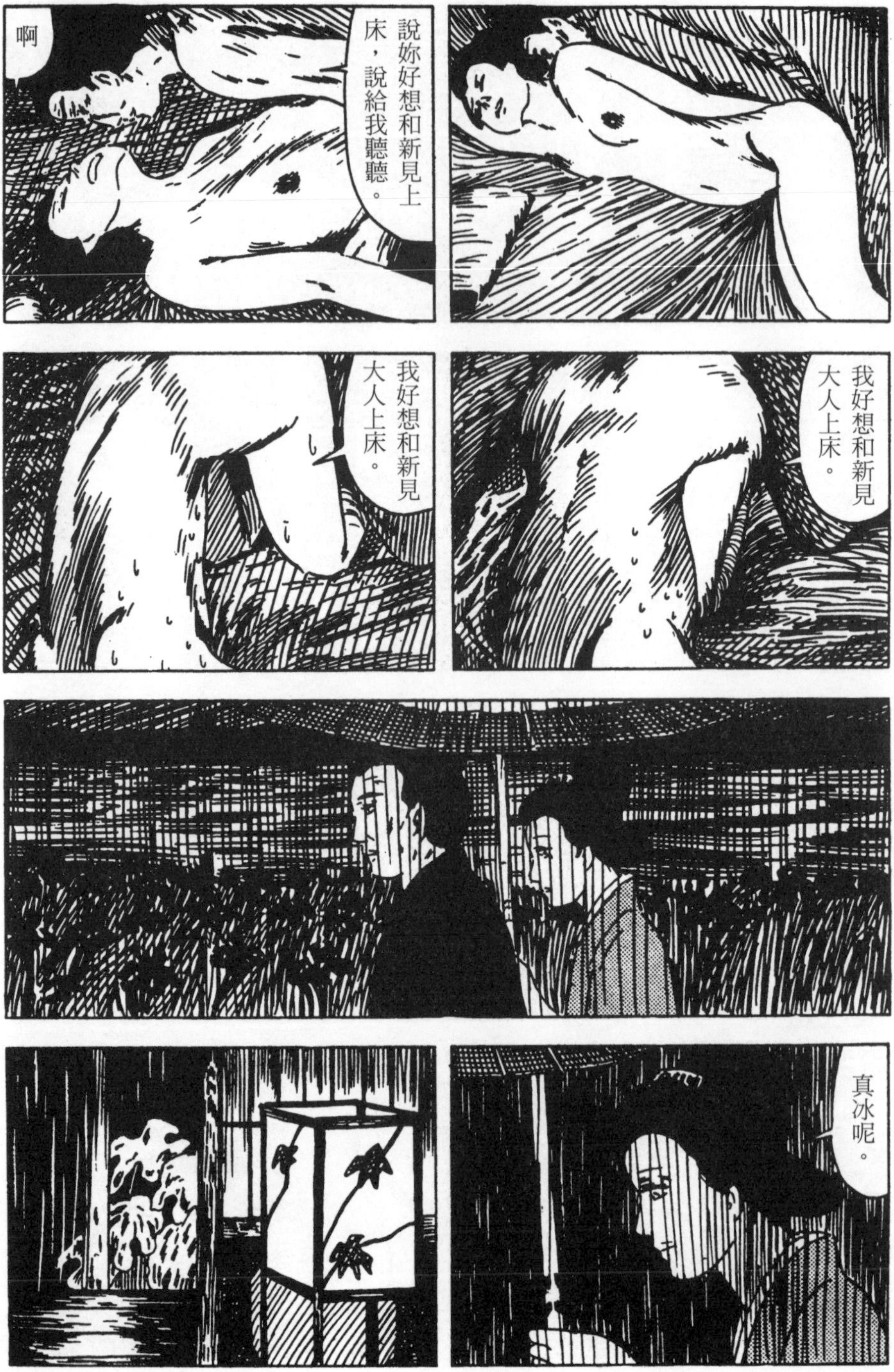
說妳好想和新見上床，說給我聽聽。
啊
我好想和新見大人上床。
我好想和新見大人上床。
真冰呢。

只有酒，沒別的了。
太兵衛，你老了呢。
你變得威風凜凜。
抱歉半夜打擾。
我最近沒什麼睡。
我也睡不著。
我就覺得你今晚會大駕光臨。
大家都不在了呢。
我剛剛和阿梅上床了。

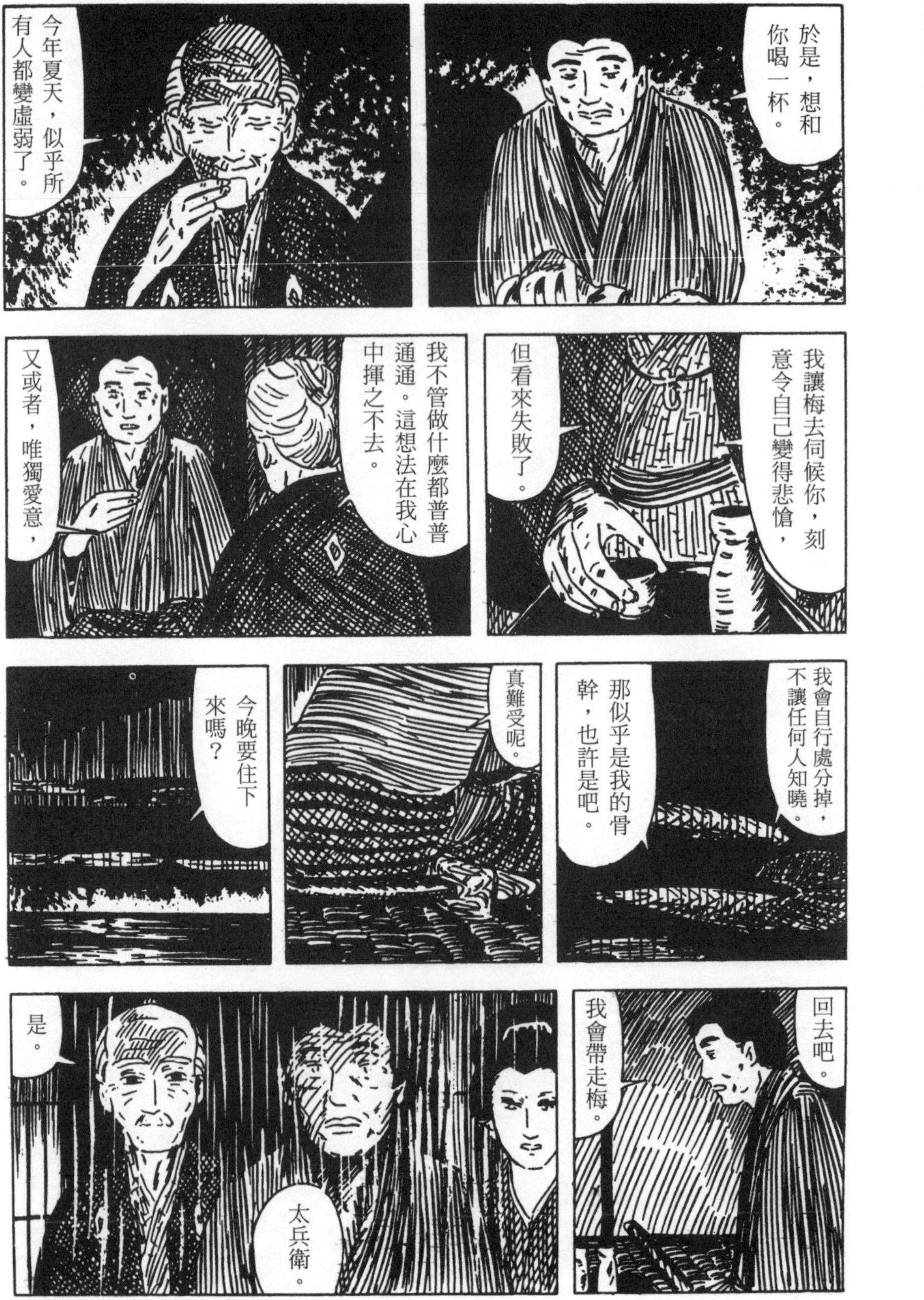

於是，想和你喝一杯。
今年夏天，似乎所有人都變虛弱了。
我讓梅去伺候你，刻意令自己變得悲愴，
但看來失敗了。
我不管做什麼都普普通通。這想法在我心中揮之不去。
又或者，唯獨愛意，
我會自行處分掉，不讓任何人知曉。
那似乎是我的骨幹，也許是吧。
真難受呢。
今晚要住下來嗎？
回去吧。
我會帶走梅。
太兵衛。
是。

可別死啊。
您這話令我萬分難受。

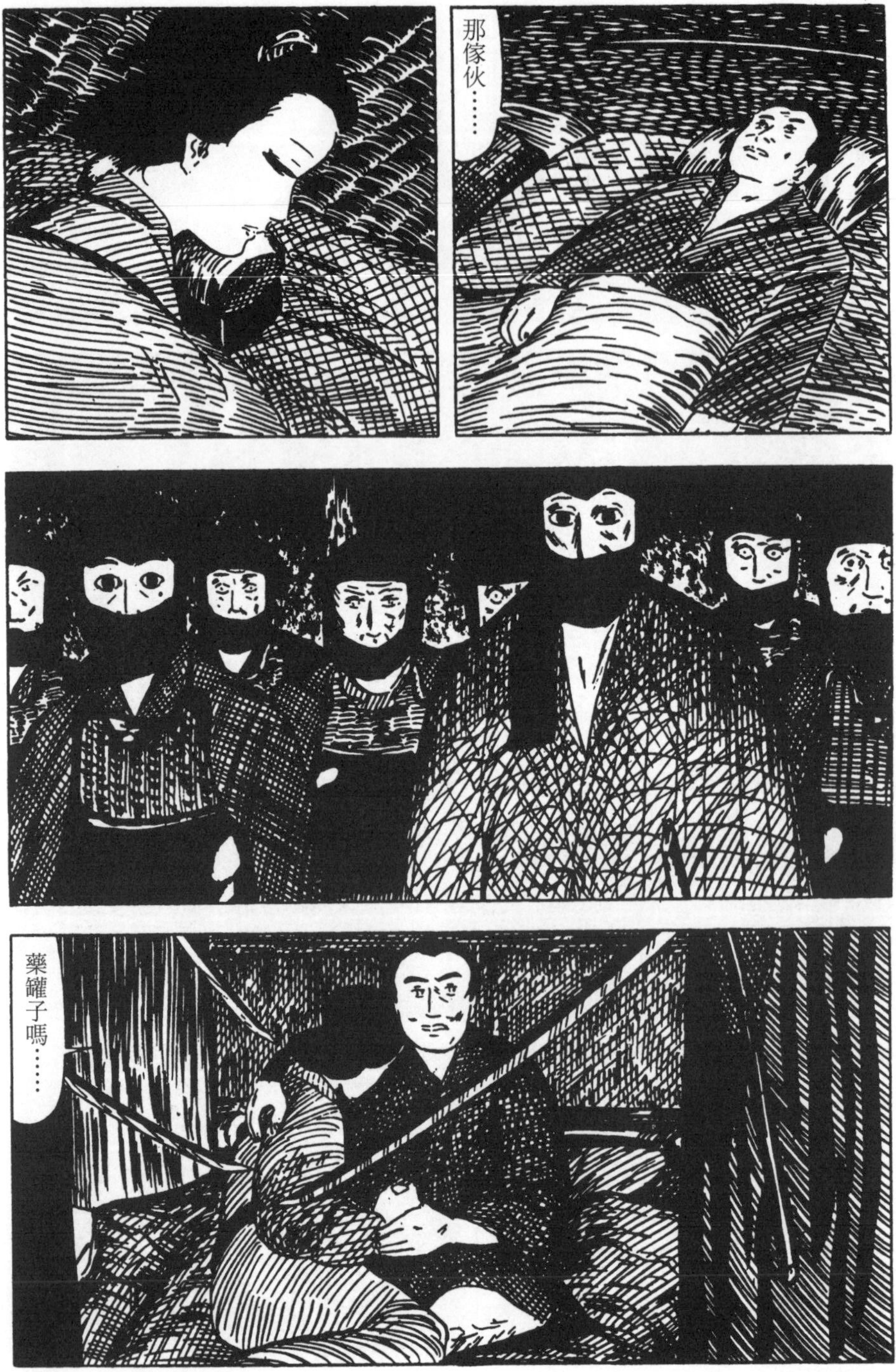
那傢伙……
藥罐子嗎……

小心點啊，脖子會扯斷的。
女人要怎麼辦呢？

不能和芹澤大人一起處理吧。
就別管她了。
也只能這樣了吧。
真可惜呢。
九月十八日芹澤鴨 平山五郎死亡、

巨人
安部慎一

聽說這座山以前簡直像山伏的巢穴，不過我小時候為了捉蝴蝶爬上來好幾次呢。
你不如就自己爬呀？

一個人爬這種山，命有幾條都不夠啊。你累了嗎？
累了。
不然這樣吧，天也黑了，該吃飯了吧。
不要慢慢下山嗎？
七郎，你瘋了嗎？這才第二天啊。不如你一個人下山吧，我要留下來喔。
爭不贏你咧。
晚餐好像是鯉魚味噌湯，不過那旅社似乎還在考慮要供哪種鯉魚。會營養嗎？
養那麼多，很不尋常呢。

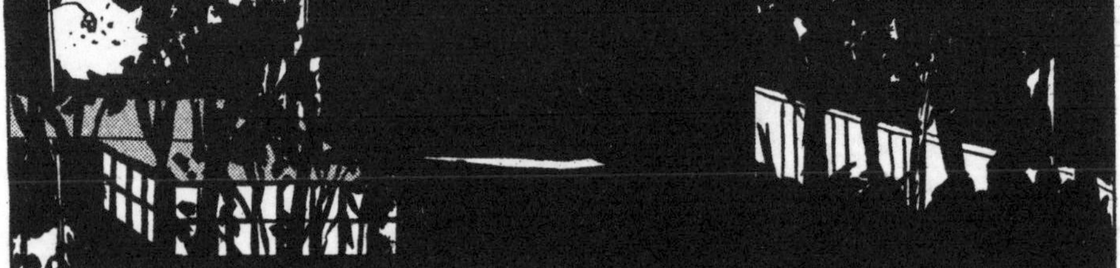

你不吃嗎？有害身體喔。
鯉魚的同伴似乎在騷動呢。
說那什麼噁心的話，這不過是好吃的魚啊。
肉很肥美。
你不吃的話，我一個人吃光喔。
好像有人在池邊走路耶。
應該是廚師吧。
要抓睡著的魚呀。

白天那女人是誰呀？一直偷看我們。
旅社的人吧？
這旅社無依無靠，只有那女子和廚師在經營。
昨天沒看到她呢。
大概是外出採買了吧。
我看我還是明天下山吧。
反正半夜就是沒陽光，你慢慢考慮吧。

好痛，好痛呀。
都幾歲的男人了，忍一下。不然細菌跑進去怎麼辦呀。
誰呀？
是我啦。
我準備去洗澡，結果聽到這邊有聲音。怎麼啦？
沒事啦，是這老大不小的傢伙在嚷嚷。
同學，嚇到你了嗎？這是鯉魚游過來啃的啊。

你先別對同學撒這種沒必要的謊了吧，明明是被野生的蛇咬的。
說啥啊？野生的蛇會平白無故跑來咬人嗎，同學？
野生的蛇。
不，是鯉魚。
同學，
你看。

喂，信義。
你以前是和誰一起上這座山的？
某個男性親戚，在夏天帶我來的。
他後來怎麼了？
反正一定還活著啦。要不要去外頭走走？
走吧。
咦？他好了嗎？我帶了藥過來呢。
什麼藥？
只是糖水啦。你們要去哪？
附近走走，不過都特地出門了，會喝個一杯吧。
泳池是吧。
泳池。

啵嘰
你真的是個怪人呢。
什麼意思呀？
你這個人和我這個人，搞不好是不一樣的人種呢。

哎，不過也無所謂啦。
真神氣的泳池呢。
這是山谷泉水，所以有人差點掛了。
完——全搞不清楚狀況的鎮上的人差點沒命呢，水真的是冰死人了。
人在這啊。
嚇死我了，妳像忍者似地跑出來。
不游泳嗎？
修行中不游，肌肉會鬆弛。
我想游呢。
為什麼不游？

因為我沒泳衣嘛，你不會盯著我看吧？
妳打算裸體游泳嗎？
游游吧。
別看喔～

你們不游嗎？
水很冰吧？
チャプ

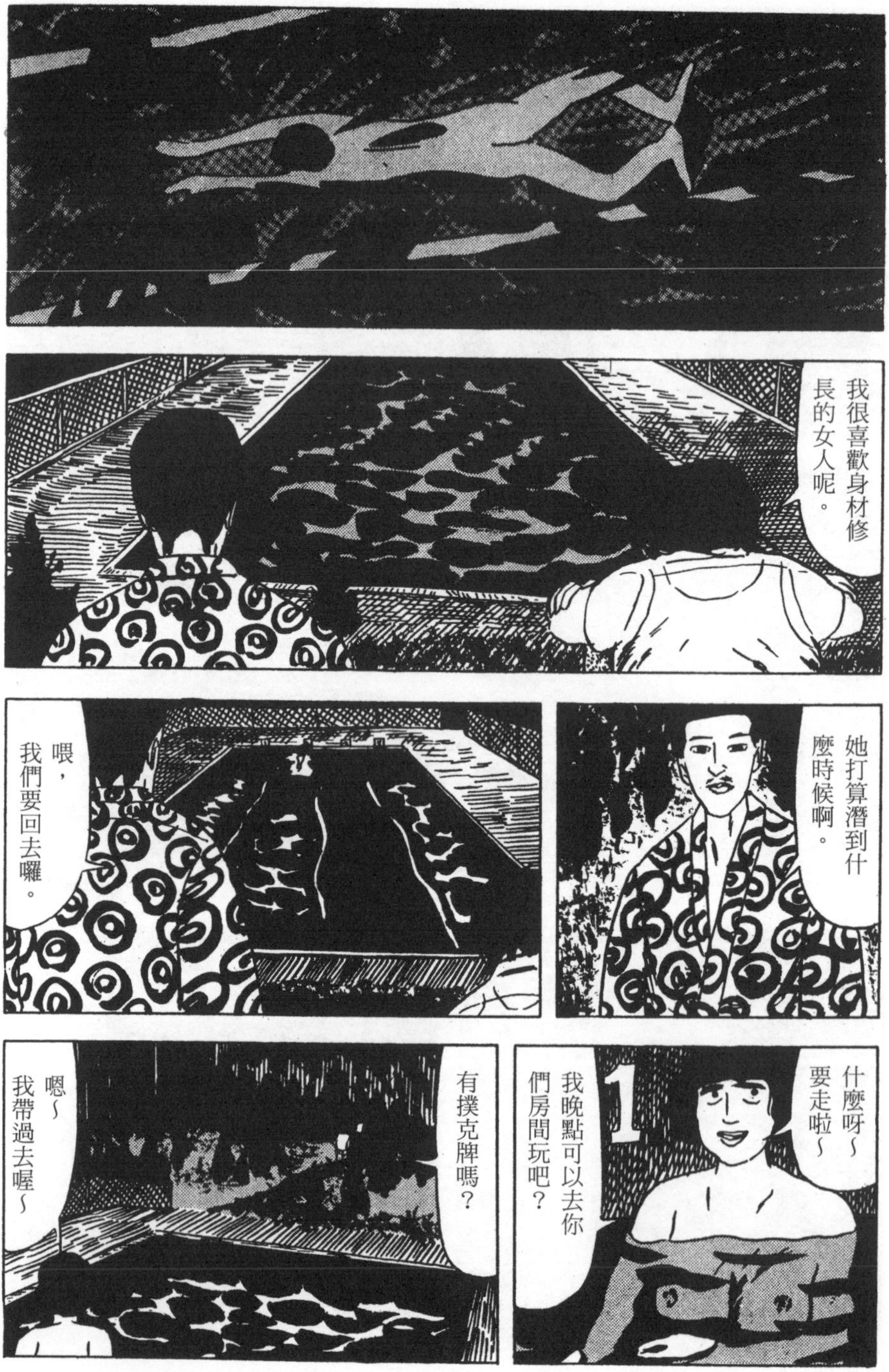
我很喜歡身材修長的女人呢。
她打算潛到什麼時候啊。
喂，我們要回去囉。
什麼呀～要走啦～
我晚點可以去你們房間玩吧？
有撲克牌嗎？
嗯～我帶過去喔～

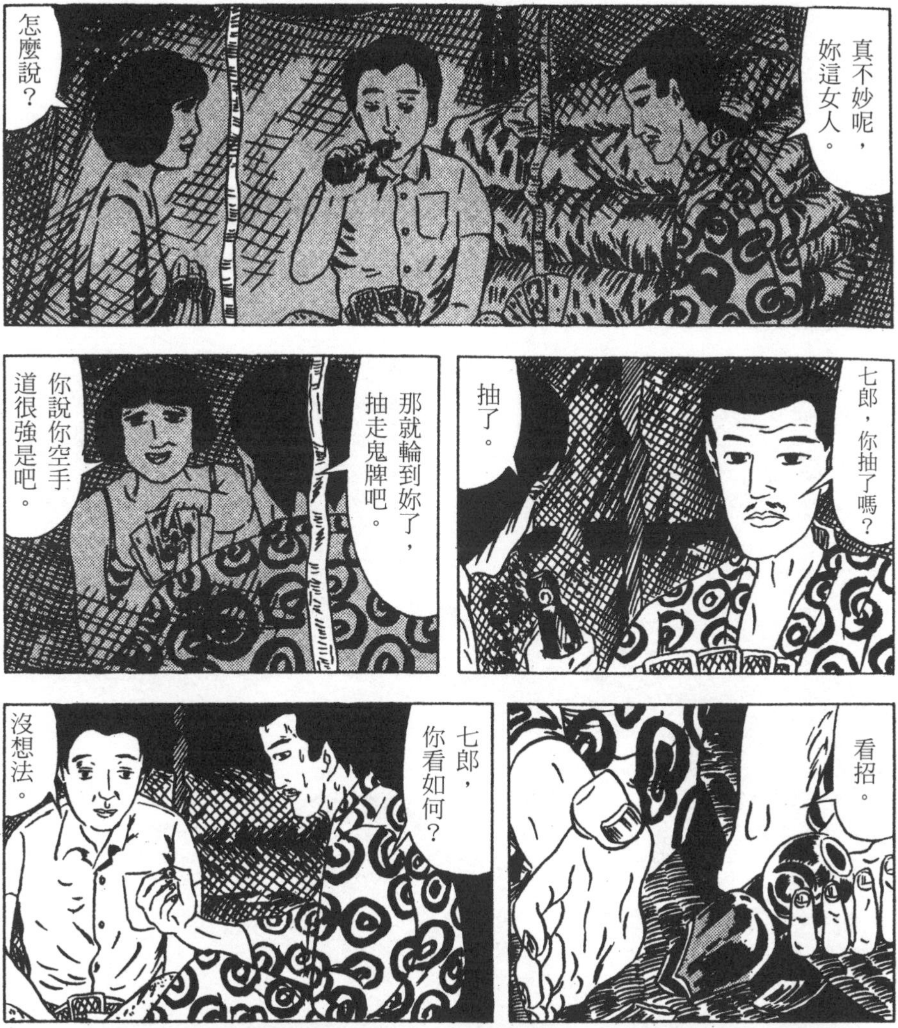
真不妙呢，妳這女人。
怎麼說？
七郎，你抽了嗎？
抽了。
那就輪到妳了，抽走鬼牌吧。
你說你空手道很強是吧。
看招。
七郎，你看如何？
沒想法。
哼！
還好吧？
不行了，手指會搞壞。

你知道吧？有鬼會跑到我房間喔。
又在說那種氾濫的故事呀。
你不信也沒差，但有人會偷窺我喔。
我天不怕地不怕，反而會表現得更大膽。
七郎，怎麼辦？
去吧，你一個人就應付得來了。

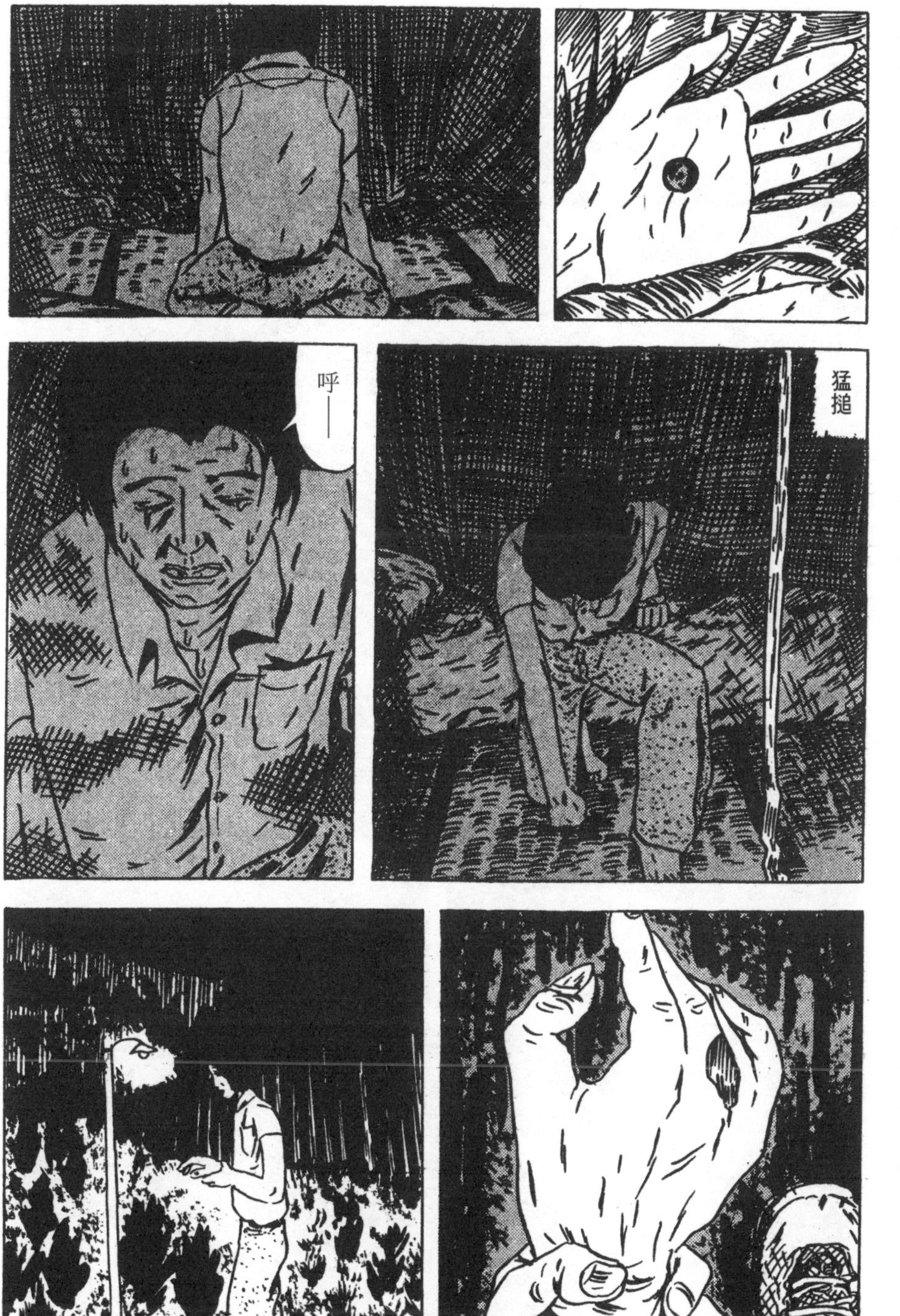
猛搥
呼——

喂，美男子。
第二人生開始了。
咚
唰

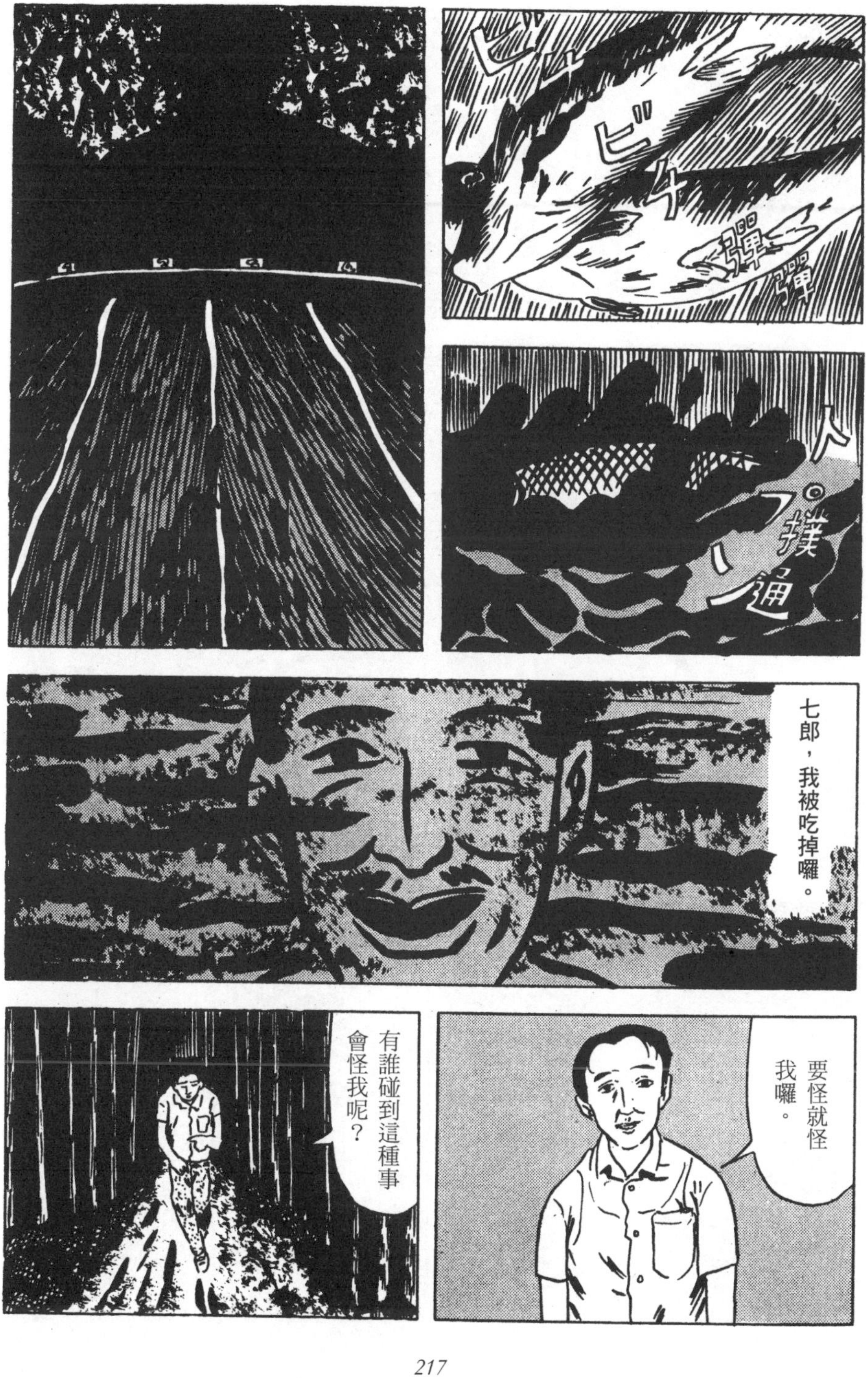
彈
彈
撲通
七郎，我被吃掉囉。
要怪就怪我囉。
有誰碰到這種事會怪我呢？

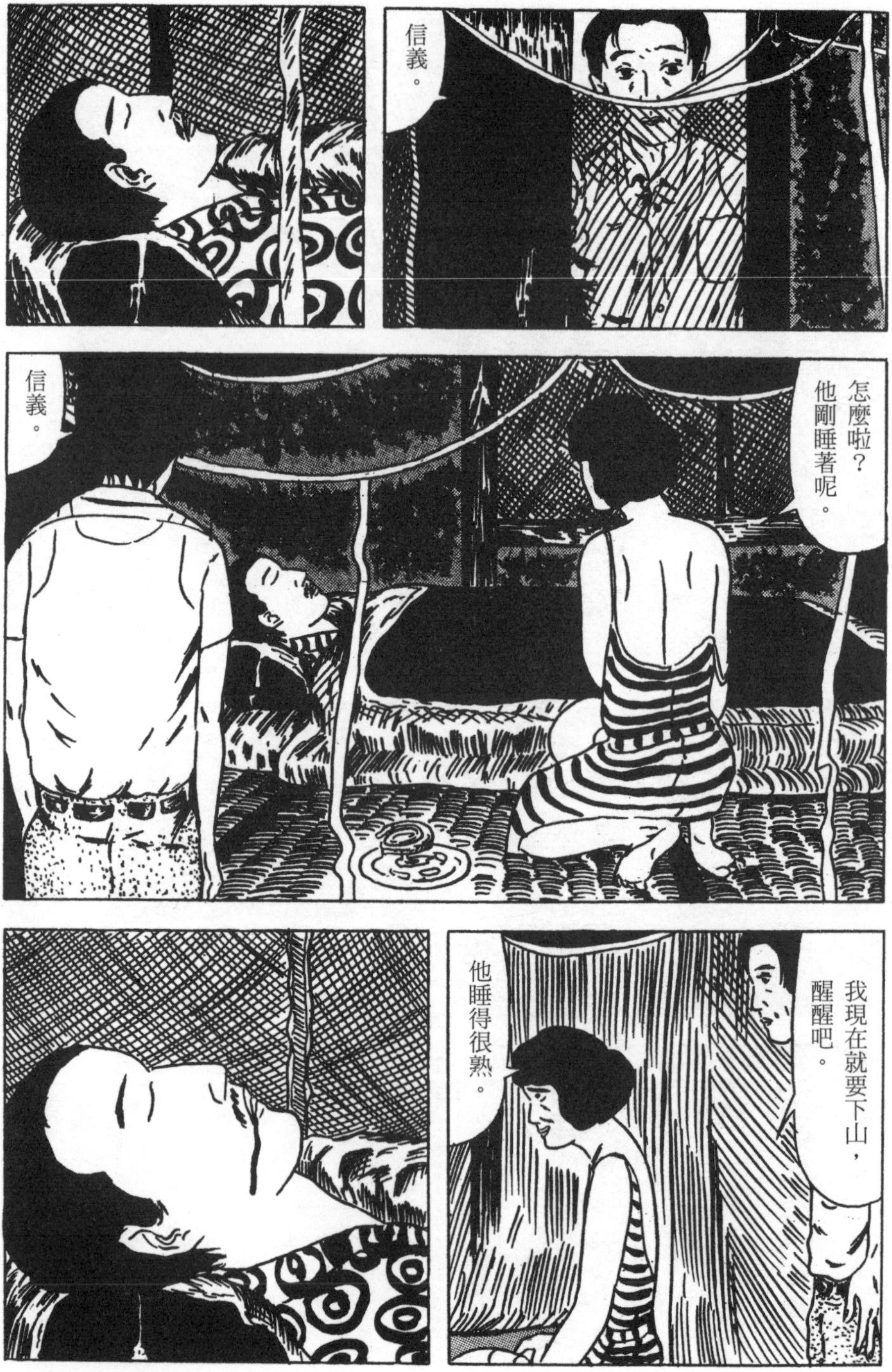
信義。
信義。
怎麼啦？他剛睡著呢。
我現在就要下山，醒醒吧。
他睡得很熟。

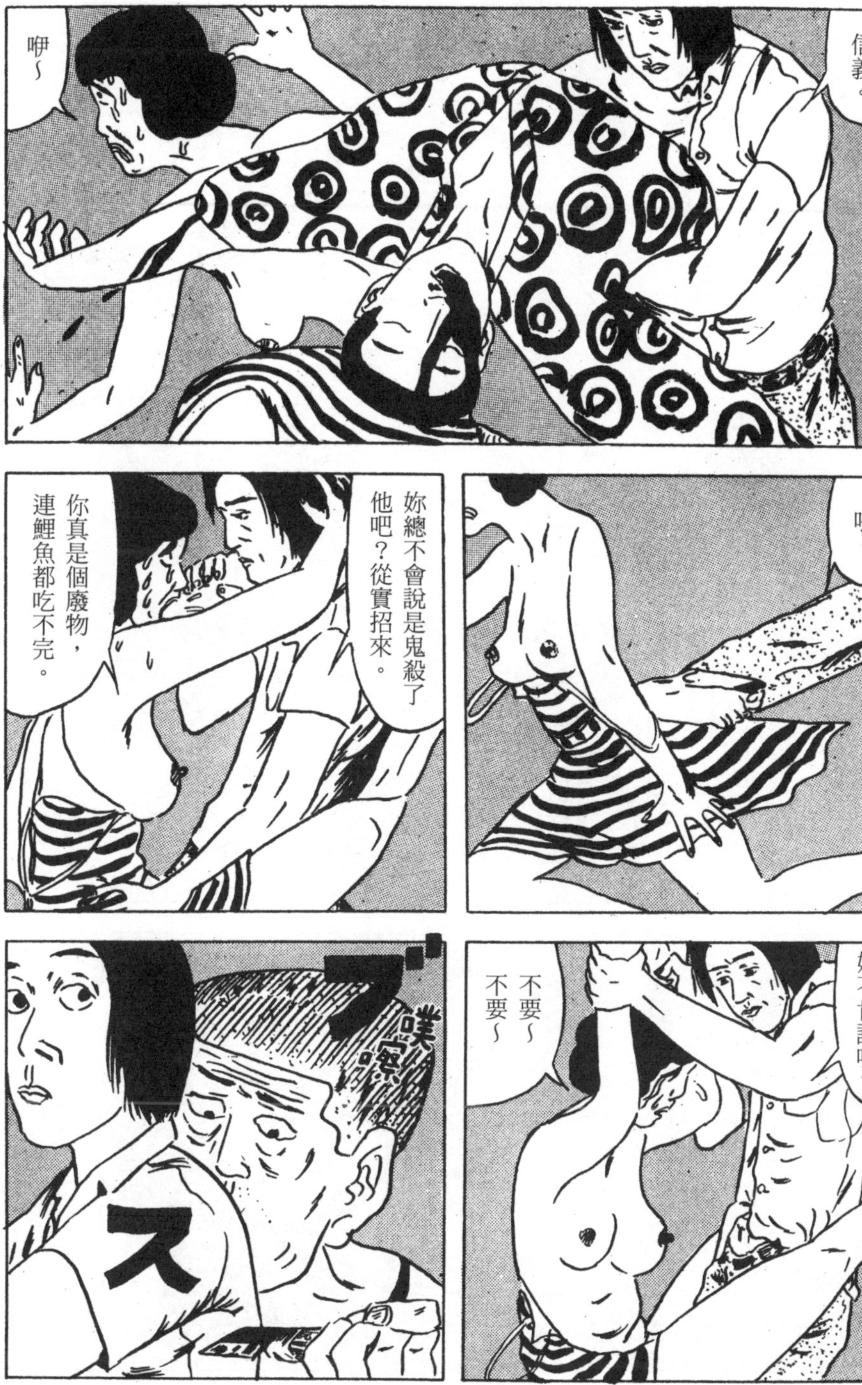

信義。
咿～
喂。
妳總不會說是鬼殺了他吧？從實招來。
你真是個廢物，連鯉魚都吃不完。
妳不肯說嗎？
不要～不要～
噗嚓

你欺負別人的老婆是吧。
老公。
不要緊。
嘔～
老公～

信義～
吃屎吧。
呼
呼
呼

喂——
喂——
逃掉了啊。

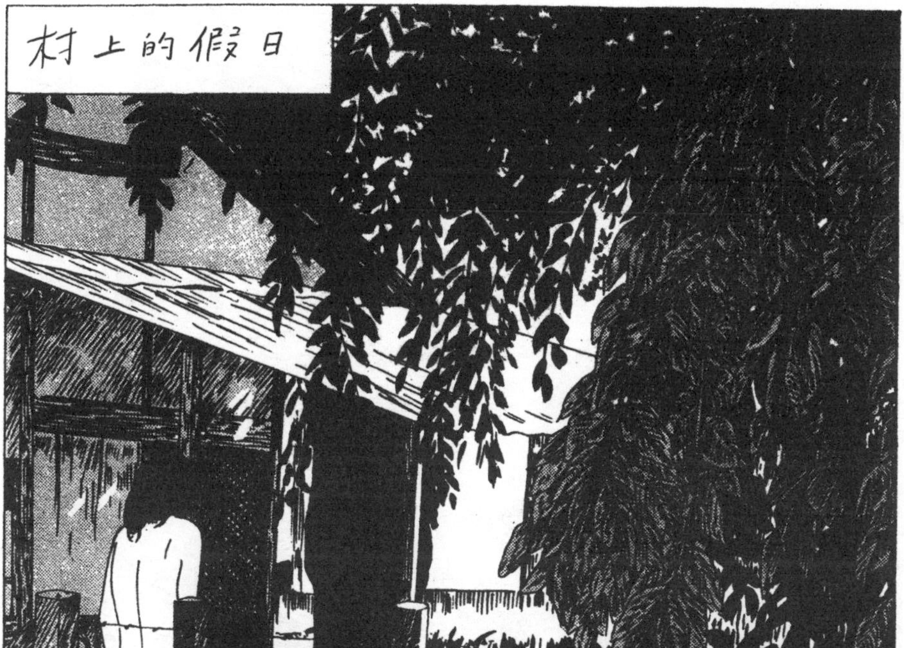
村上的假日
安部慎一

感覺很強勢的女子。不過這種類型的人結婚後，搞不好會徹底成為賢妻。
西鉄
春日橋
電器
不知丈夫是哪種人呢。
不幸啊不幸。或幸福？
等等啊。

那女子也許其實很
沉穩。
那我就放心了。
那就放心了……

唷，你回來啦，辛苦了。
你好你好，又曬黑了呢。
昨天是獅隊上場，打了聯賽。
出場了啊。
嘿嘿，被站前的耳鼻喉科打敗了。謝謝啊，這我已經擅自喝了幾杯。
呃，下盤棋如何？
福岡那邊如何？話說你真辛苦呢，通勤要一個小時呀。
哎，搭巴士旅行囉。
不舒服的話請告訴我。

我剛剛已經跟夫人說過了，就算吐血也不要太擔心。
潰瘍的話多少會出血，不要緊的。
我是不擔心啦，但都特地輸血了，總覺得浪費。
昨天她胃似乎不怎麼痛，那個從屁股塞進去的藥很有效呢。
今晚也塞一下吧。胸部的疼痛，我稍早也看過了，沒有大礙。
貼個痠痛貼布吧。
呃，請問晚餐要怎麼辦呢？冰箱裡還有一點中午剩的涼麵。
啊，我其實有買肉回來啦，不過就請畠中先生帶走吧。
涼麵感覺很好吃呢。
說不贏你啦，說不贏。畠中小弟差不多該告辭了呢。
明天見。
晚安。
村上先生。

近期內就讓夫人入院吧。
一直進展呢。
進展嗎？
說進展很怪，不過最後的結果大概會和一開始預期的相同。
不知怎麼地……我沒有任何真實感呢。
先走了。
啊，辛苦了。
剝個精光，然後……
……

辛苦了。
今天吐血了嗎？
今天天氣涼爽，中午見到了高橋。
要坐起來嗎？
高橋自己來的嗎？
會痛嗎？
不要緊。
有沒有稍微舒服一點？
好冰呢。

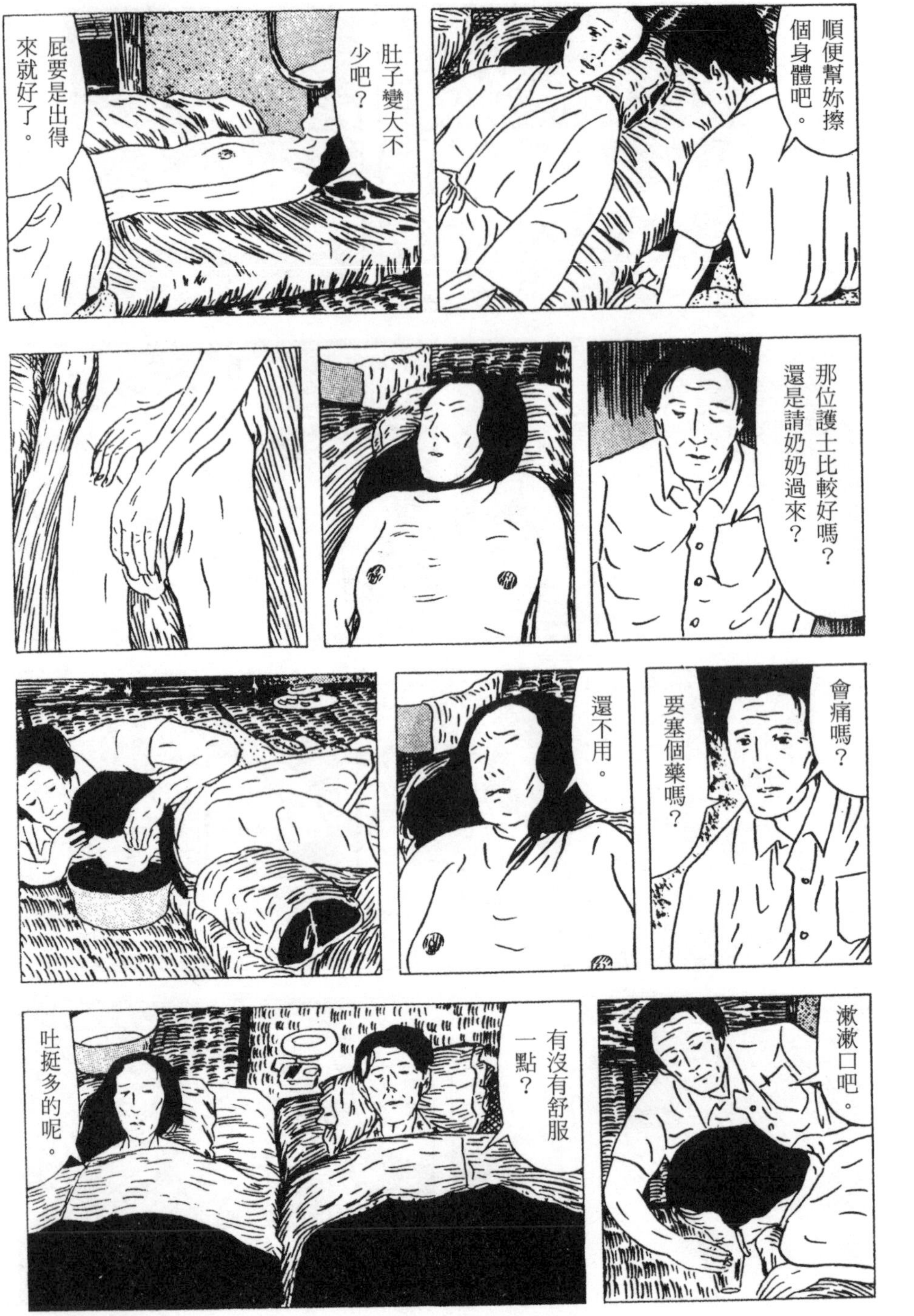
順便幫妳擦個身體吧。
肚子變大不少吧？
屁要是出得來就好了。
那位護士比較好嗎？還是請奶奶過來？
會痛嗎？要塞個藥嗎？
還不用。
漱漱口吧。
有沒有舒服一點？
吐挺多的呢。

嘔
我要是有姐妹的話……
え
呃
う
直子。
我也許會和她結婚。

小姐，請留步。
其實我有些話要跟妳說，和我太太有關。
什麼事呢？
其實我太太得了胃癌，再一個月就會死了，本人好像知情又好像不知情，臉上總是掛著很普通的表情。她是北海道人。
十五歲上京，輾轉於大阪、名古屋、東京之間做特種行業，
然後認識了當時讀中央大學的我，過起夫婦般的生活，不過在畢業的同時，我便決定回到福岡，進楠本經理事務所工作。
呃，我在趕路。
小姐，我對妳！
討厭，做什麼啊！
我看到妳第一眼就……
不要。
啊、啊……

討厭。
啊
唔唔
小姐，妳別動。
討厭。
唔唔
呃呃
別動，試著放輕鬆。
放輕鬆。
看吧，已經這樣了。
我咬看看喔。
一點一點……
進去了對吧，一點一點……
結婚吧，結婚吧。
和我結婚吧。

我們結婚吧。
糟了。

番茄
安部慎一

唷，老闆。
你好，請進。
突然說要搬家，嚇了我一跳咧。
又怎麼啦？你離開之後，五叉路會變得很寂寥吧。
呃……
這段時間真是承蒙你們各種照顧呀。

不不不，太太才辛苦啊，這種男人一旦吐出喪氣話就聽不進別人的話了。接下來要去哪開酒館啊？
呃……
暫時回九州看看風景。
慢慢來。
九州。
已經找到房子了嗎？
不，
還沒。
嗯～
那我盡可能用高價收購吧。
電風扇也行嗎？
唔，我都收走吧。
冰箱用七千算吧。
謝謝。
地毯之類的呢？
地毯我可以收，但很便宜喔。
一千。

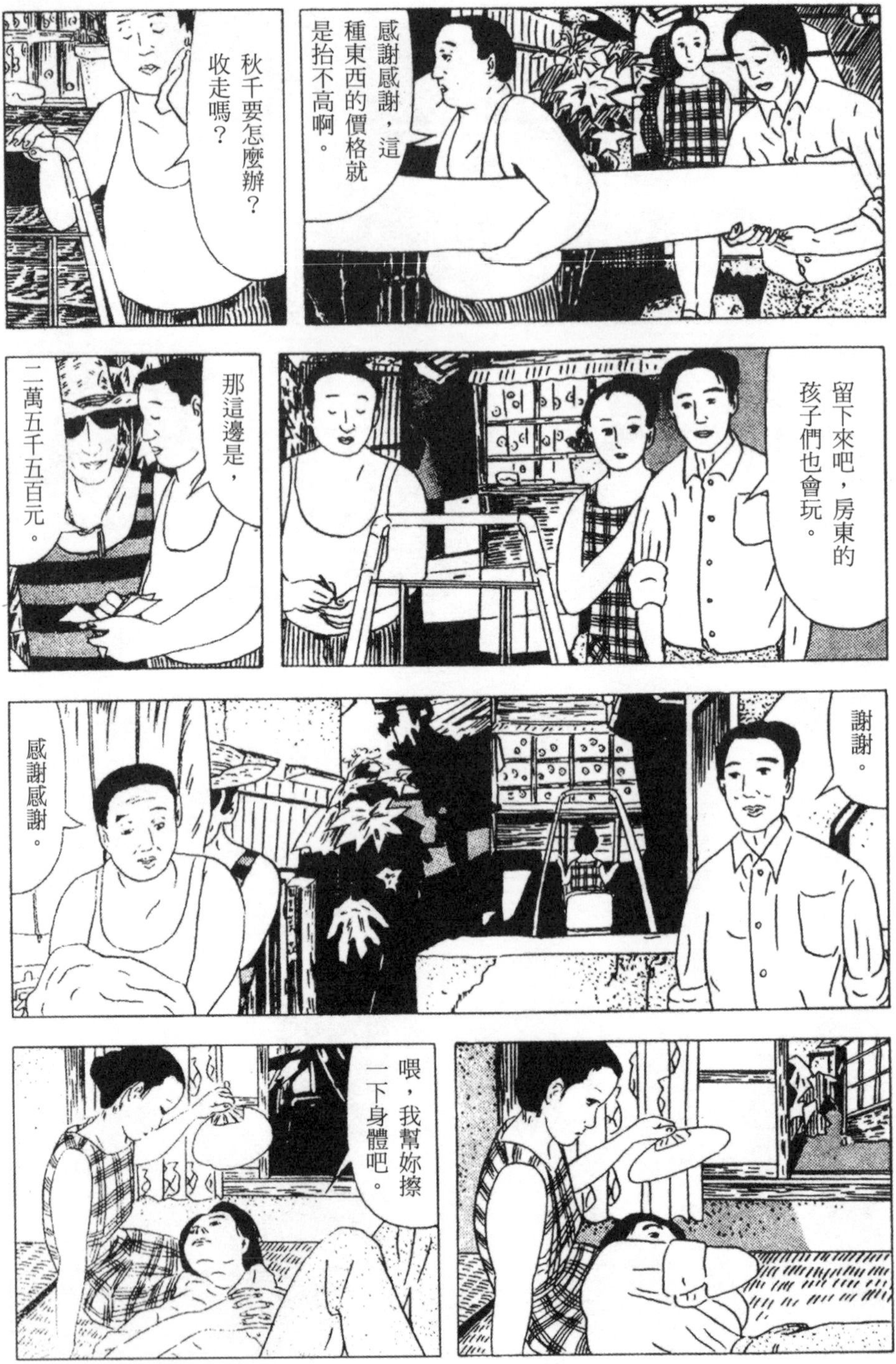
感謝感謝，這種東西的價格就是抬不高啊。
秋千要怎麼辦？收走嗎？
留下來吧，房東的孩子們也會玩。
那這邊是，
二萬五千五百元。
謝謝。
感謝感謝。
喂，我幫妳擦一下身體吧。

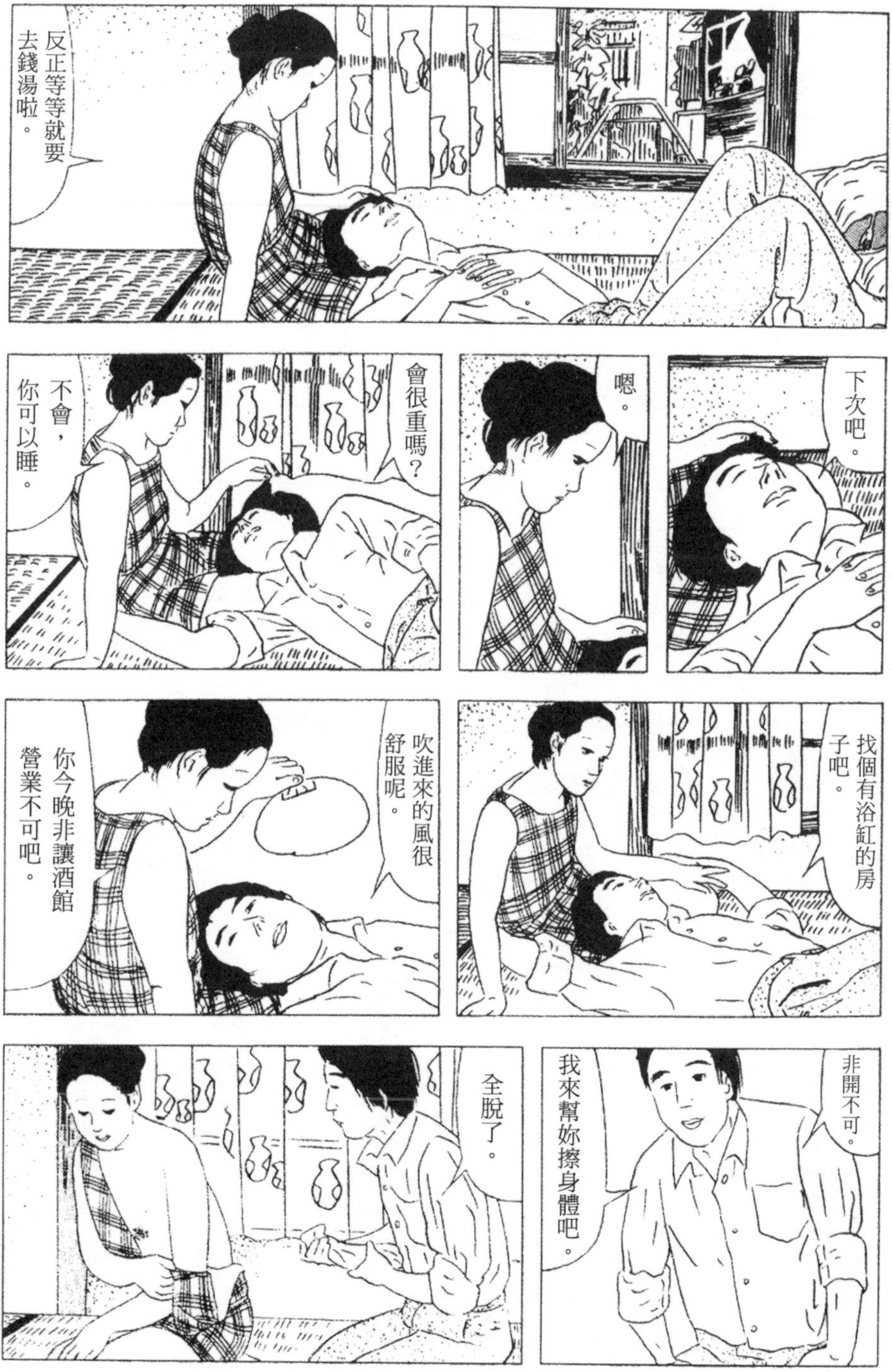
反正等等就要去錢湯啦。
下次吧。
嗯。
會很重嗎？
不會，你可以睡。
找個有浴缸的房子吧。
吹進來的風很舒服呢。
你今晚非讓酒館營業不可吧。
非開不可。
我來幫妳擦身體吧。
全脫了。

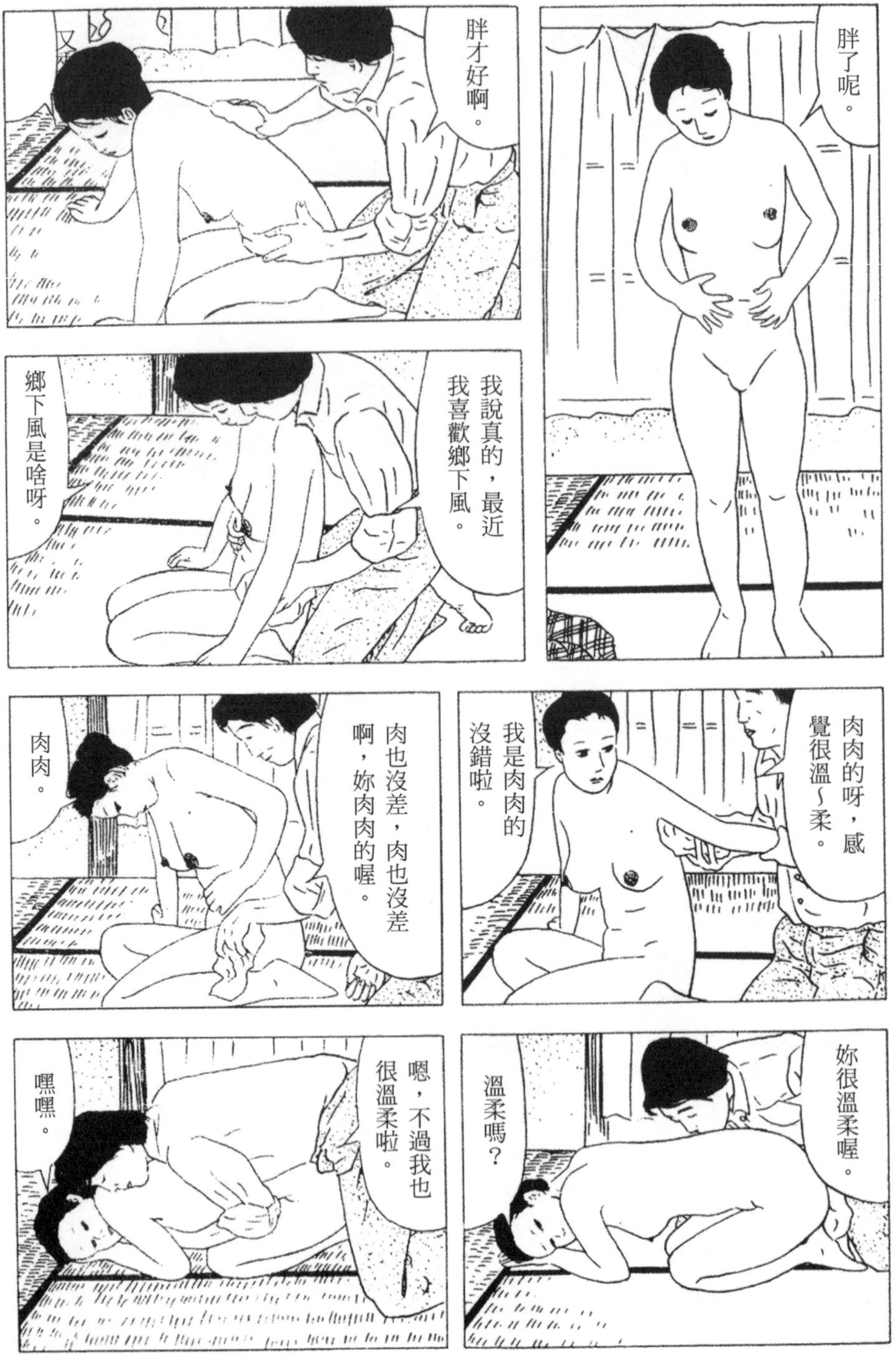
胖了呢。
胖才好啊。
我說真的，最近我喜歡鄉下風。
鄉下風是啥呀。
肉肉的呀，感覺很溫～柔。
我是肉肉的沒錯啦。
肉也沒差，肉也沒差啊，妳肉肉的喔。
肉肉。
妳很溫柔喔。
溫柔嗎？
嗯，不過我也很溫柔啦。
嘿嘿。

二十八歲，一子之父。
二十歲那陣子，我都在幹啥去了。
你整天在喝酒啊。
我二十八，妳就二十六啦。
二十五，今年冬天才滿二十六。
老了呀。當年妳才十五呢，時間一轉眼就過去了。

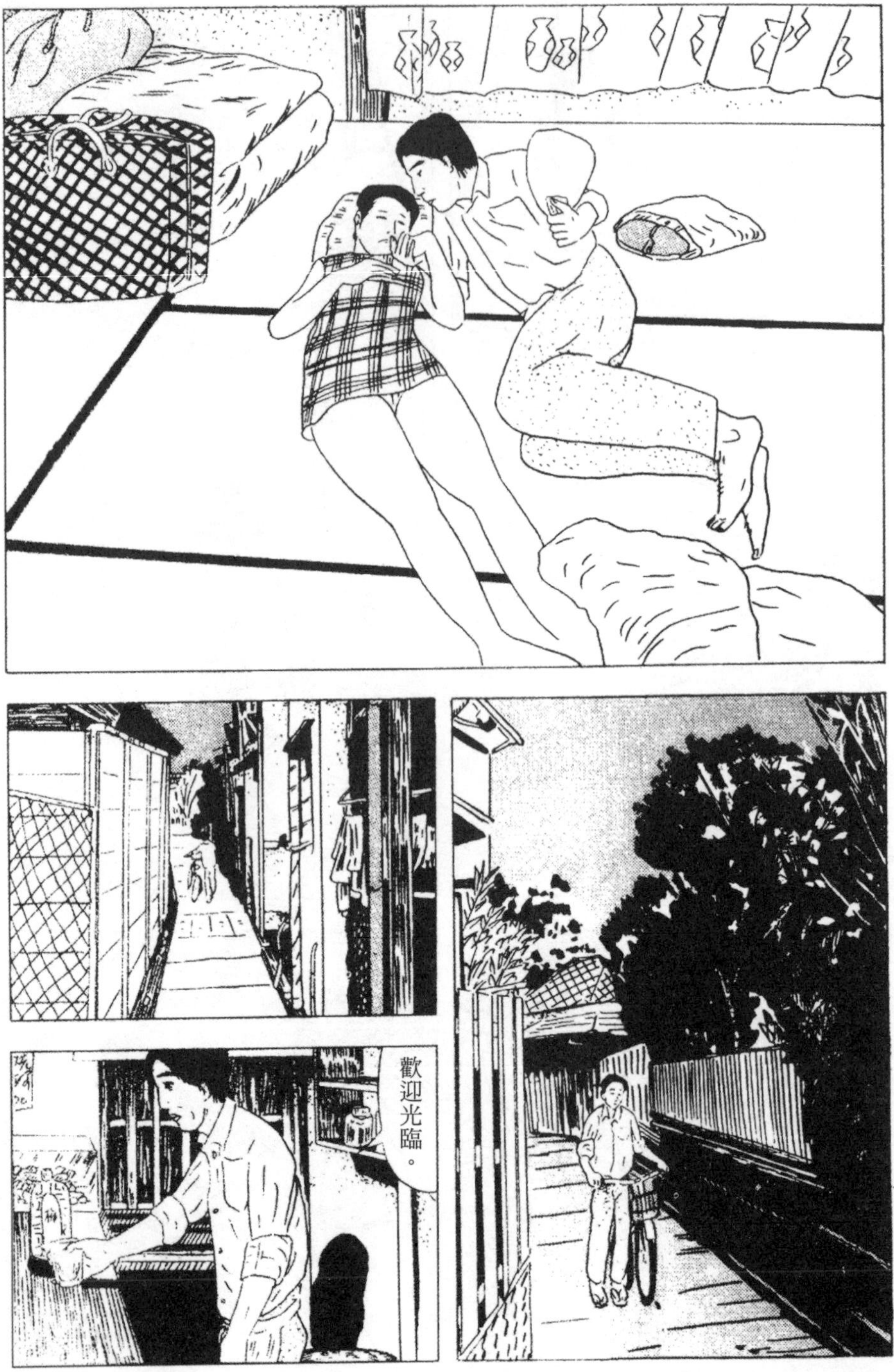
歡迎光臨。

今天最後一天啊？
是的。
不過你還真是耐不住性子啊。
你老婆還好嗎？
嗯。
呵，
你們不管去哪都能安心吧，很勤奮工作咧，你老婆。
一郎會到某人家借住嗎？
我老婆娘家。
你…
呵，我也是。

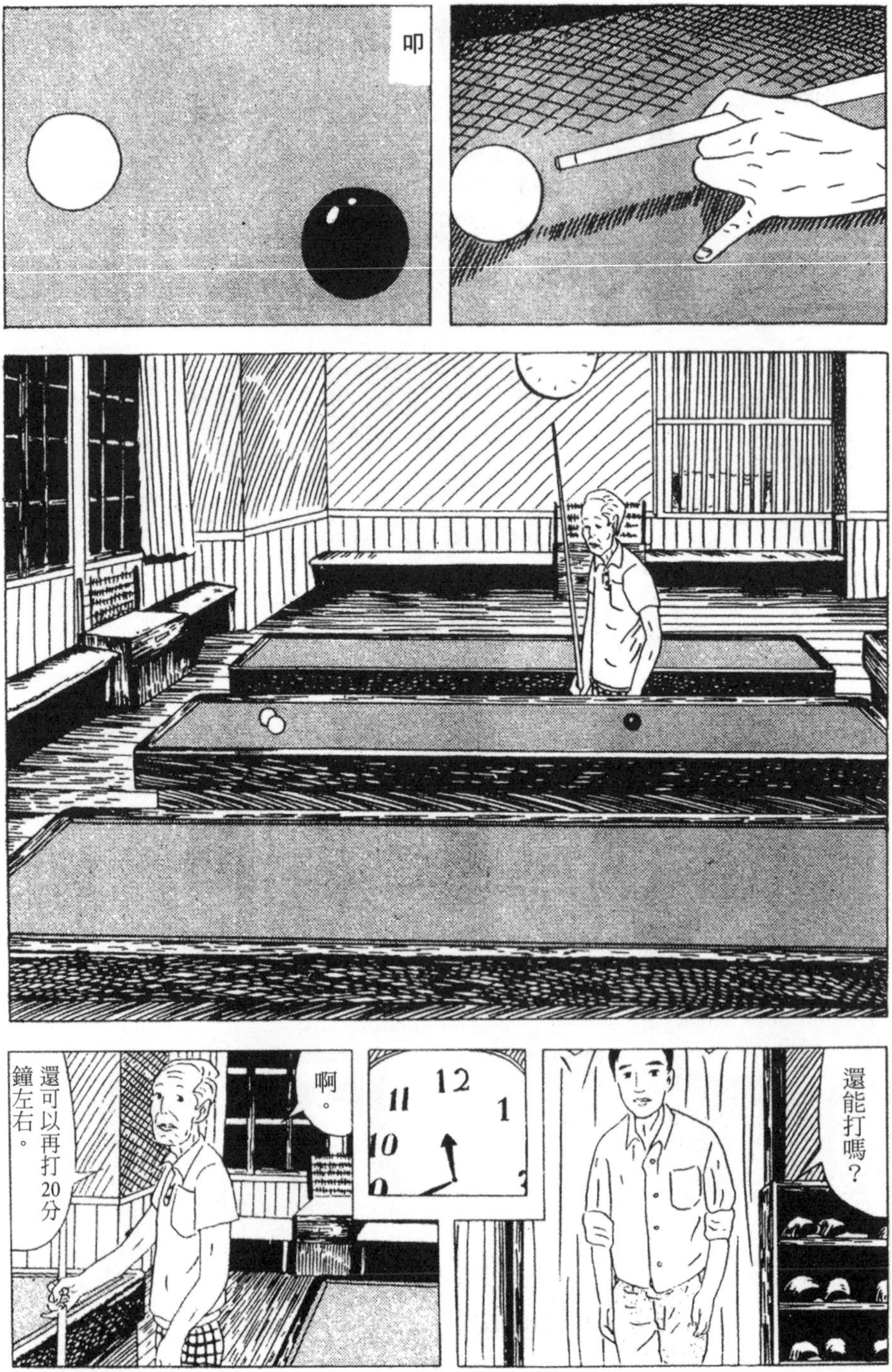
叩
還能打嗎？
啊。
還可以再打20分鐘左右。

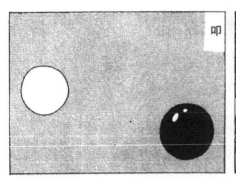

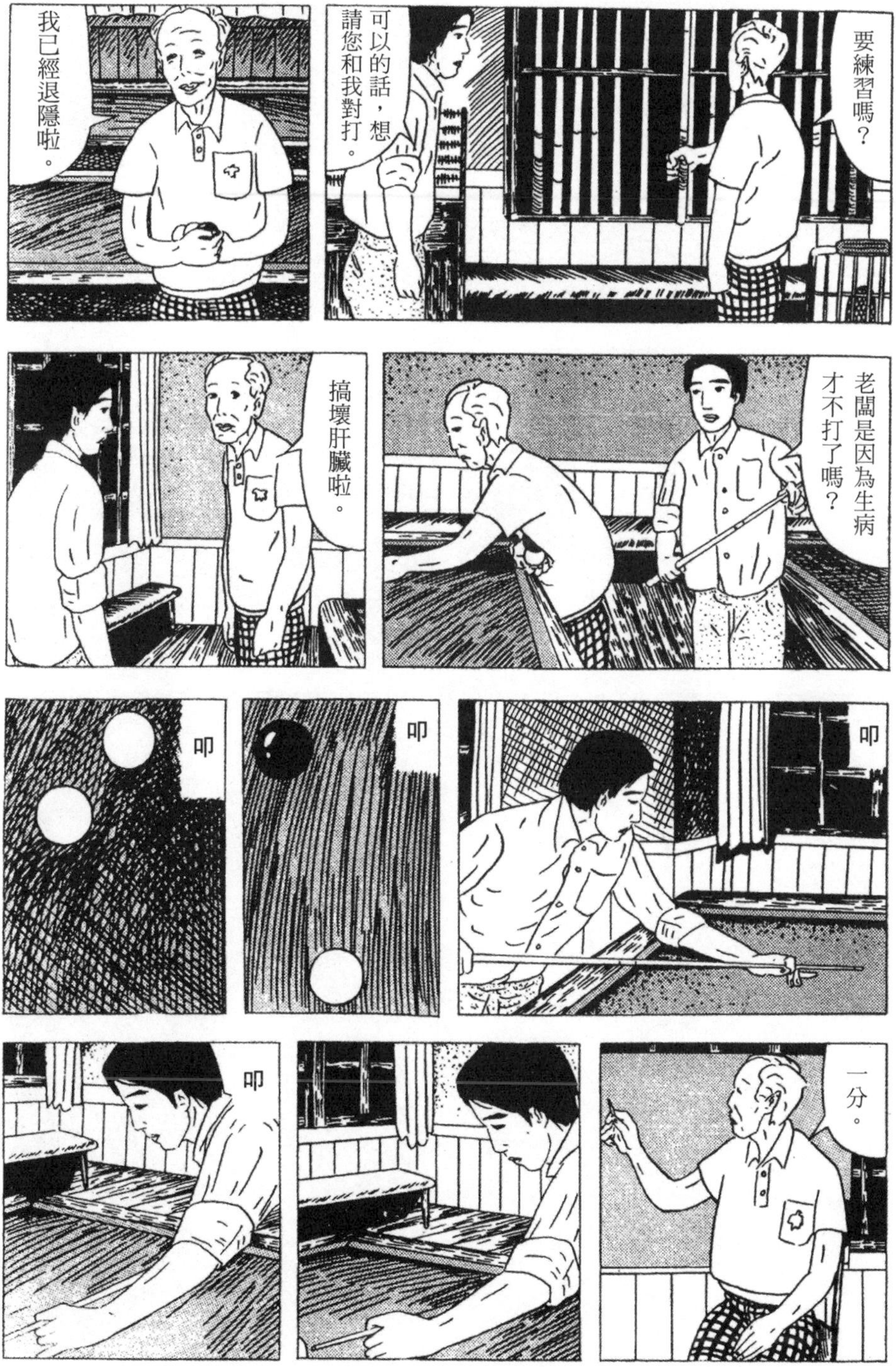
要練習嗎？
可以的話，想請您和我對打。
我已經退隱啦。
老闆是因為生病才不打了嗎？
搞壞肝臟啦。
叩
叩
叩
一分。
叩

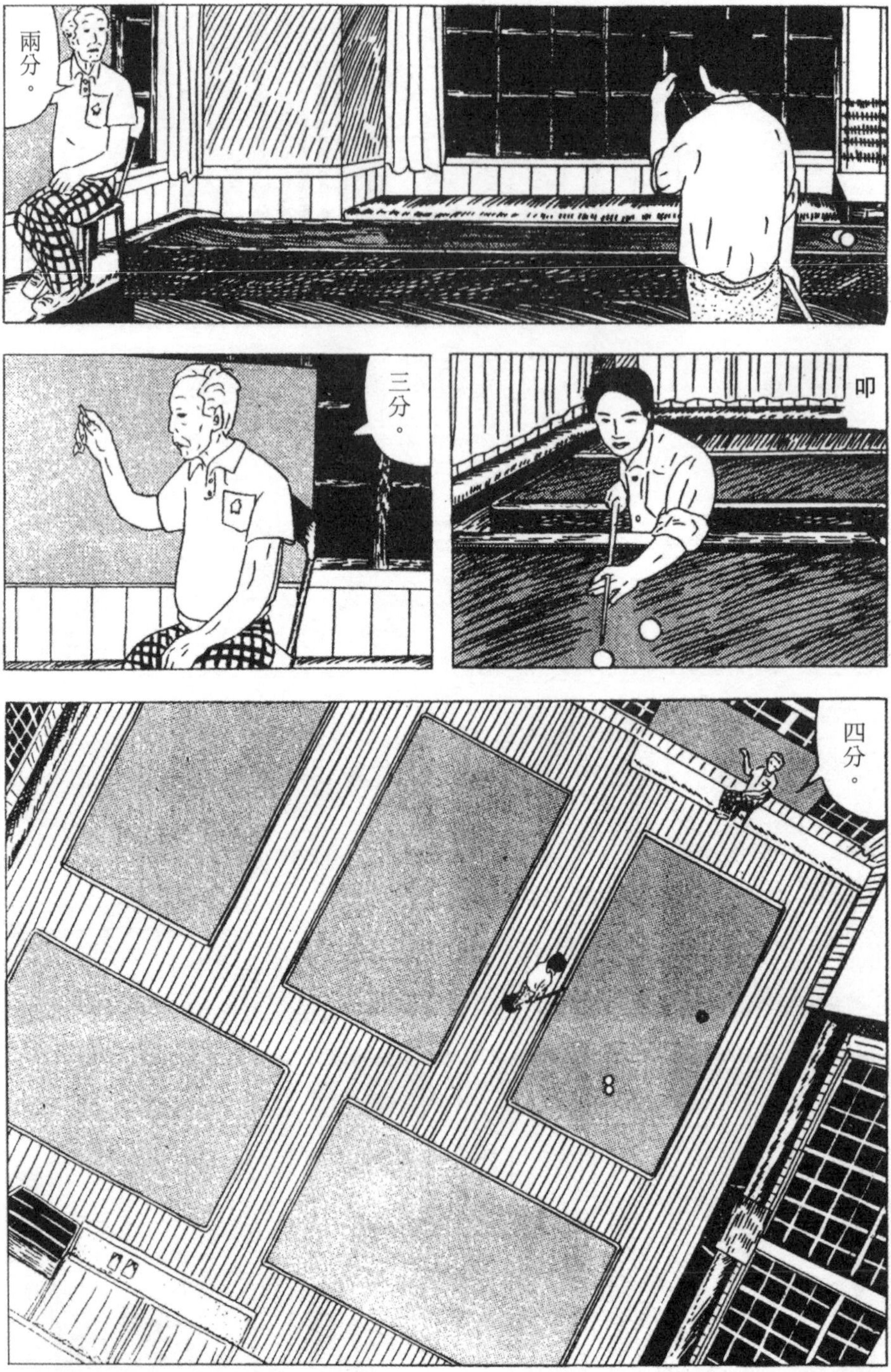

兩分。
叩
三分。
四分。

老闆，不好意思，我打完了。
打完了嗎？
不好意思，多少錢？
不用啦，才五分鐘。
這球，我來撞撞看吧。
叩

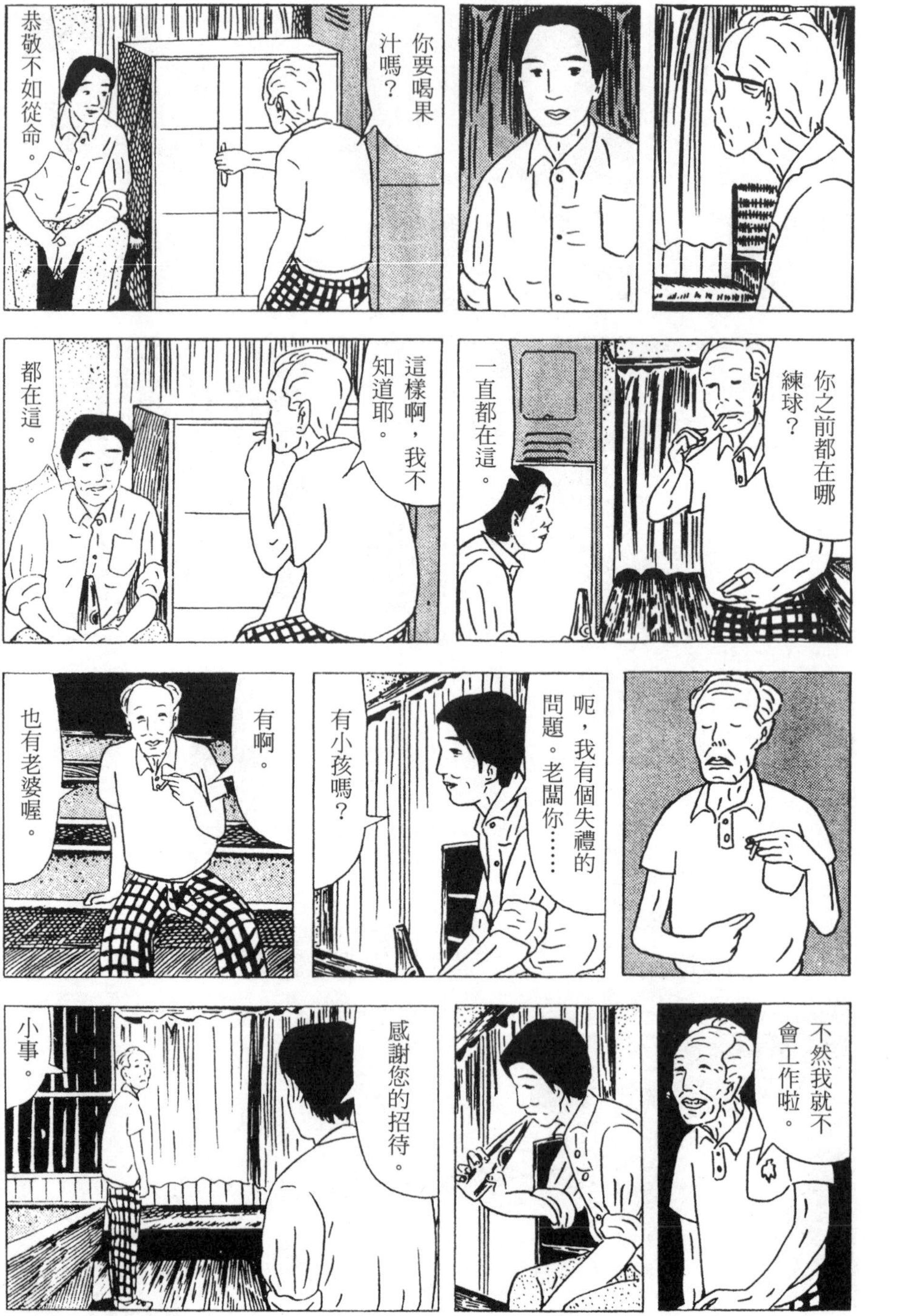
你要喝果汁嗎？
恭敬不如從命。
你之前都在哪練球？
一直都在這。
這樣啊，我不知道耶。
都在這。
呃，我有個失禮的問題。老闆你……
有小孩嗎？
有啊。
也有老婆喔。
不然我就不會工作啦。
感謝您的招待。
小事。

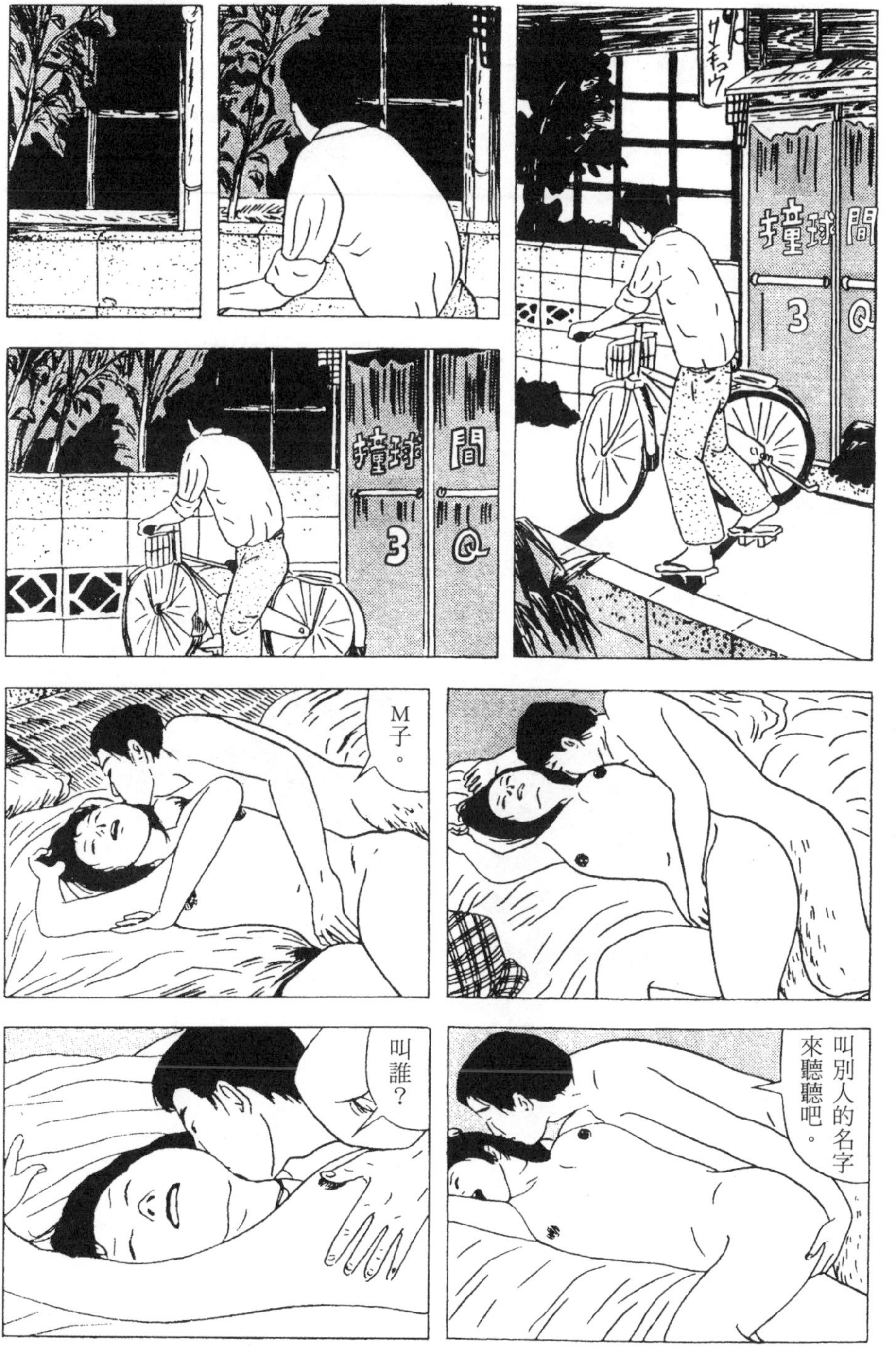
サンキュウ
撞球間
3 Q
撞球間
3 Q
M子。
叫別人的名字來聽聽吧。
叫誰？

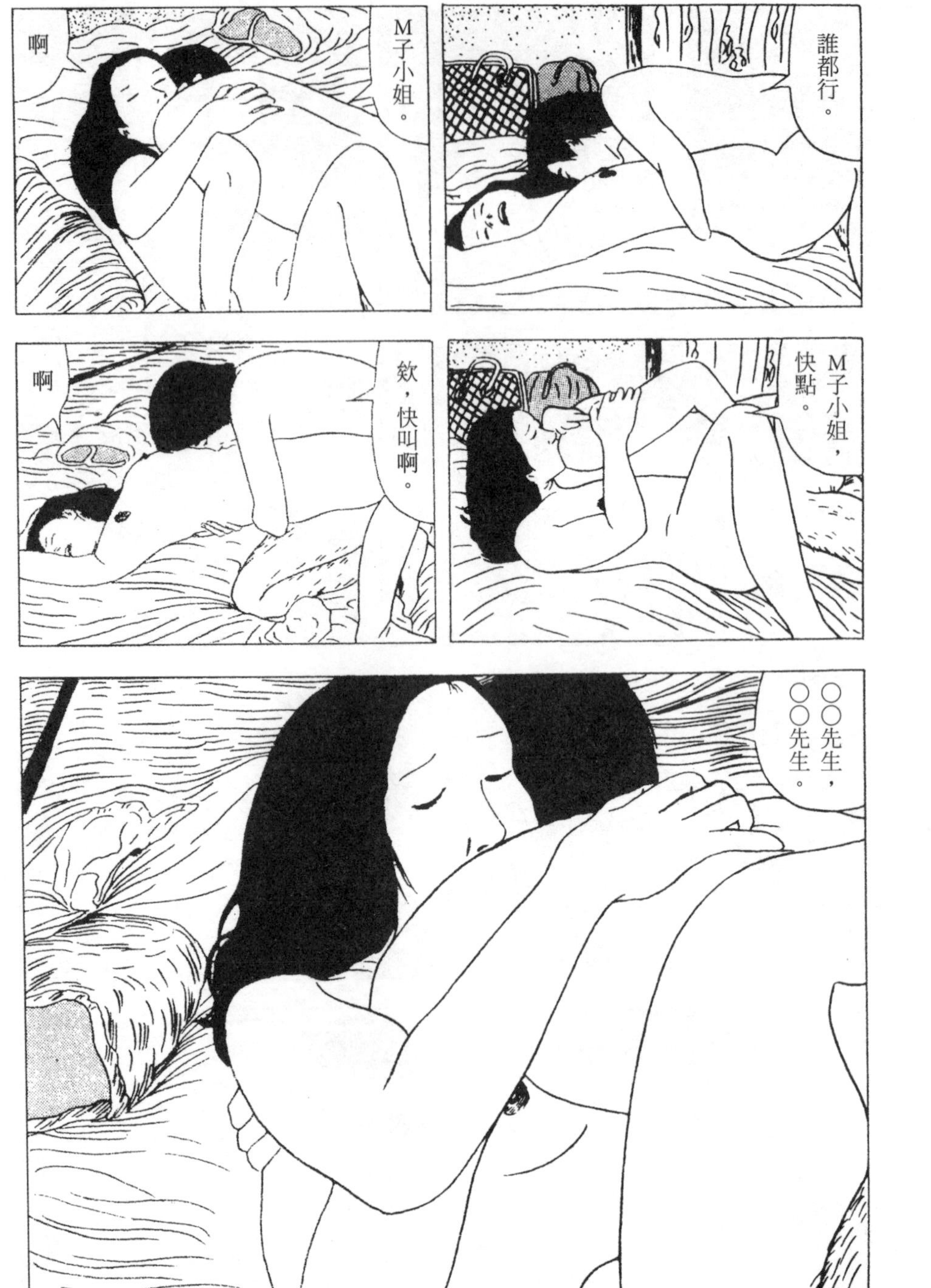
誰都行。
M子小姐。
啊
M子小姐，快點。
欸，快叫啊。
啊
○○先生，○○先生。

你把腳踏車停在哪呀？
「3Q」。

為什麼要停在撞球間那種地方啊？
嗯。
我來拿吧。
不用了。
欸，比我想的還那個呢。
真的真的。
腳踏車在那。
嗯。
噓。
ビリヤード

我剛剛心跳很快呢。
為何啊？
要是叫我們把腳踏車弄走就傷腦筋了啊。
嘿，嘿。
像這樣定睛一看，會發現這城鎮很小呢。
呼，稍微休息一下吧。
你真沒體力呢。
嗯，嗯。
走吧。
嘿咻。

佳子的幸福
安部慎一

英彥山 三井田川山中小屋
您好～
今晚吃山鳥嗎？
啊～
我想說你應該愛吃。
老婆婆啊，妳氣色很好呢。
因為今年神經痛沒發作呀。
翠鳳蝶！

啪沙
抓到了。
叫你來喝水呀。
小弟弟幾歲啦？
讀國一，算來是十三歲吧。
長得這麼英挺，應該是因為母親一直在天國守護著他吧。

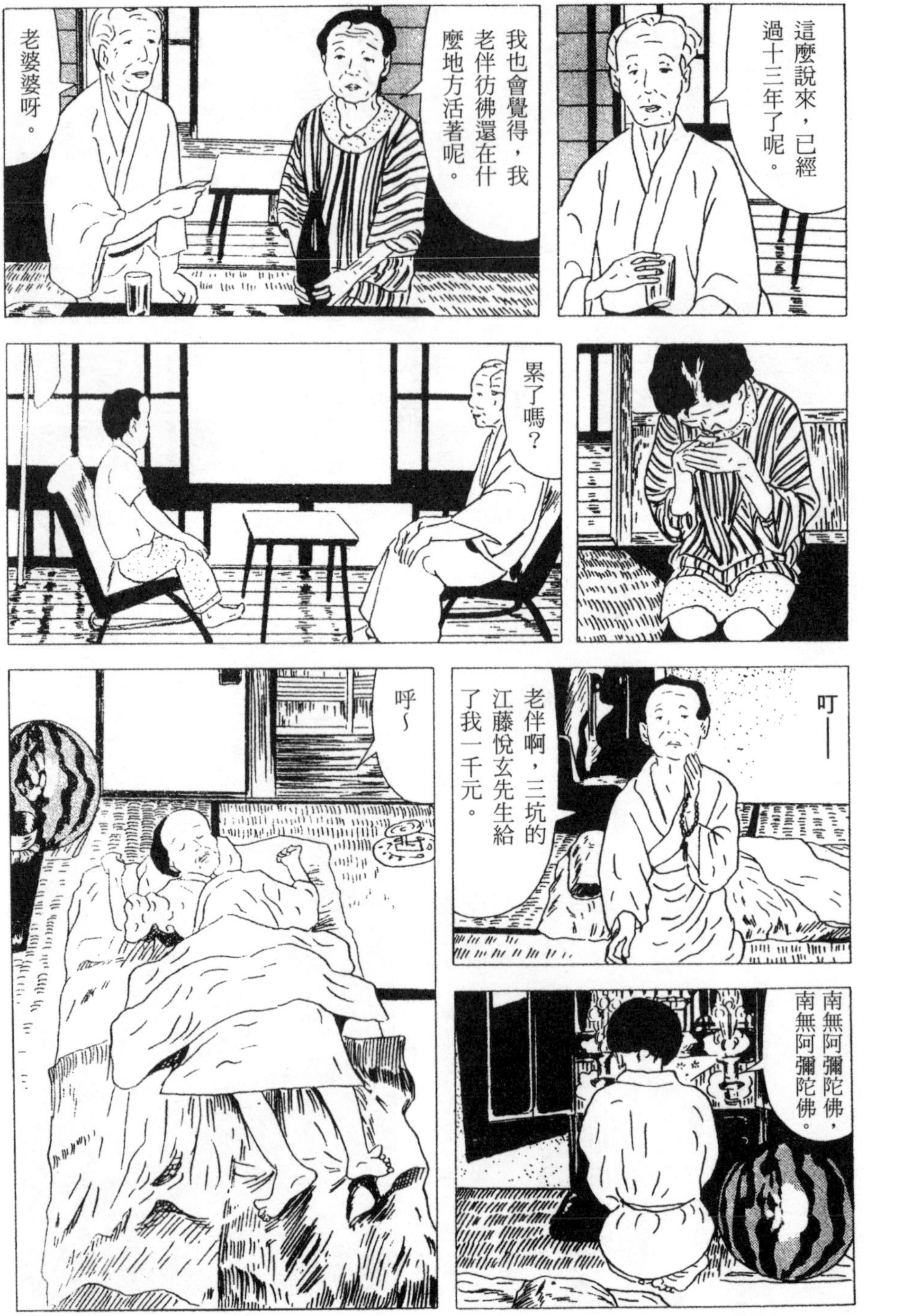
這麼說來，已經過十三年了呢。
我也會覺得，我老伴彷彿還在什麼地方活著呢。
老婆婆呀。
累了嗎？
叮——
老伴啊，三坑的江藤悅玄先生給了我一千元。
南無阿彌陀佛，南無阿彌陀佛。
呼～

沙
抓到了。
是去年沒抓到的那種嗎？
雲豹蛺蝶。
雲豹蛺蝶。
你要當蝴蝶專家嗎？
不能和爸爸一起工作嗎？
在三井做？

大紫蛺蝶。
大紫蛺蝶。
國蝶。
你，
喜歡礦坑的工作嗎？
我不知道。
礦坑就快走到盡頭囉。

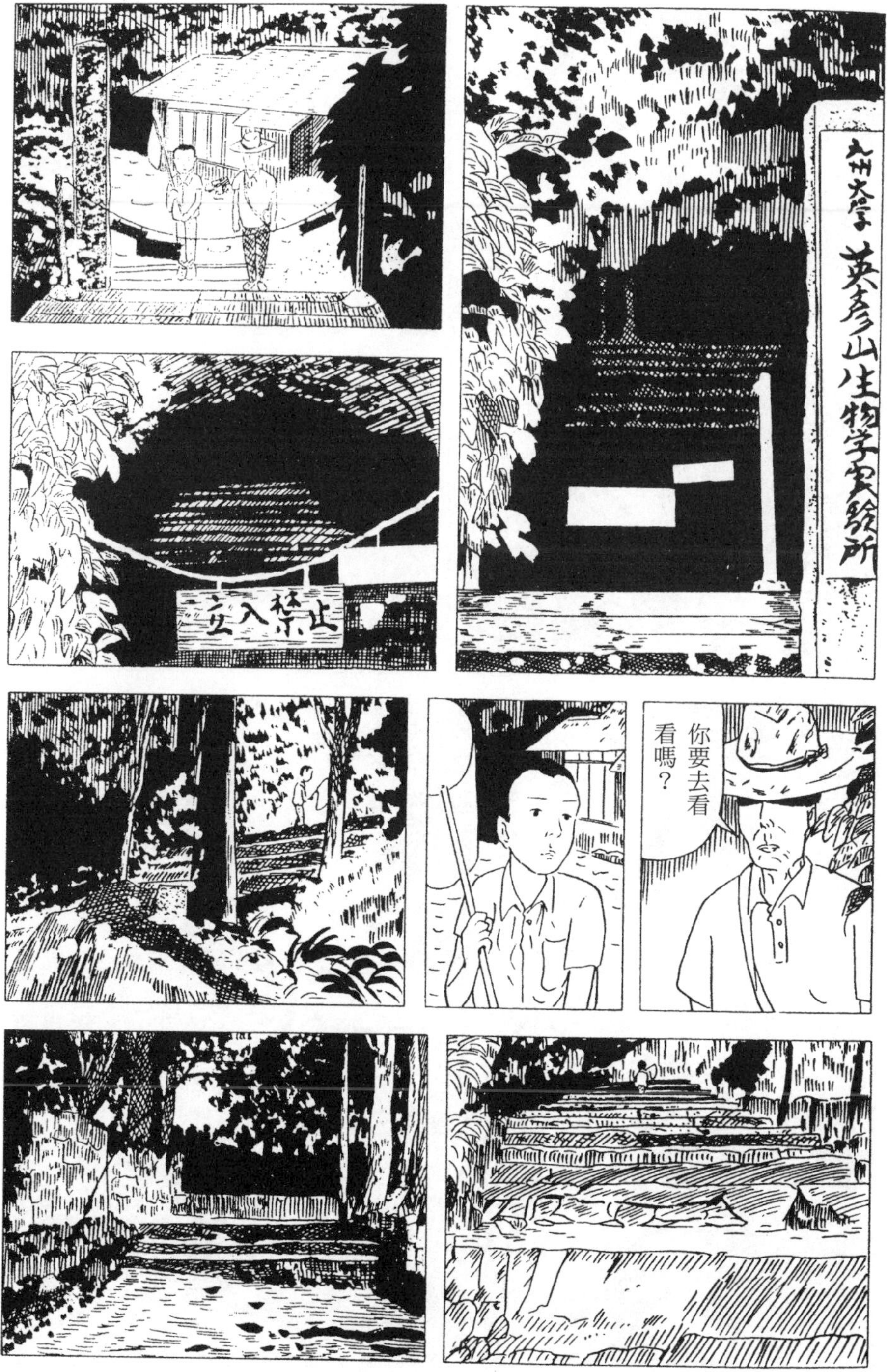
九州大学 英彦山生物学実験所
立入禁止
你要去看看嗎？

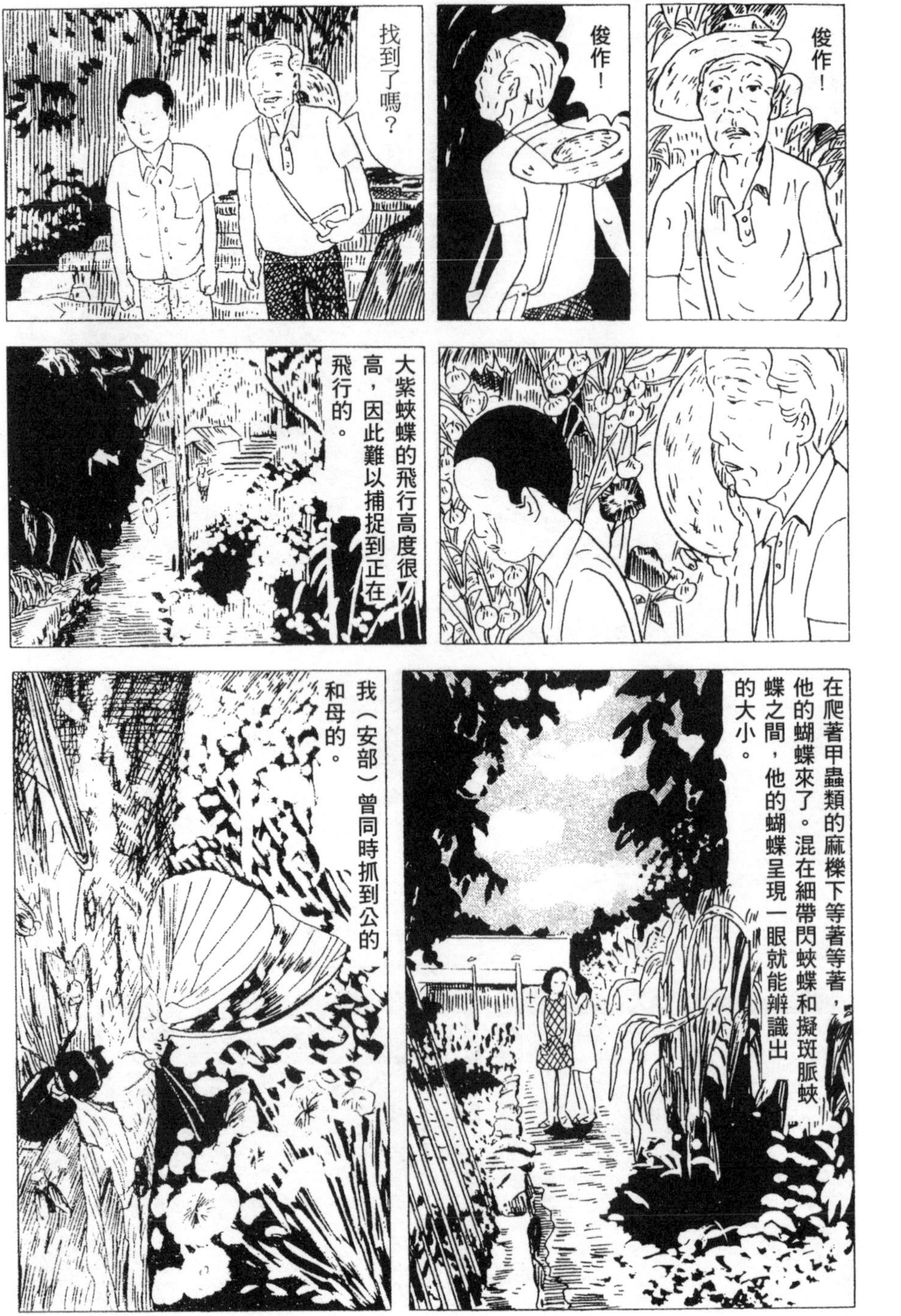
俊作！
俊作！
找到了嗎？
大紫蛺蝶的飛行高度很高，因此難以捕捉到正在飛行的。
在爬著甲蟲類的麻櫟下等著等著，他的蝴蝶來了。混在細帶閃蛺蝶和擬斑脈蛺蝶之間，他的蝴蝶呈現一眼就能辨識出的大小。
我（安部）曾同時抓到公的和母的。

田川郡添田村江藤家附近
我老婆動也不動啊～
到了晚上似乎很～會動就是啦。
哈哈。

爸～
吃飯囉～
爸。
啊～佳子啊。
我完～全沒聽到呀，因為新馬路一條接著一條鋪呢。
那是您朋友嗎？
閒聊聊得太起勁了。
馬路一條接著一條鋪咧。

下一站伊田町，伊田町。
等一下啊～
呼～
好熱～窗戶再開大點吧。
好熱好熱。
俊作～還沒滿嗎～？
還差一點～

差不多這樣吧。
我不要穿什麼泳衣喔。
呀啊！

很舒服喔～
我們家的媳婦真不得了啊～

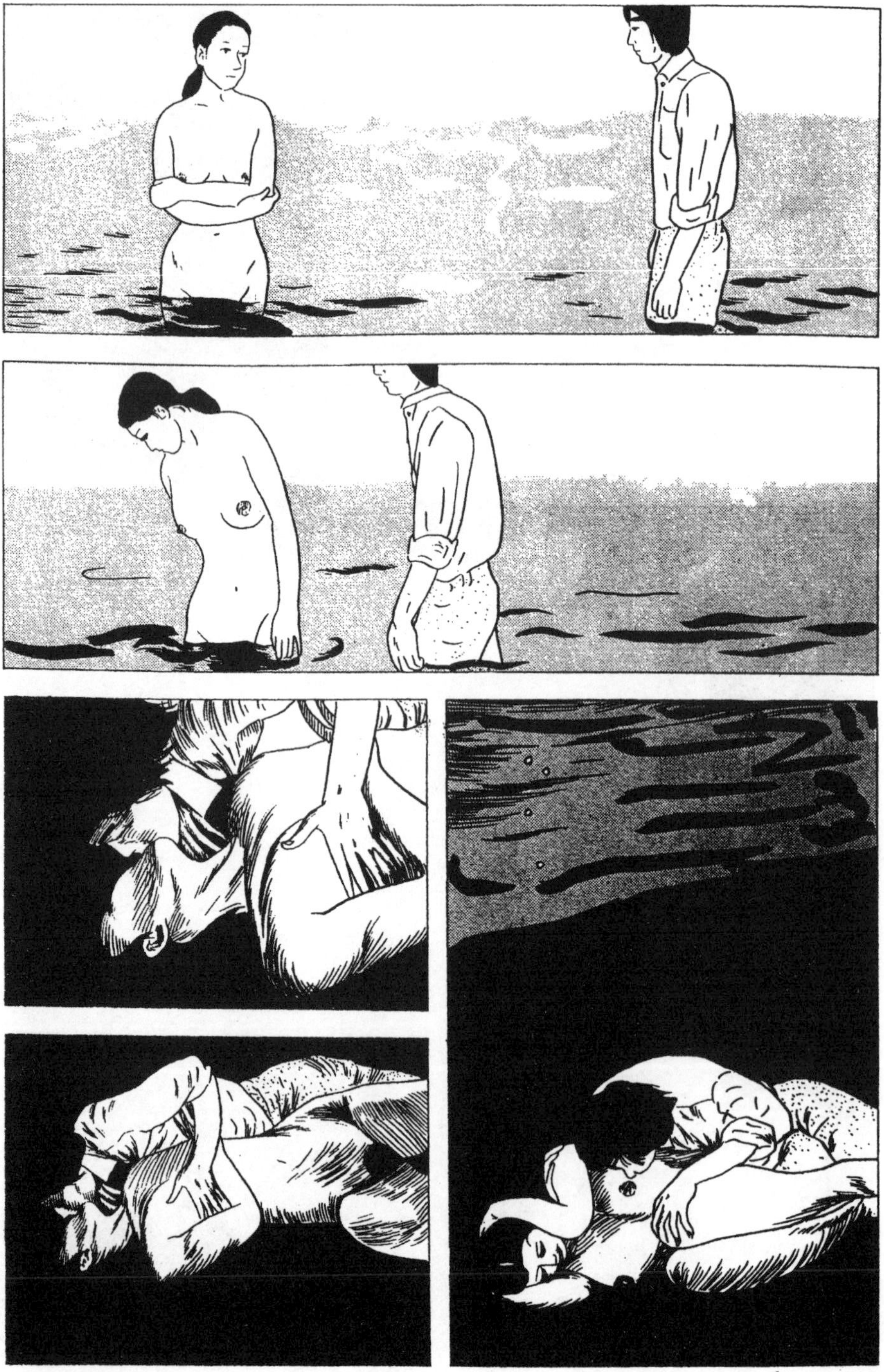

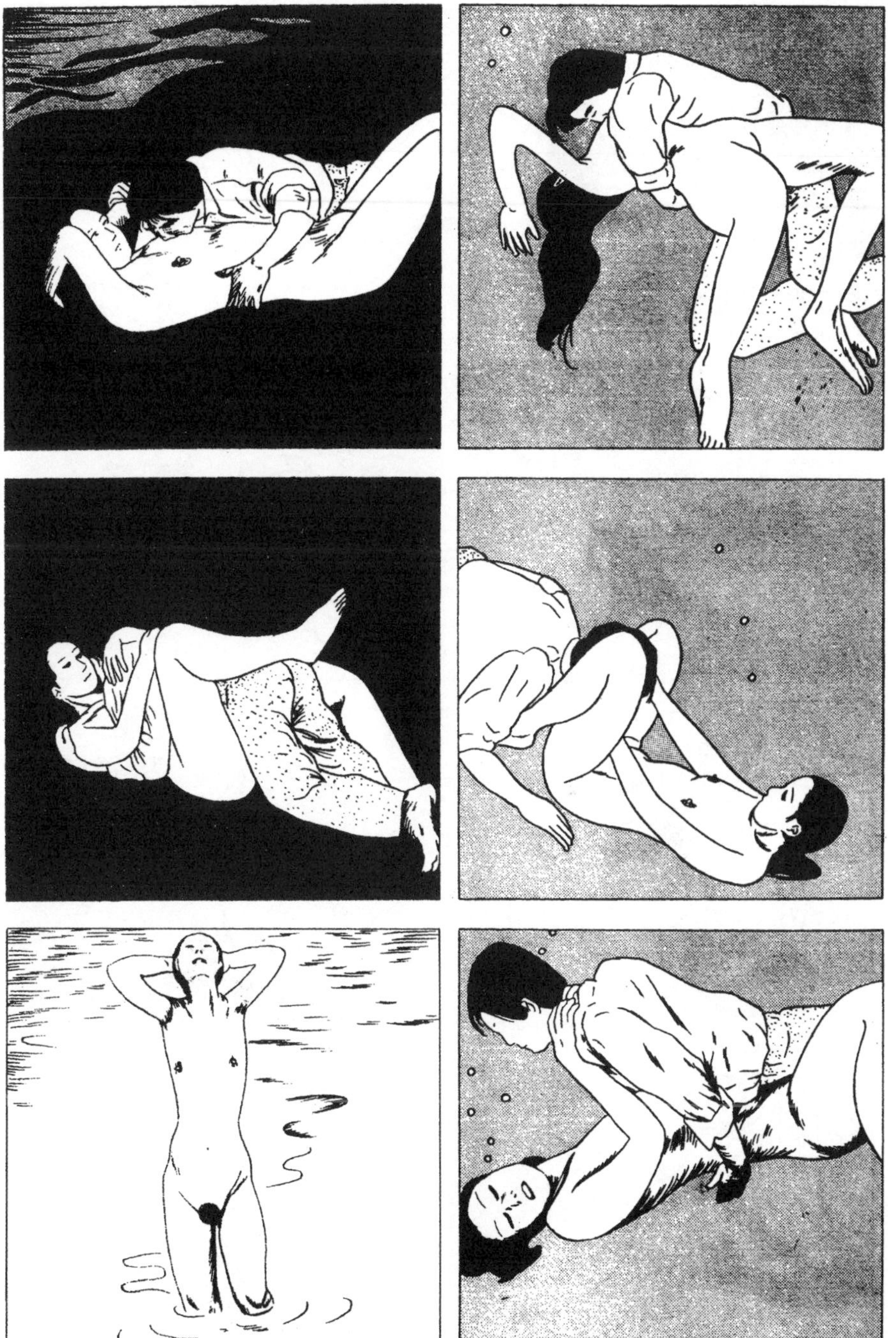

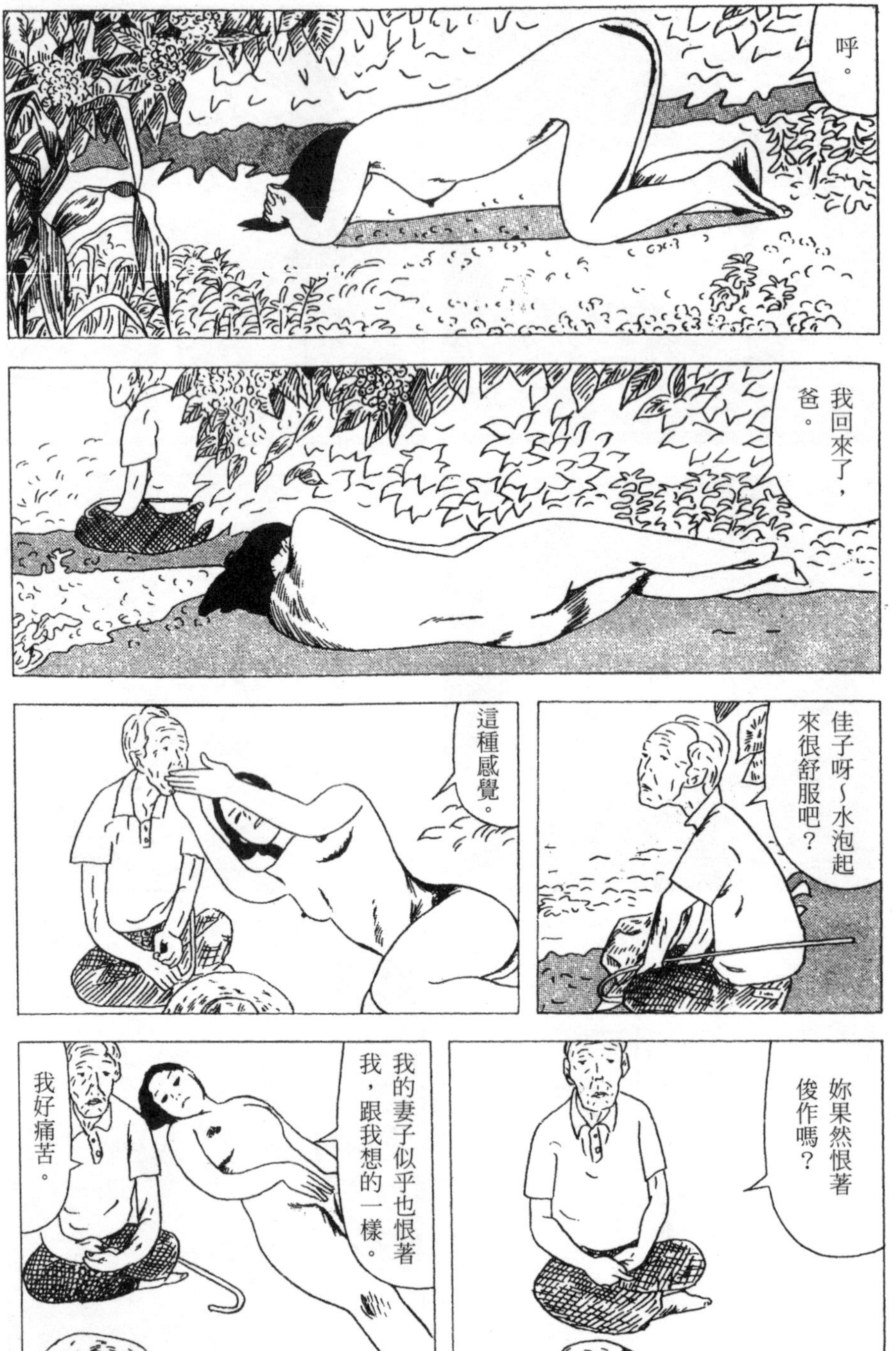
呼。
我回來了，爸。
佳子呀～水泡起來很舒服吧？
這種感覺。
妳果然恨著俊作嗎？
我的妻子似乎也恨著我，跟我想的一樣。
我好痛苦。

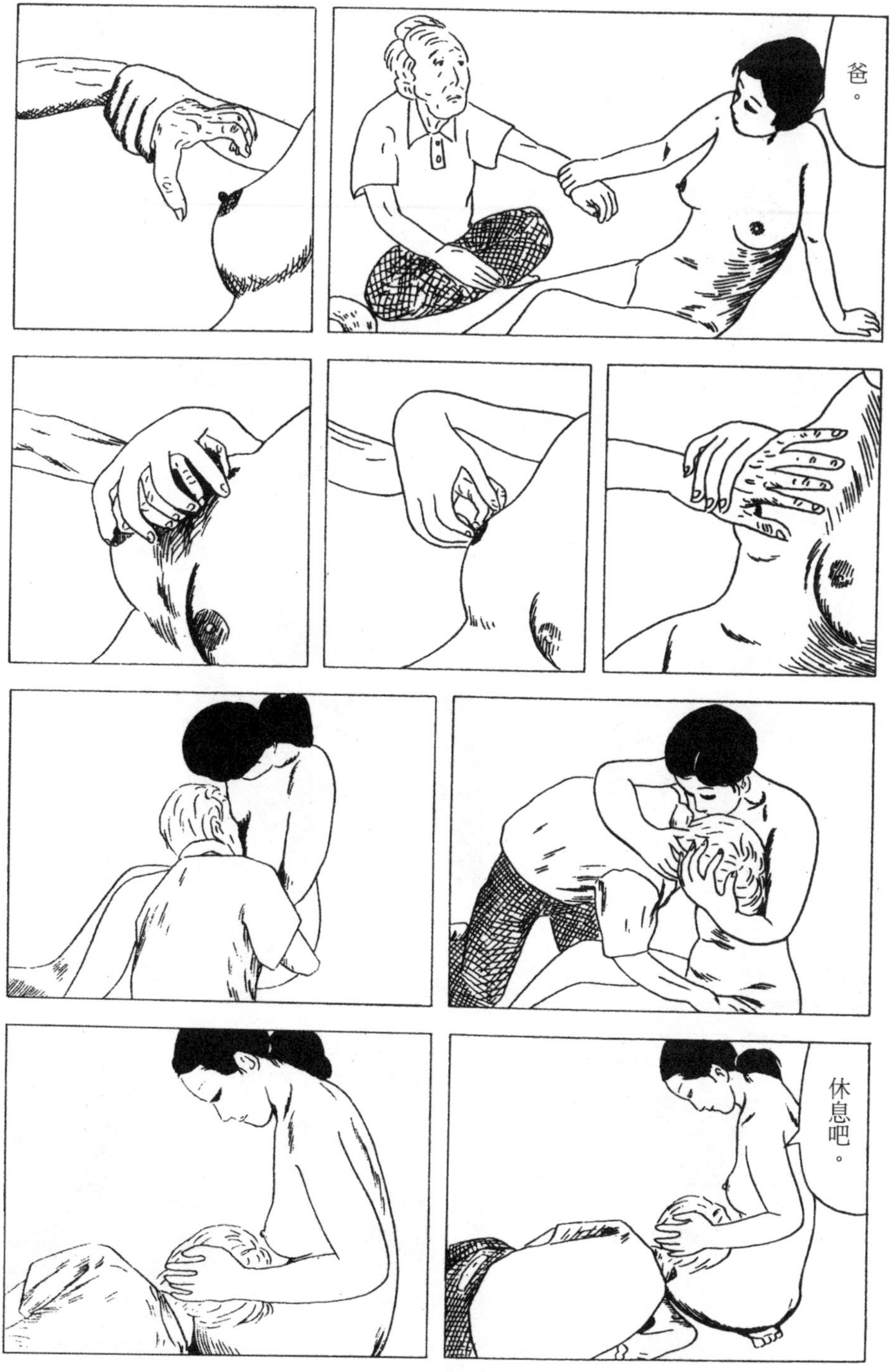
爸。
休息吧。

已經沒戲唱了吧，我自己一個人應該也沒法子。
媽媽桑，先休息吧。
好的。
你娶了個好老婆呢。女人的榜樣。
人回首～我身消瘦～
你去了東京吧？
沒有。
好啦，我要告辭了。
要我叫計程車嗎？

麻煩了。
佳子呀～妳可以休息了。
今晚有沒有好一些啊？

妳還幫我擦了身體，感覺似乎好多了。
佳子呀～妳真的該去休息了。
好的。
我也睡一下吧。
白蛺蝶

TOKYO

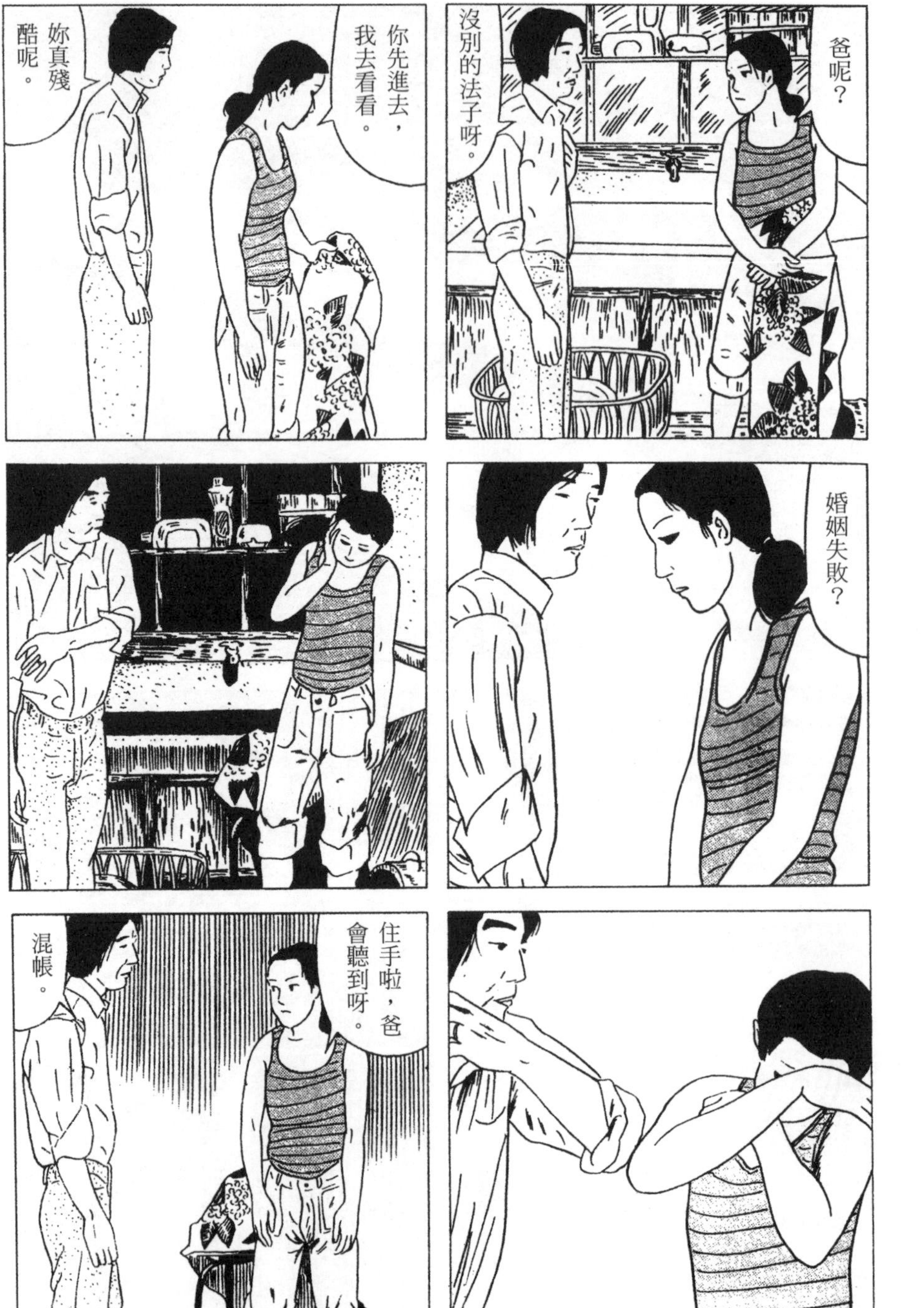
爸呢？
沒別的法子呀。
你先進去，我去看看。
妳真殘酷呢。
婚姻失敗？
住手啦，爸會聽到呀。
混帳。

別氣，我也搞不懂。
一顆心好像一直懸著。
我領到十萬塊左右的獎金，
剛剛去喝了一杯。
還不能吃喔。
嘿。
傻作，住院一天大概要多少錢呀？
八百塊左右吧。
挺便宜的。

蛇會出來咬人喔。
感謝您撥冗前來。
呃，哎呀。
話說回來，這片地還真大呀。
感覺都能蓋高爾夫球場了。
這是我代為轉交的。
夫人此刻想必情緒無比低落，還請保重。

萬分感謝您的關照。
我們兩個人就這樣住下來吧，在這房子。
和妳媽一起住也沒關係。
妳愛怎樣就怎樣吧。
俊作，
要早點回來喔。

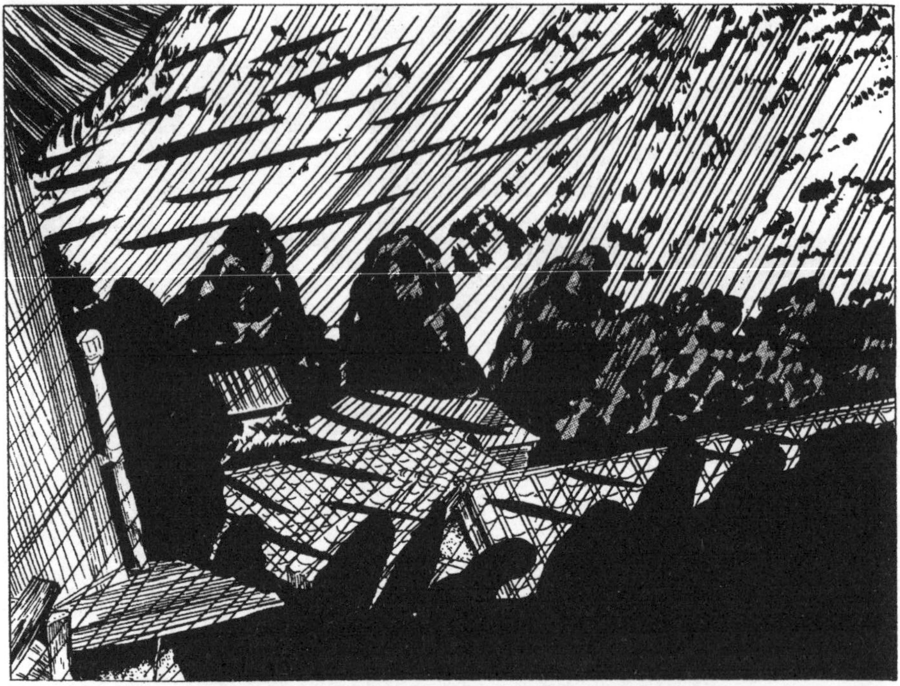

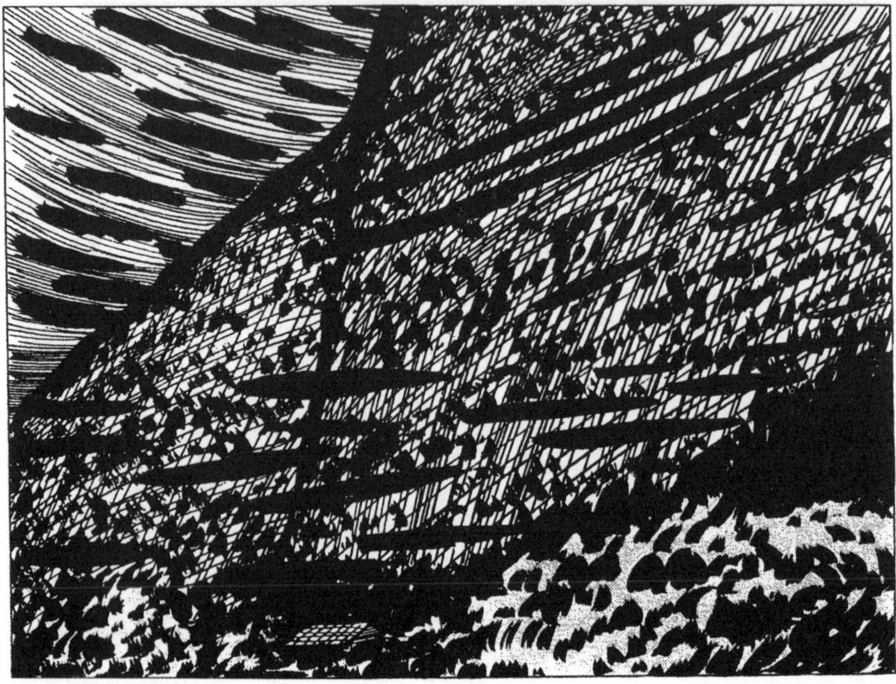

山崩了。
讓妳看個好東西吧。
其實也不是什麼好東西啦。
哇，真不得了。全都是俊作抓的嗎？
小時候抓的啦。
這可以給我嗎？
好啊。
看起來好像死了。

欸。
這是給你的獎賞喔。
喝吧。
呼。

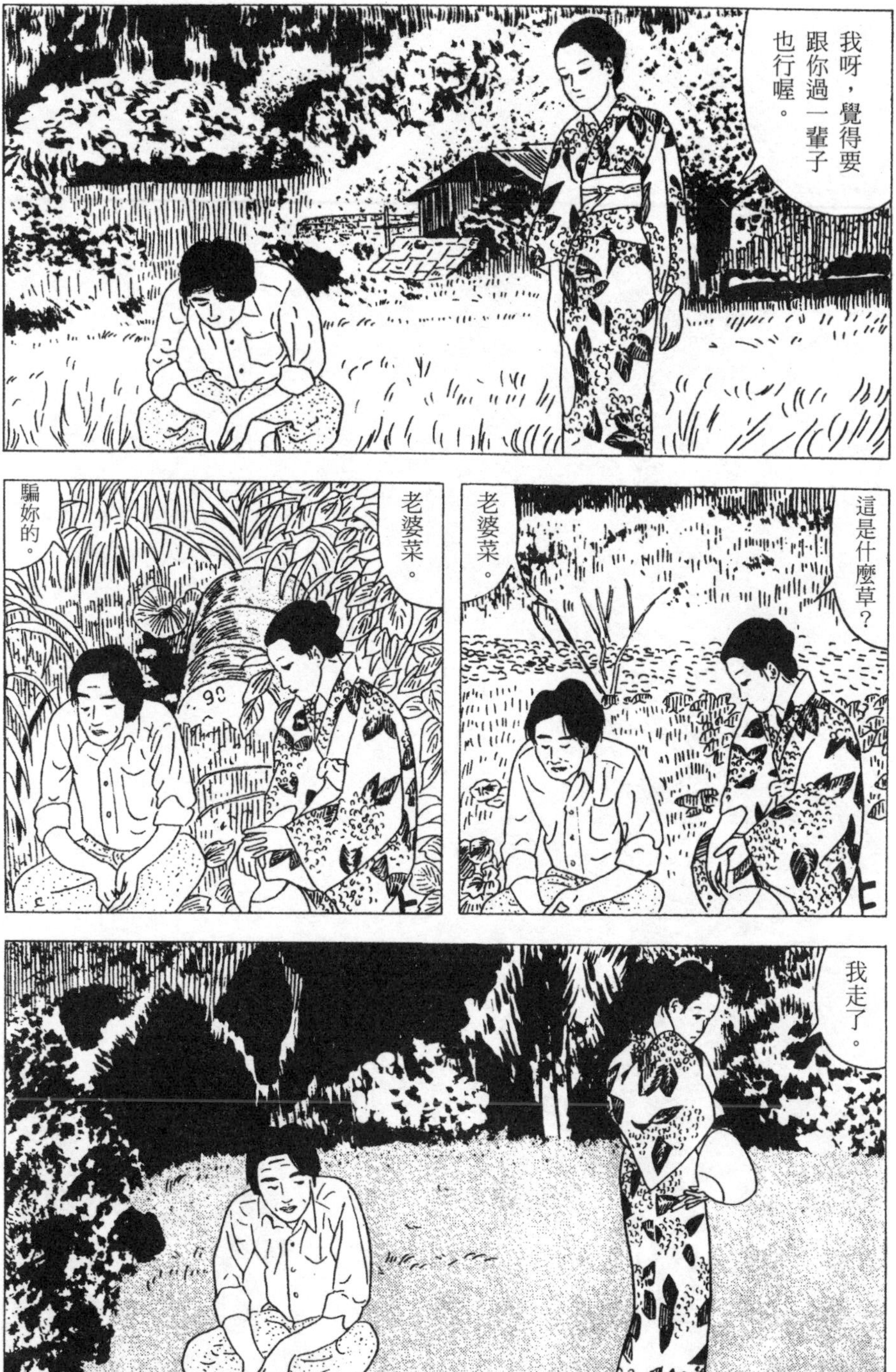
我呀，覺得要跟你過一輩子也行喔。
這是什麼草？
老婆菜。
老婆菜。
騙妳的。
我走了。

私生活

這是我丈夫。
今年二十三歲，但運動不足又神經衰弱，導致身體浮腫。
於是，在東京的時候，他對我拳打腳踢，還扯一些骯髒的歪理，和我朋友上床。
如你所見，他來到這裡後，徹底變成了一個穩重的人。

我是懷著奇特的幽默感在愛他的。
我之後來寫「幸福嗅覺論」吧，幸福就是一種氣味。
他剛來這裡時還說這種話，令我感到好笑。
他說要離開東京時，搬出的都是些不可指望的理由，因此他在這一帶為海水的氣味激昂，已是值得慶幸的狀況了吧。
我收拾了房間。

妳在準備什麼嗎？
對不起。
一定要登上幸福的高峰才行，他說。
我能夠理解他所感受到的惡魔。
的確，我這人只能買買東西、洗洗衣服，就這麼活下去，沒別的路。
然而，那也代表我能輕輕鬆鬆成為有錢人的情婦。
我抱持著這個壞心的想法。

我來幫你沖背吧。
不用啦。
有什麼關係呀。
你瘦了一點對不對？
真性感呢。
這可說是我有生以來，第一次體驗到性方面的敏感境界。

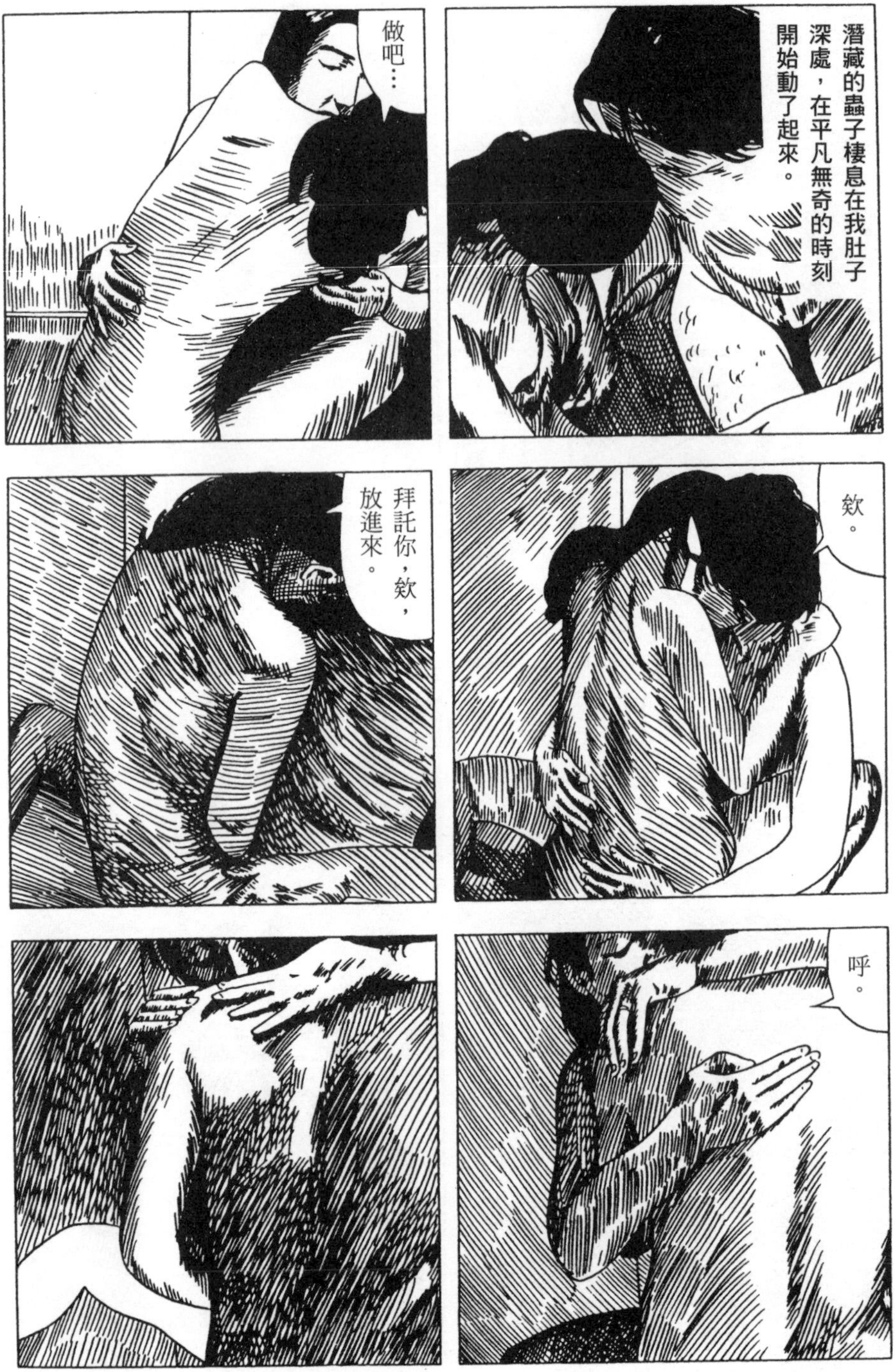
潛藏的蟲子棲息在我肚子深處，在平凡無奇的時刻開始動了起來。
做吧…
欸。
拜託你，欸，放進來。
呼。

我似乎早已知曉某件悲傷的事，
然而，那件事令我興奮到無法按捺。
我懷著孤獨的感受，愛著興奮的自己。
真美妙。
他成天只想灌醉自己。

他醒了以後就喝酒，
喝完會坐到桌前，
但三十分後就不行了。
而且，有很長一段時間，
他似乎夜晚、白天都睡不太著。
不過，我不會讓他身旁的酒見底。
我每天會出門採買一趟，一定會買蠑螺或河豚的生魚片。
好吃嗎？
面對這樣的我，他連憎恨的體力都失去了。
而我如今才真正愛著他。
妳不吃嗎？
不用。

藝術家就該悠哉度日。
沒關係啦，放輕鬆吧，我會去工作。
實際上，我不能不工作。
他爸媽不再寄生活費過來了，我的存款和嫁妝錢都見底了，很快就會一籌莫展吧。
然而，我的內心卻莫名舒暢，獨自處置這些狀況時極為從容不迫。
為什麼我有辦法這樣呢？我怎麼想也想不通。

如果我現在消失無蹤的話，
會怎樣呢？
他終於病倒了。
大概是腸胃或感冒造成的發燒吧。
燒到三十八度以上，維持了三、四天。
○○呀，
我又變得無比敏感了。

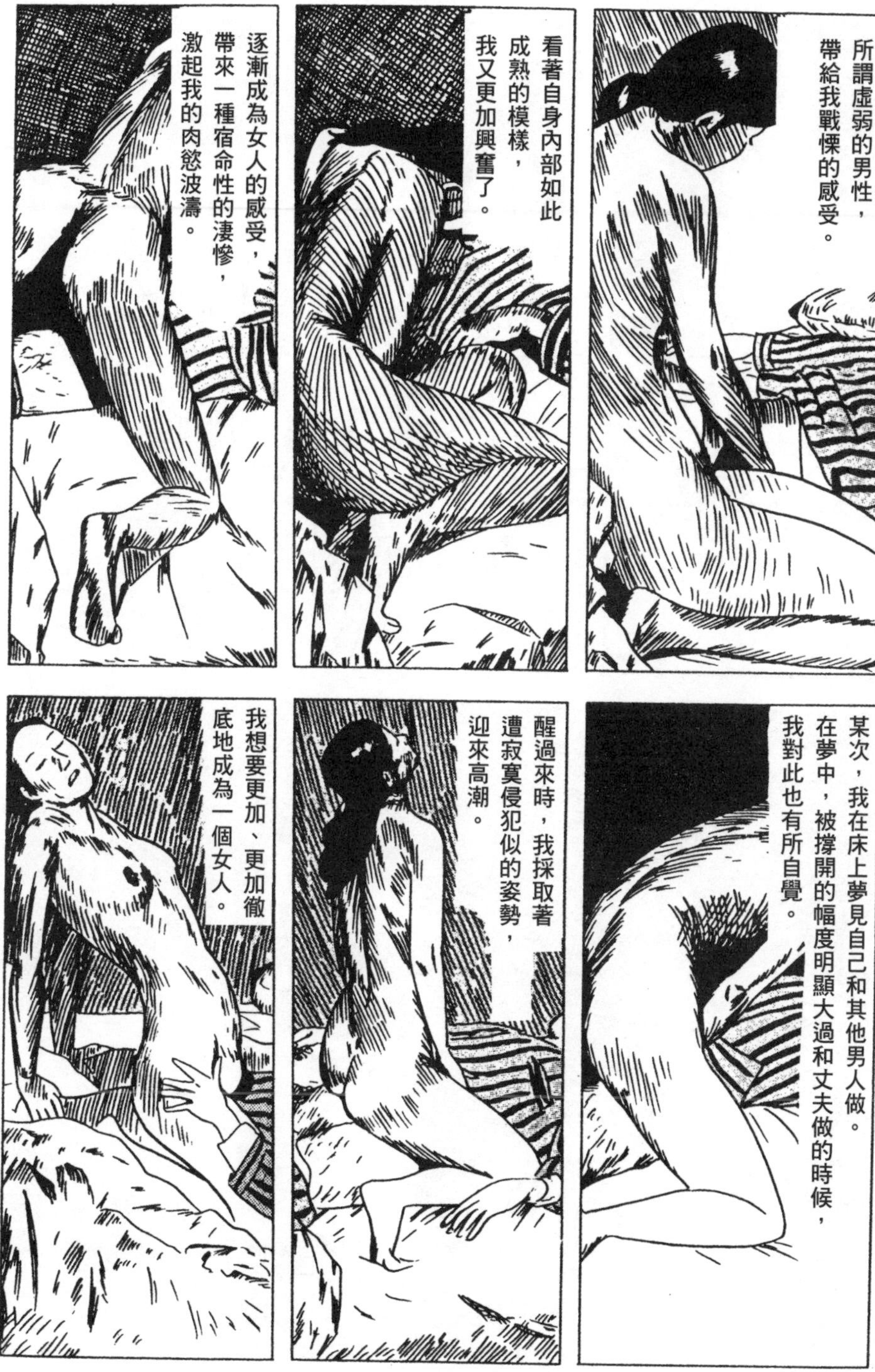
所謂虛弱的男性，
帶給我戰慄的感受。
看著自身內部如此成熟的模樣，
我又更加興奮了。
逐漸成為女人的感受，
帶來一種宿命性的淒慘，
激起我的肉慾波濤。
某次，我在床上夢見自己和其他男人做。
在夢中，被撐開的幅度明顯大過和丈夫做的時候，
我對此也有所自覺。
醒過來時，我採取著遭寂寞侵犯似的姿勢，
迎來高潮。
我想要更加、更加徹底地成為一個女人。

呼
啊

這個人從來不曾不舉。
他大概不愛我吧。
能不能給我水？
我竊笑了。我認識了站在幸福底部的自己。
就算長出戀愛之翼，我也無法再次飛到高處了吧。

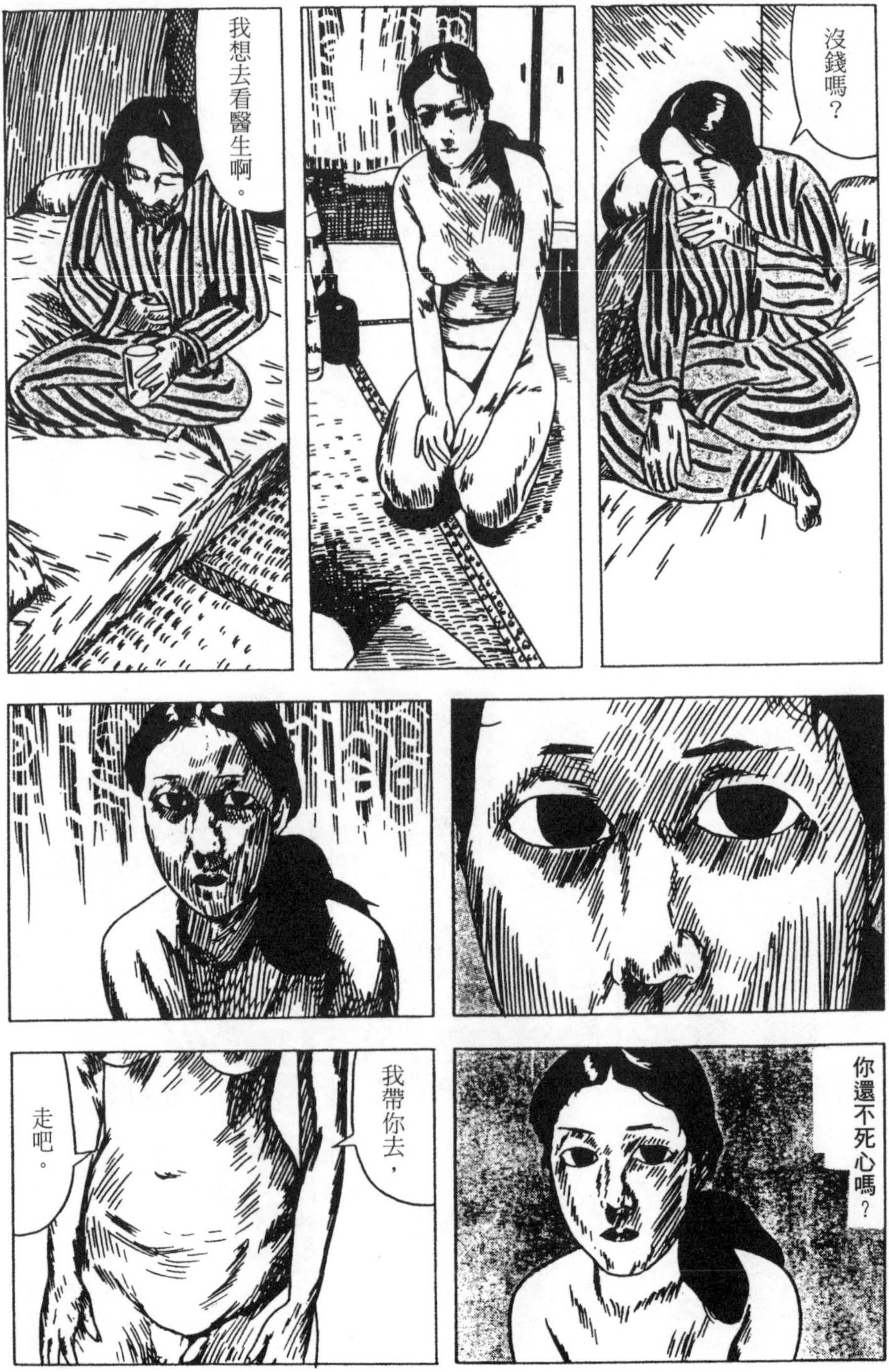
沒錢嗎？
我想去看醫生啊。
你還不死心嗎？
我帶你去，
走吧。

我們來到這片土地，已過了一個月。
彷彿像陌生人似的，我們的感情整個變好了。
像這樣走著走著，心情就會開朗起來喔。
酒全都變成汗，流出來了呢。
好多呀。

走吧。
漲潮的時候要怎麼辦呢？
真笨啊你。
溫柔的感受掠過我心頭。
我也許會和這個人分手呢。
終

報仇
安部慎一

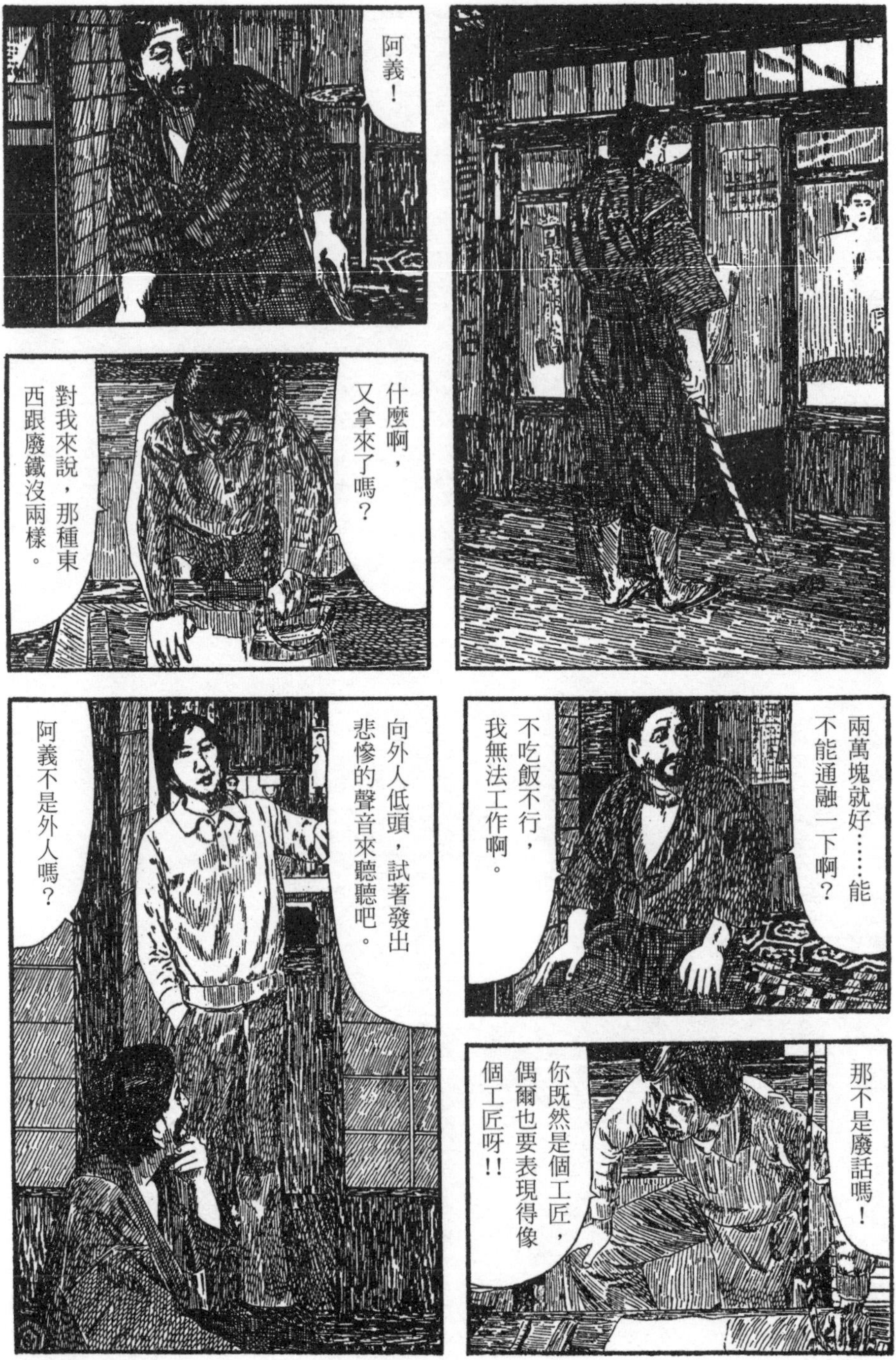
阿義！
什麼啊，又拿來了嗎？
對我來說，那種東西跟廢鐵沒兩樣。
兩萬塊就好……能不能通融一下啊？
不吃飯不行，我無法工作啊。
那不是廢話嗎！
你既然是個工匠，偶爾也要表現得像個工匠呀!!
向外人低頭，試著發出悲慘的聲音來聽聽吧。
阿義不是外人嗎？

我可是想讓阿義賺錢呀。
就算是那種破銅爛鐵，要是磨一下，也許還是能當作一把刀用吧……
哼，廢鐵就是廢鐵啊。
別說那窮酸的話了。
我就順便說了吧，哥。
我從一開始就懷疑我們根本沒有血緣關係。
兩個外人湊在一起，生下我們，所以我們就是兄弟嗎？
少天真了！
阿義，有這種想法的你，會疼愛老婆嗎？
因為這樣想，你的工夫才那麼好嗎？
別那樣說話比較好啦，什麼殺人，阿義才辦不到呢。
無論如何都要殺人的話，你就好好磨利那把爛刀、紮實地鍛鍊好劍術再去殺吧。
什麼？我宰了你喔！

阿義，你不生小孩的心情，我不是不了解。
我也沒有娶妻的念頭。
不過對親生父母挑三揀四也沒用啊。
阿義，對工匠來說，腕力就是關鍵。
拿起那爛刀揮劍練習，好好鍛鍊你的劍術吧！幫我向你太太問好。
湯
媽的。

老公，你怎麼啦？

沒救了。
我是軟弱的男人。哥不用開口我也知道。
他說我什麼？哎呀，說我哭喪著臉，不想工作，要怎麼以職人自居。
不可能有女人打從心底迷上這種男人的。
不過，我對世上的一切都感到厭倦了。
有的時候，腰和肩膀怎麼使都使不上力。
死了算了，乾脆消失算了。
我有時真的會那樣想咧！
老公，別那樣說。
人總有一天都會死的。

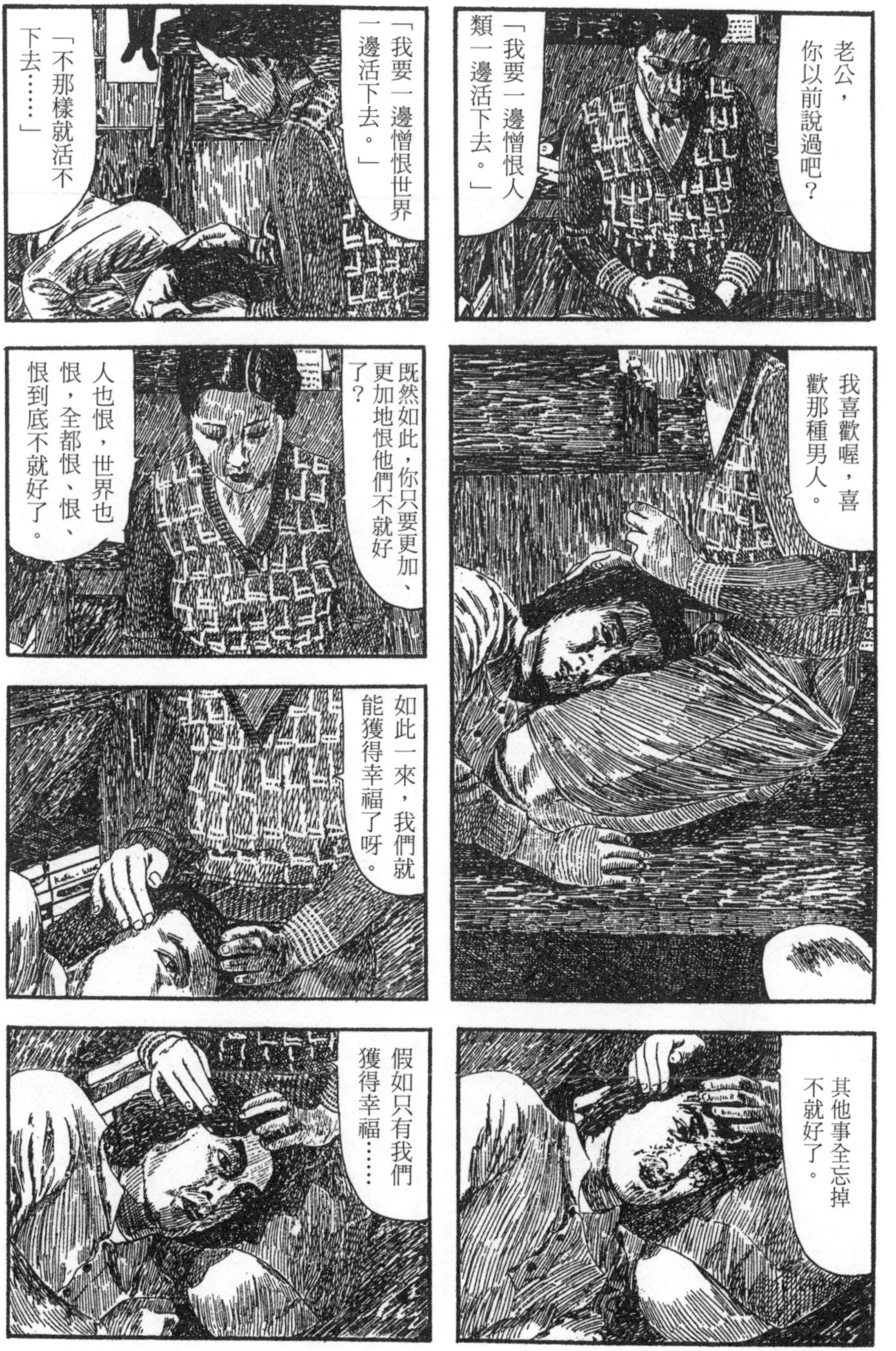
老公，你以前說過吧？
「我要一邊憎恨人類一邊活下去。」
「我要一邊憎恨世界一邊活下去。」
「不那樣就活不下去……」
我喜歡喔，喜歡那種男人。
既然如此，你只要更加、更加地恨他們不就好了？
人也恨，世界也恨，全都恨、恨、恨到底不就好了。
如此一來，我們就能獲得幸福了呀。
其他事全忘掉不就好了。
假如只有我們獲得幸福……

老公，打起精神吧，
今晚我們去看電影吧。

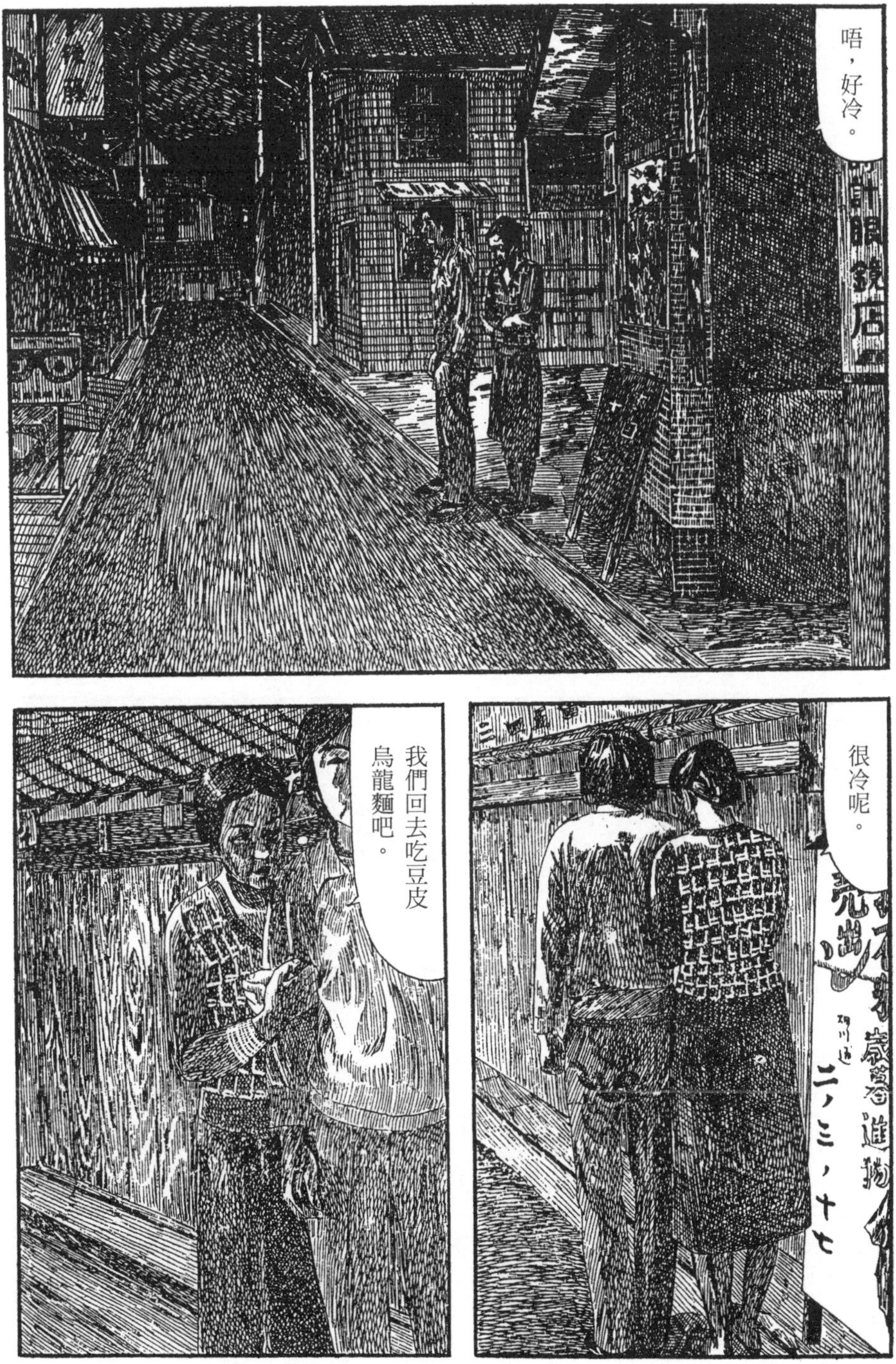
唔，好冷。
很冷呢。
我們回去吃豆皮烏龍麵吧。

老公，你真溫柔呢。
才沒那回事。
早啊！
來了個討厭的醉漢……
哎唷，真危險。
唔……
喔，女人很正點，男人也很有男子氣概呢。
你還好嗎？
嗯，還好。

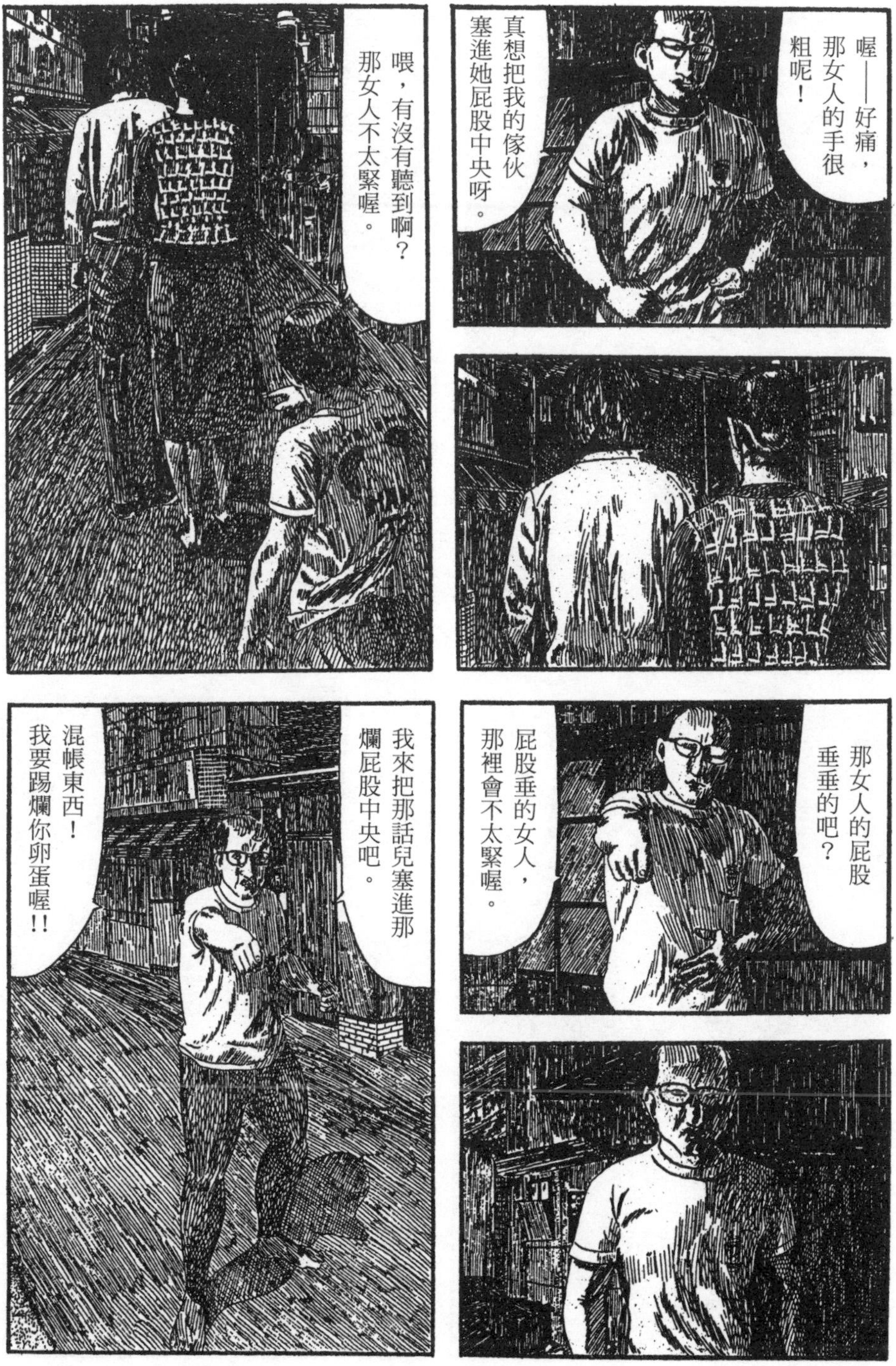
喔——好痛，那女人的手很粗呢！
真想把我的傢伙塞進她屁股中央呀。
喂，有沒有聽到啊？那女人不太緊喔。
那女人的屁股垂垂的吧？
屁股垂的女人，那裡會不太緊喔。
我來把那話兒塞進那爛屁股中央吧。
混帳東西！我要踢爛你卵蛋喔!!

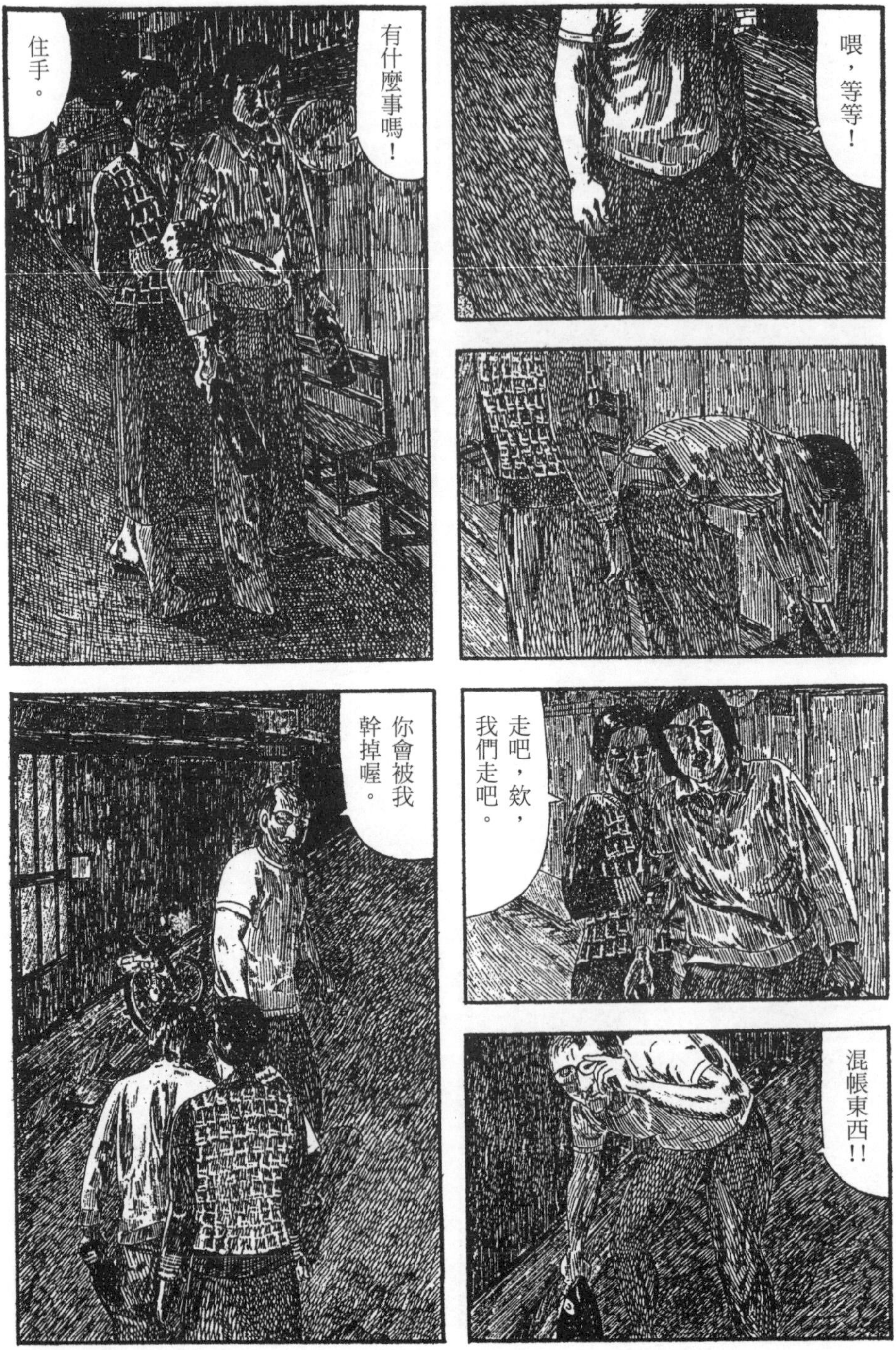
喂，等等！
有什麼事嗎！
住手。
走吧，欸，我們走吧。
混帳東西!!
你會被我幹掉喔。

拜託你住手！
噓
噓
喝啊
喝啊

殺人犯。

我攪爛妳的臉喔，臭女人！
嗚、嗚……

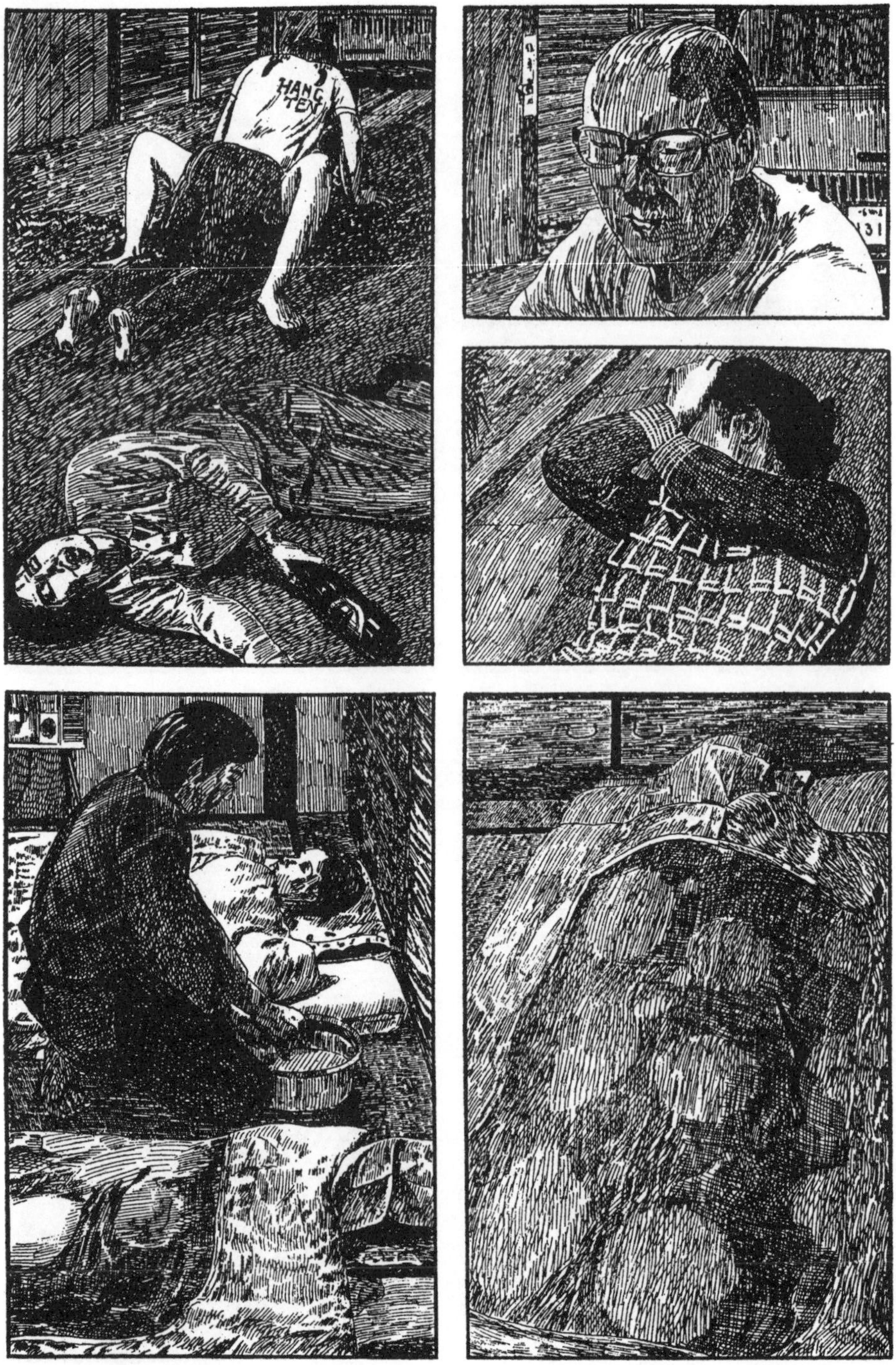
HANG TEN
131

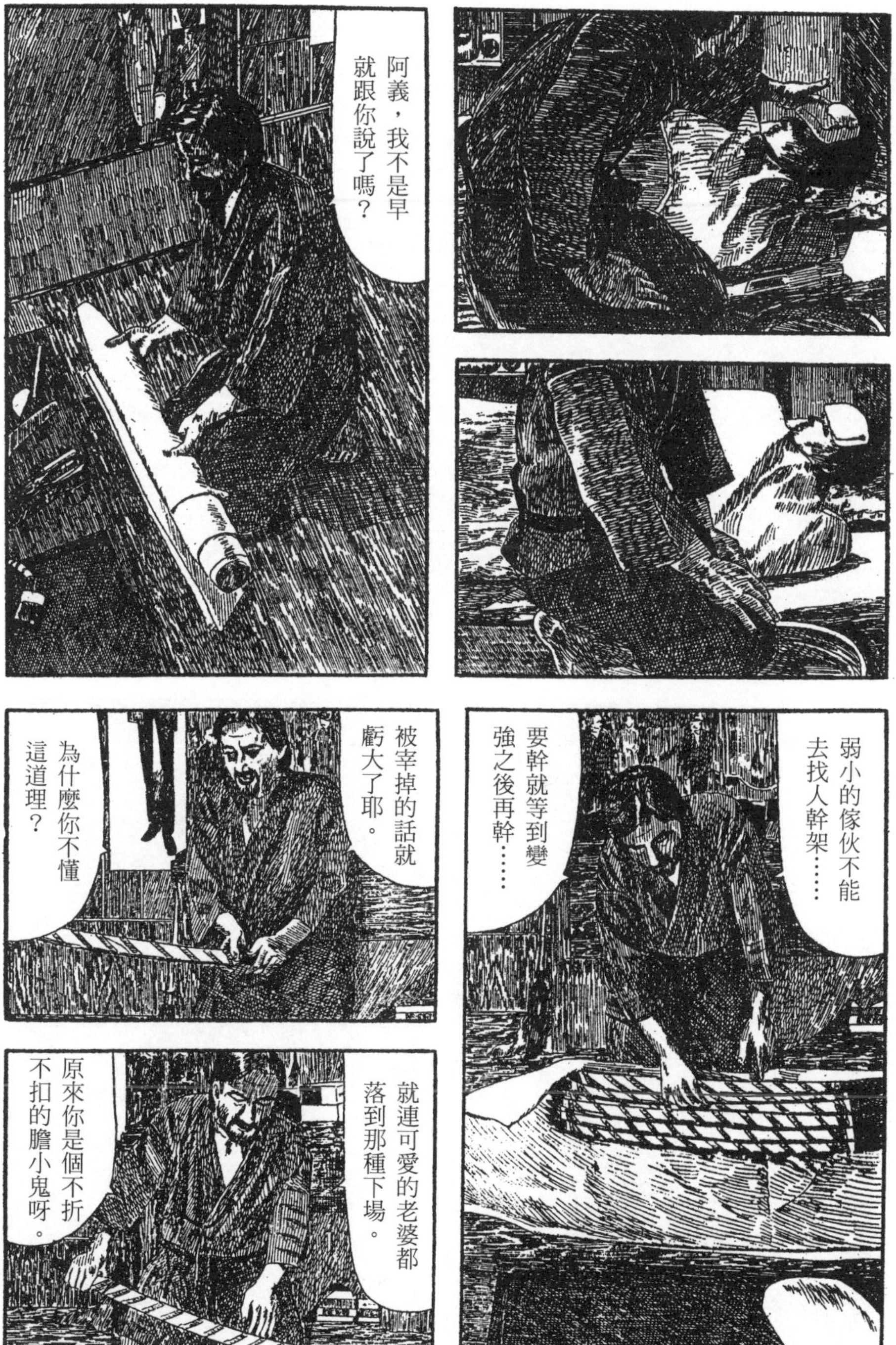

阿義，我不是早就跟你說了嗎？
弱小的傢伙不能去找人幹架……
要幹就等到變強之後再幹……
被宰掉的話就虧大了耶。
為什麼你不懂這道理？
就連可愛的老婆都落到那種下場。
原來你是個不折不扣的膽小鬼呀。

研師 永田光幹
新町
13
永田先生，不好意思，你能不能從這些刀之中挑一把磨磨看呢？

錢我無法立刻支付，
不過如果有還不錯的刀，您另收下一把也沒問題的。
你弟弟似乎碰上了災難呢。
傳言我都聽到了。
我明白了，這工作我就接下了，放心吧。
不好意思，麻煩了。

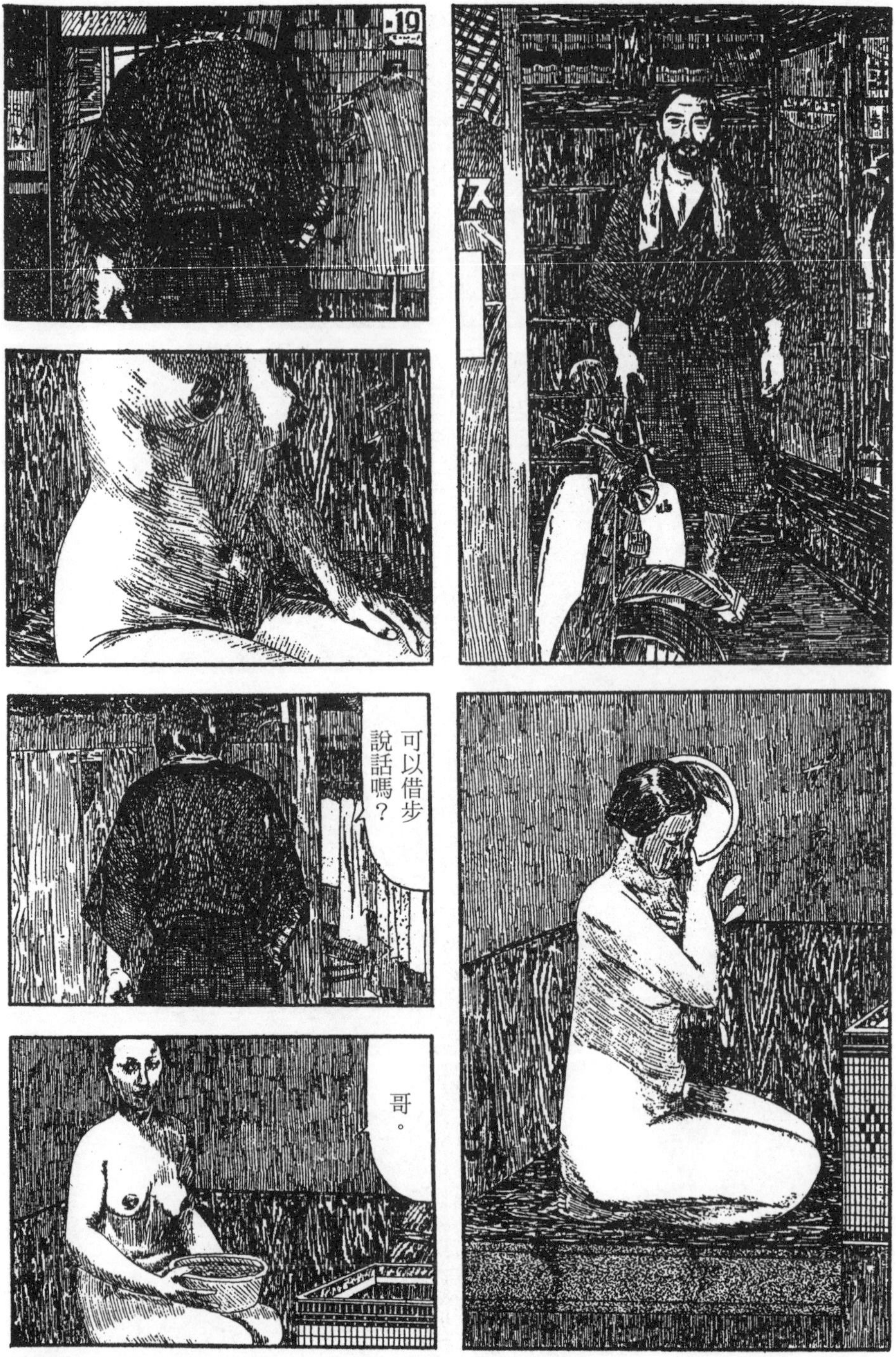
可以借步說話嗎？
哥。

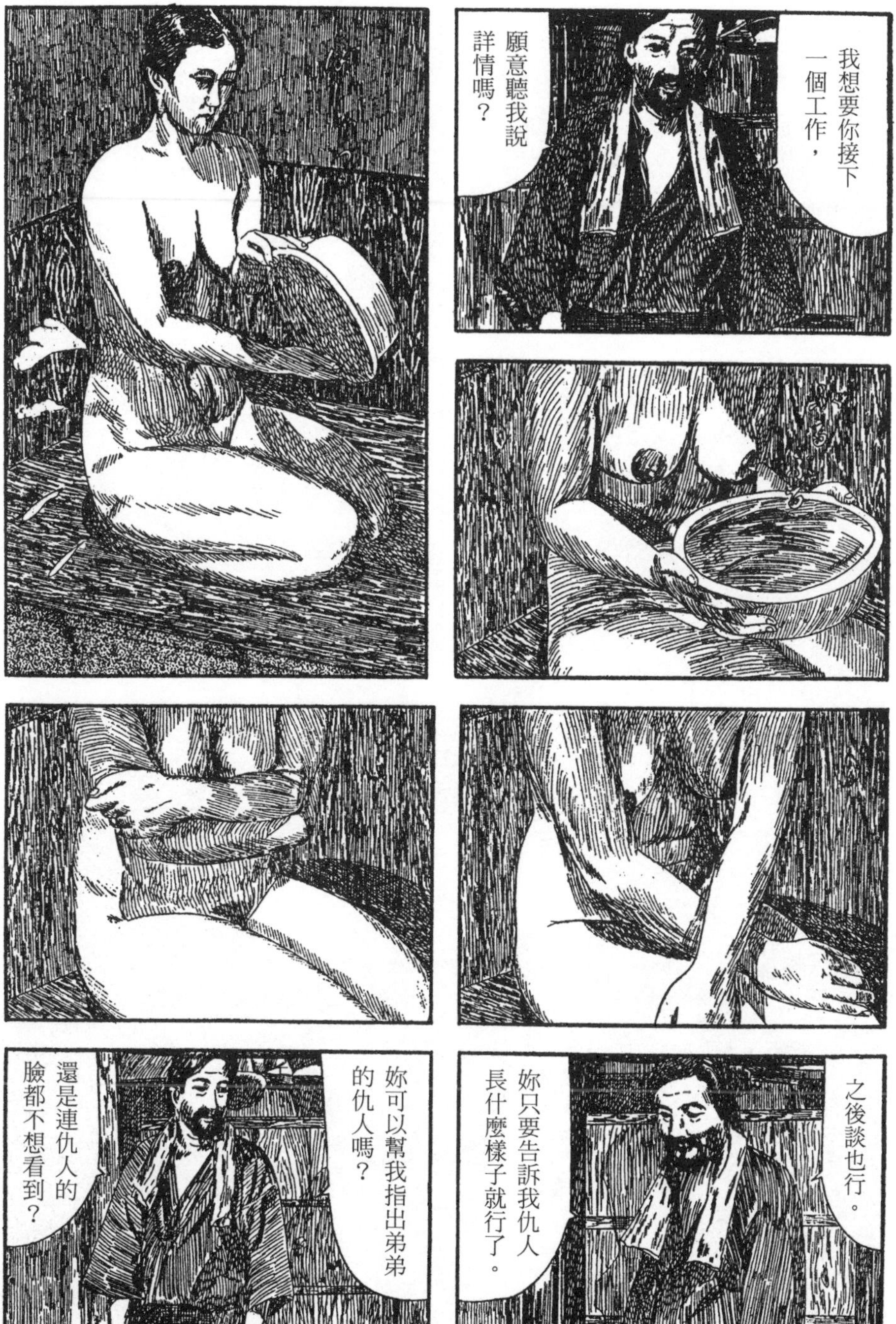
我想要你接下一個工作，
願意聽我說詳情嗎？
之後談也行。
妳只要告訴我仇人長什麼樣子就行了。
妳可以幫我指出弟弟的仇人嗎？
還是連仇人的臉都不想看到？

我只是很害怕。
妳遠遠地指給我看就行了，
說就是那個男人。
然後，我來讓他人頭落地。

喝啊！

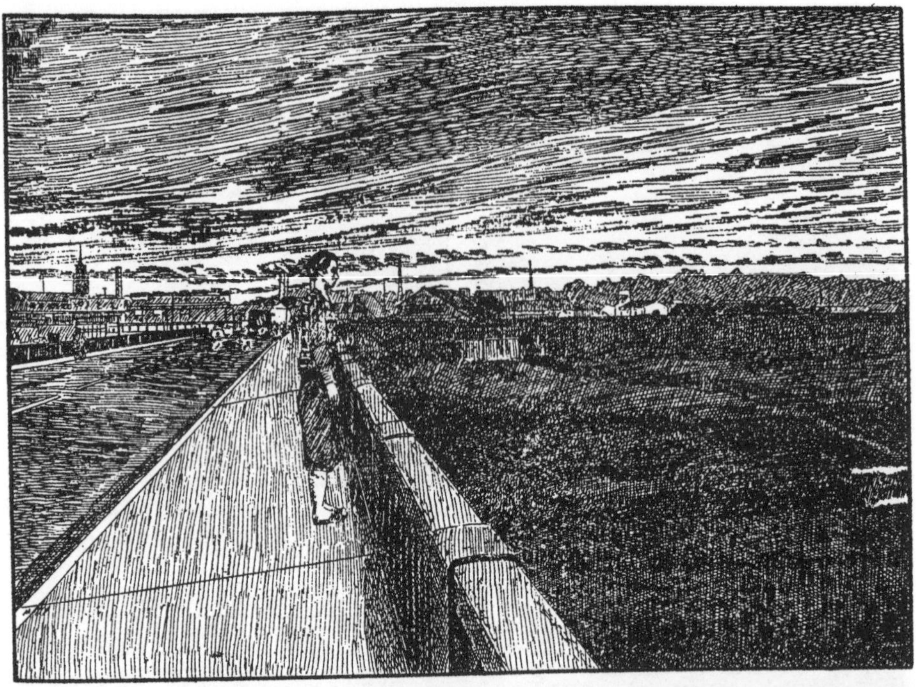

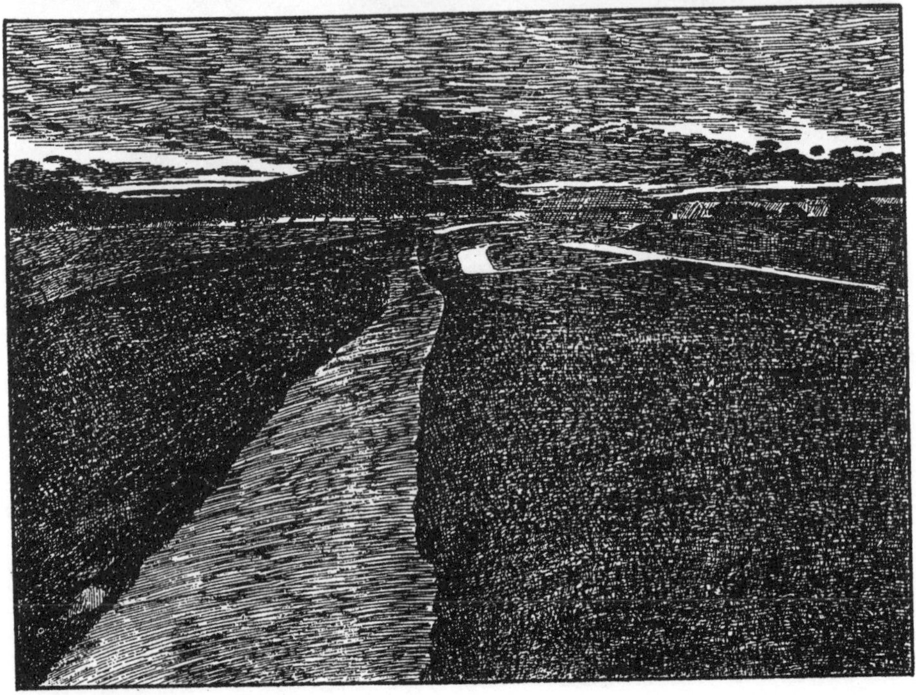

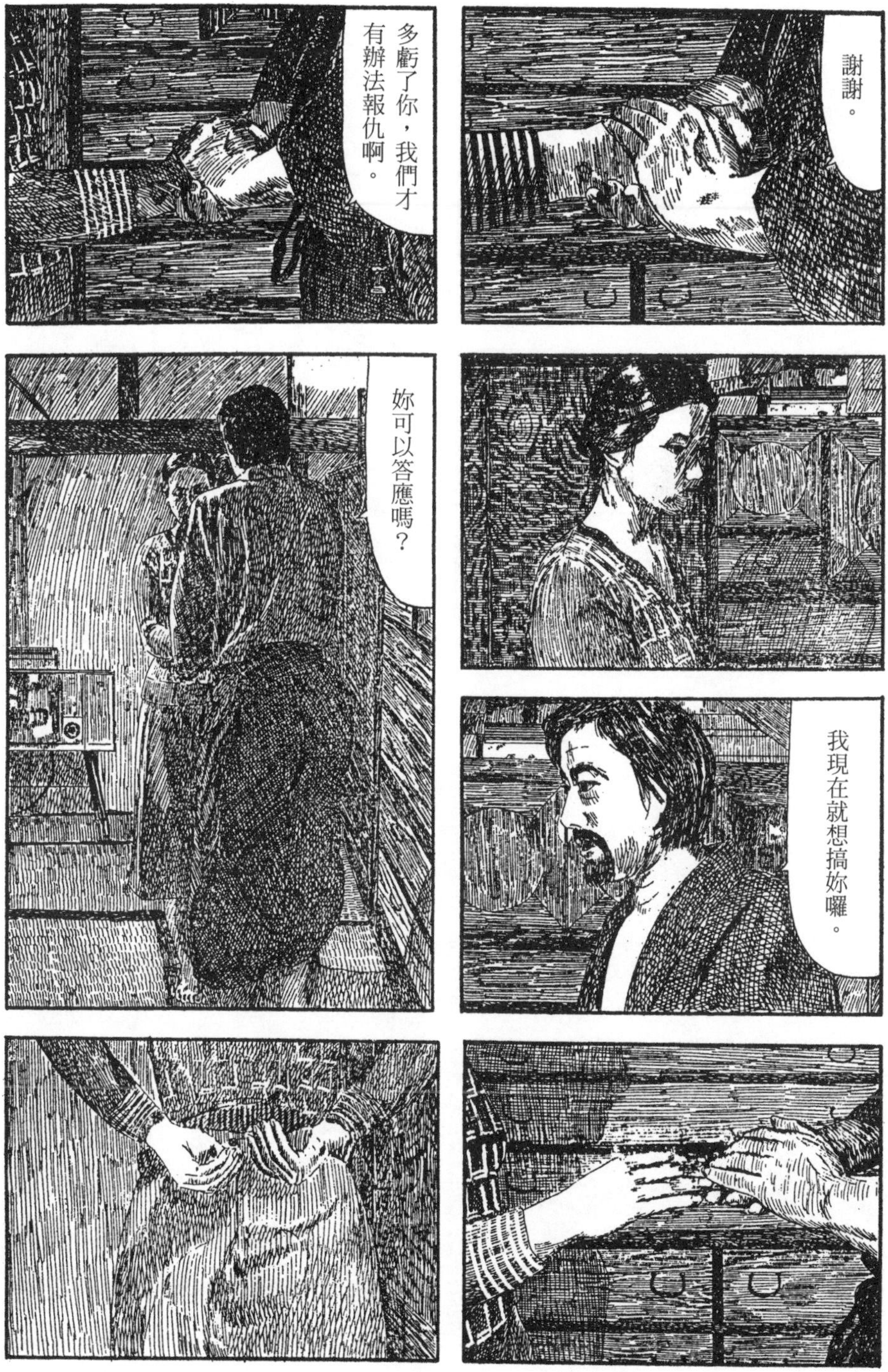
謝謝。
多虧了你，我們才有辦法報仇啊。
我現在就想搞妳囉。
妳可以答應嗎？

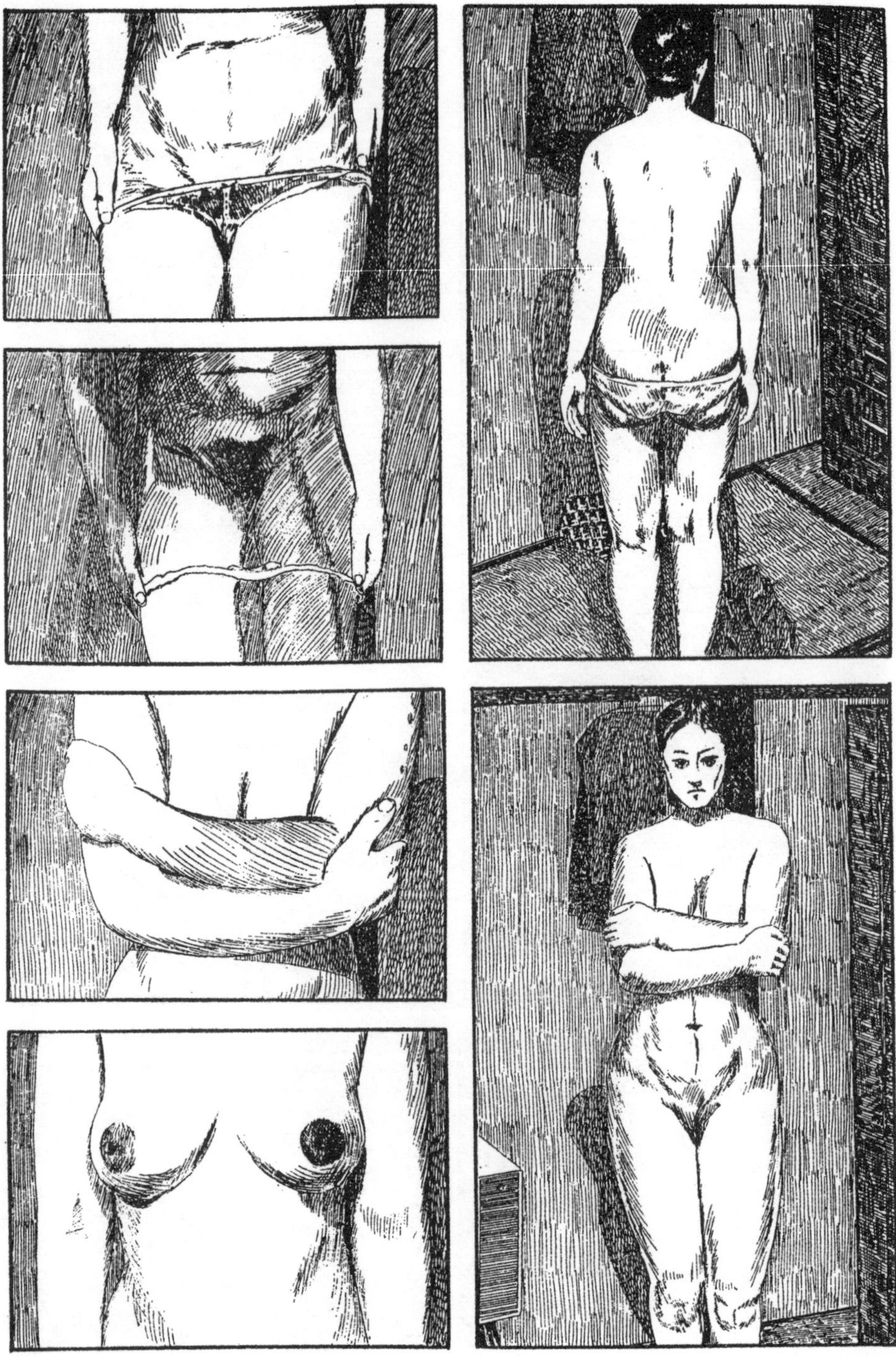

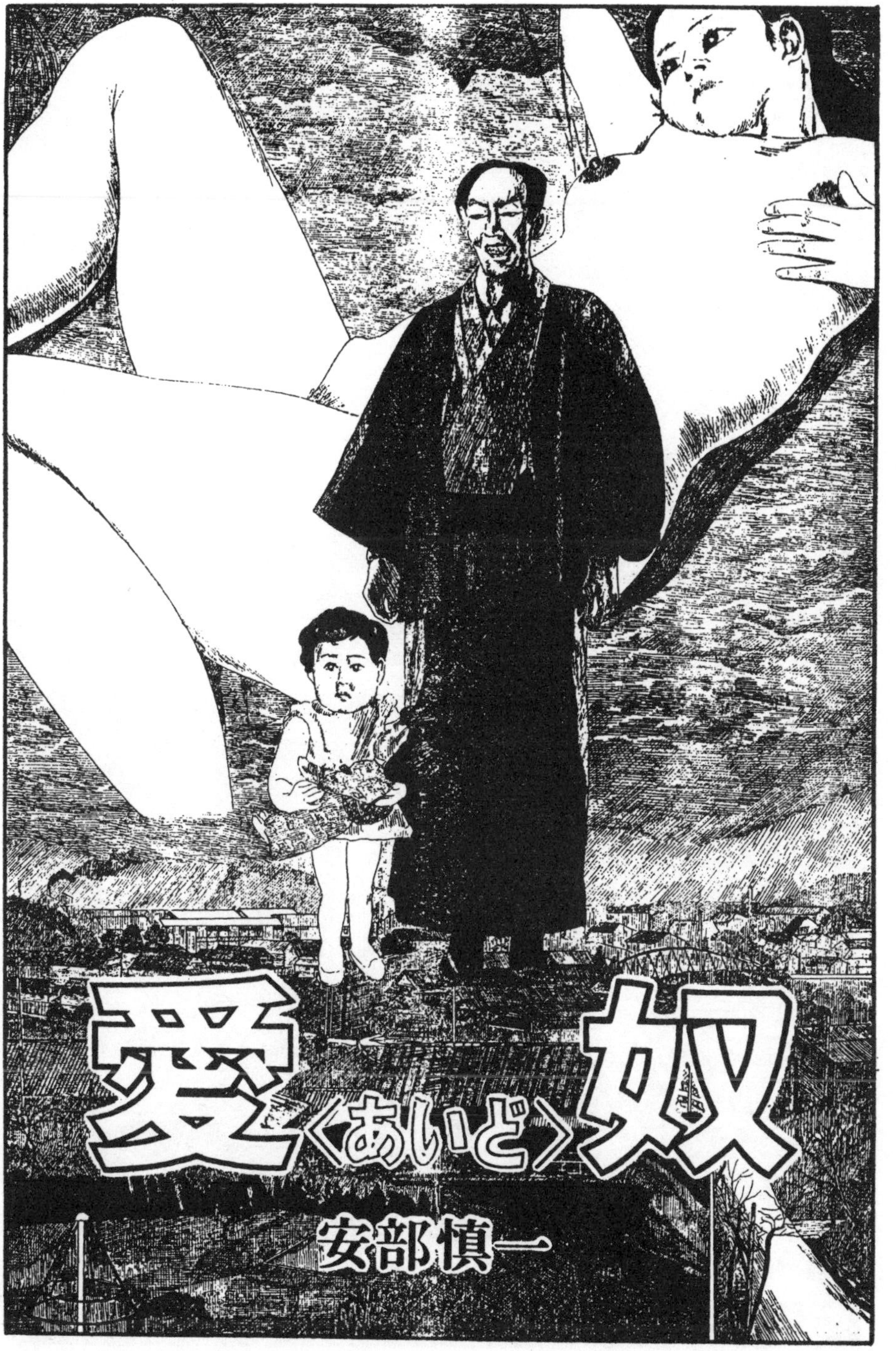
愛〈あいど〉奴
安部慎一

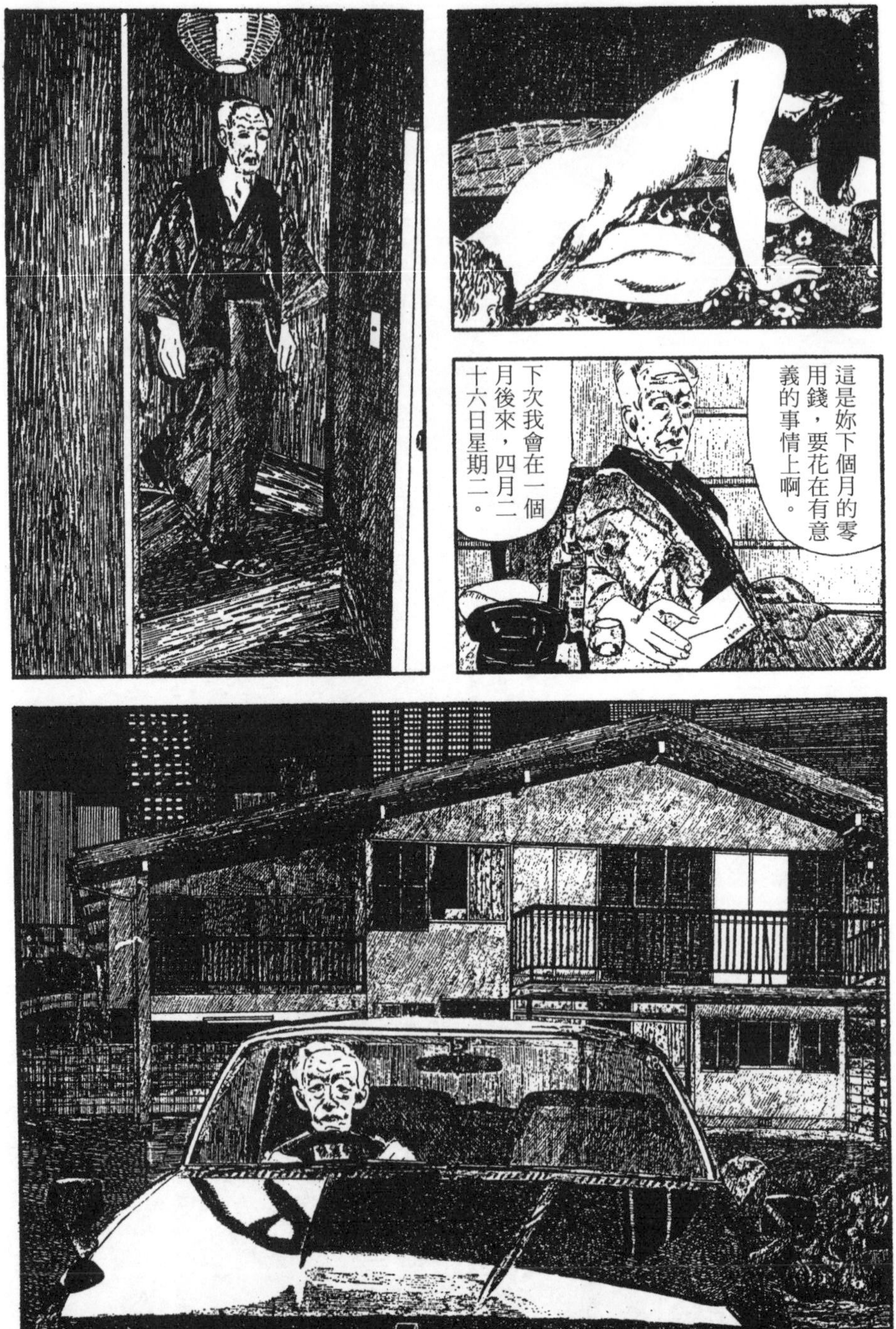
這是妳下個月的零用錢，要花在有意義的事情上啊。
下次我會在一個月後來，四月二十六日星期二。

鈴鈴——
鈴鈴——
是我，先生的秘書新田。
我猜先生已經回去了。
是的。
我有個無禮的提議。
我已經請了一個月的假，
打算回故鄉去。
如果可以的話，光子小姐要不要和我一起去呢？
我知道了，我會前去拜訪。

謝謝妳，一大早過來。
呃，我聽說沒有其他飛機的航班，就趕過來了。
出発
DEPARTURE
我的故鄉是福岡縣西南部的T市。
嗯，沒關係，要去哪都行。

先生替國家工作，總是對我說要公私分明。
於是，我不知不覺陷入綁手綁腳的狀況。
那個人很早起呢。
從這裡搭計程車一小時就到了。
去T市。

ハッピー
TAXI
不管我們做多麼愚蠢的事，先生都會原諒我們嗎？妳覺得呢？
嗯，我是這麼想的，所以才飛奔過來。
他難道不是那種人嗎？
如果他不原諒我們，我們就得接受處罰了。
先生有個地下組織，我們搞不好會被殺掉。
假如先生不原諒做蠢事的我，
我也不需要那種先生。
田川
ミヤケ

妳算是堅強的人呢。
是啊，女人都是這樣的。
我想要自由地活著。
妳也許終究是我應付不來的人呢。

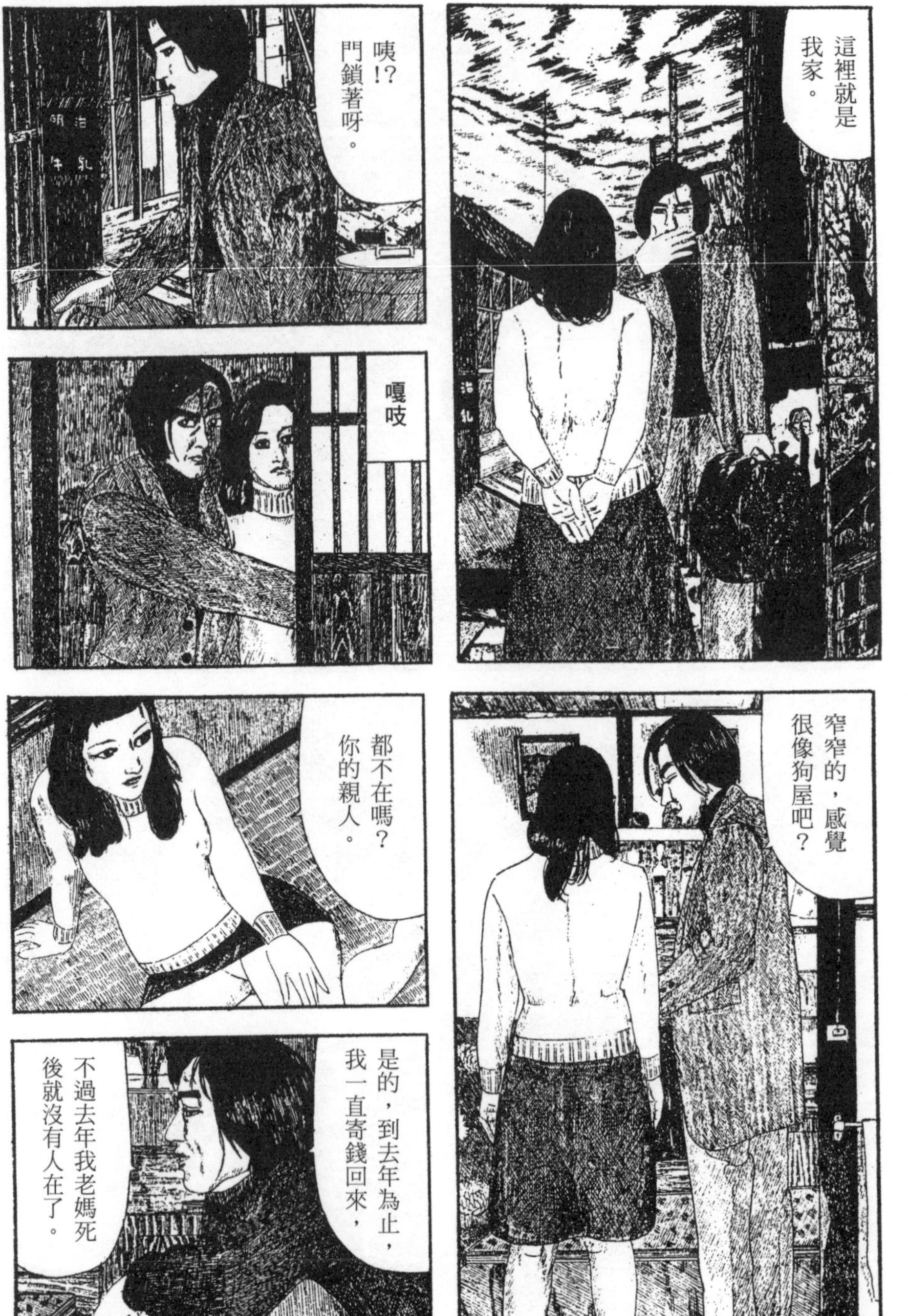
這裡就是我家。
咦!? 門鎖著呀。
嘎吱
窄窄的，感覺很像狗屋吧？
都不在嗎？你的親人。
是的，到去年為止，我一直寄錢回來，
不過去年我老媽死後就沒有人在了。

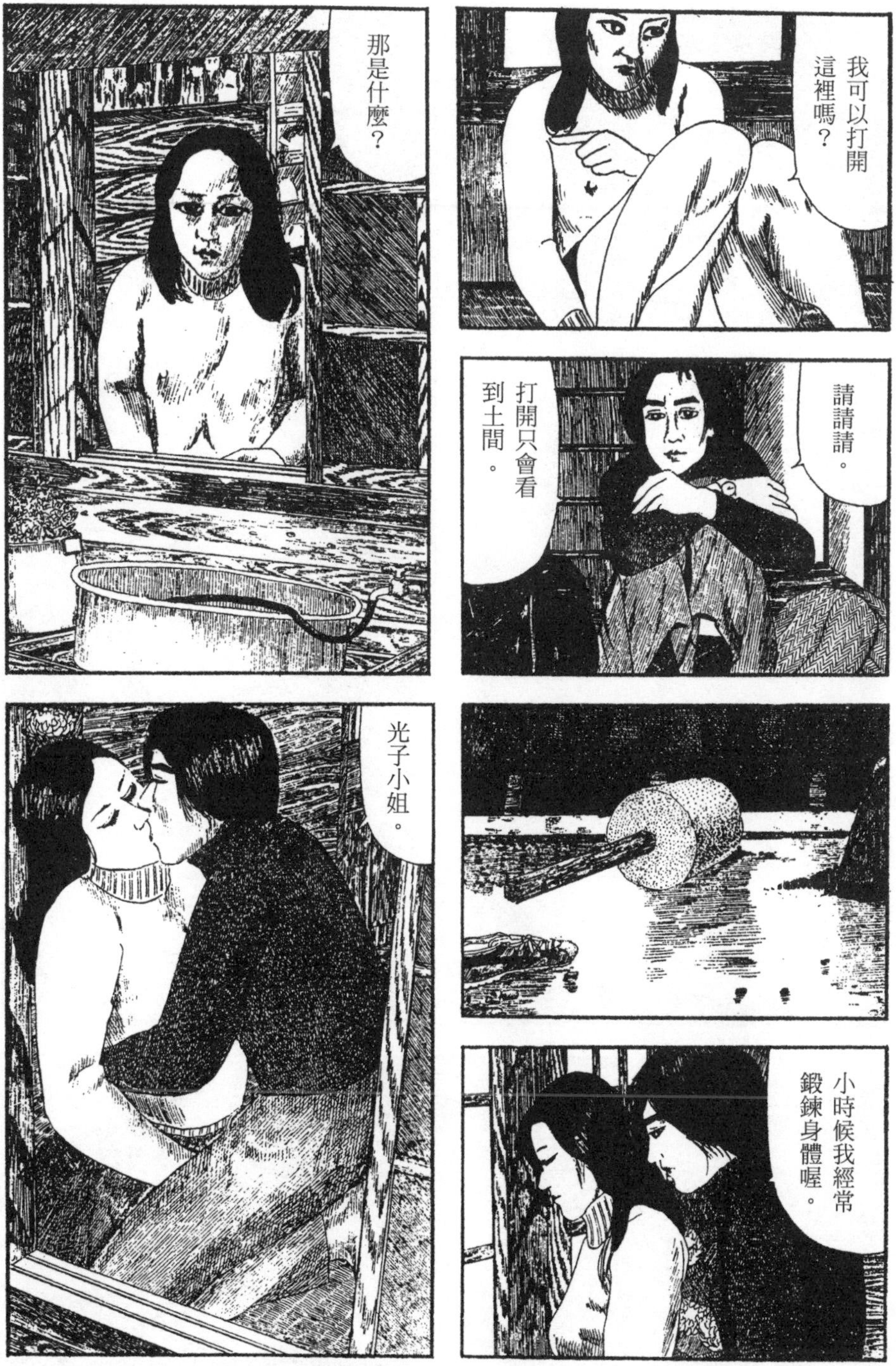
我可以打開這裡嗎？
請請請。
打開只會看到土間。
那是什麼？
小時候我經常鍛鍊身體喔。
光子小姐。

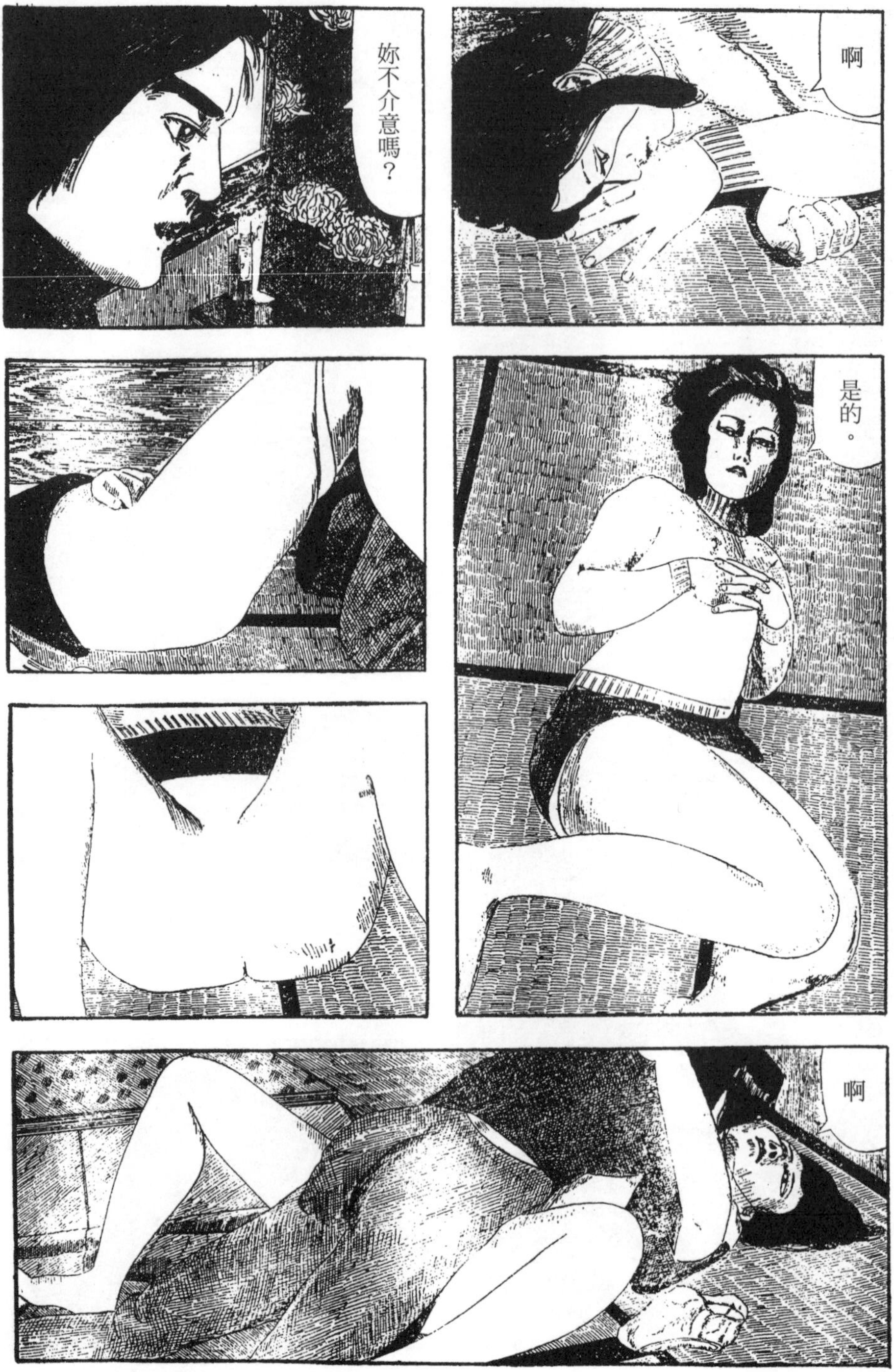
啊
妳不介意嗎？
是的。
啊

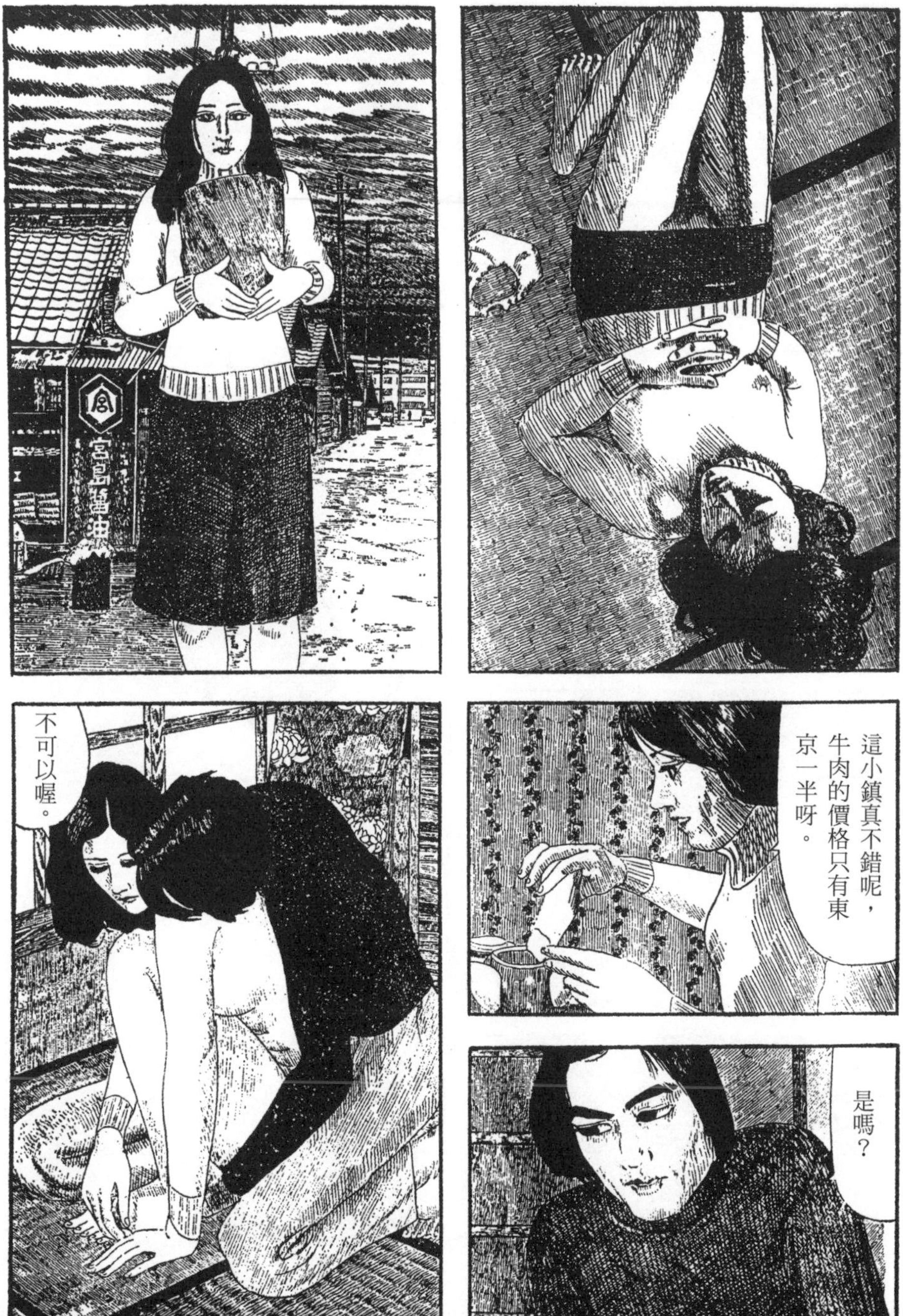
宮島醤油
這小鎮真不錯呢，牛肉的價格只有東京一半呀。
是嗎？
不可以喔。

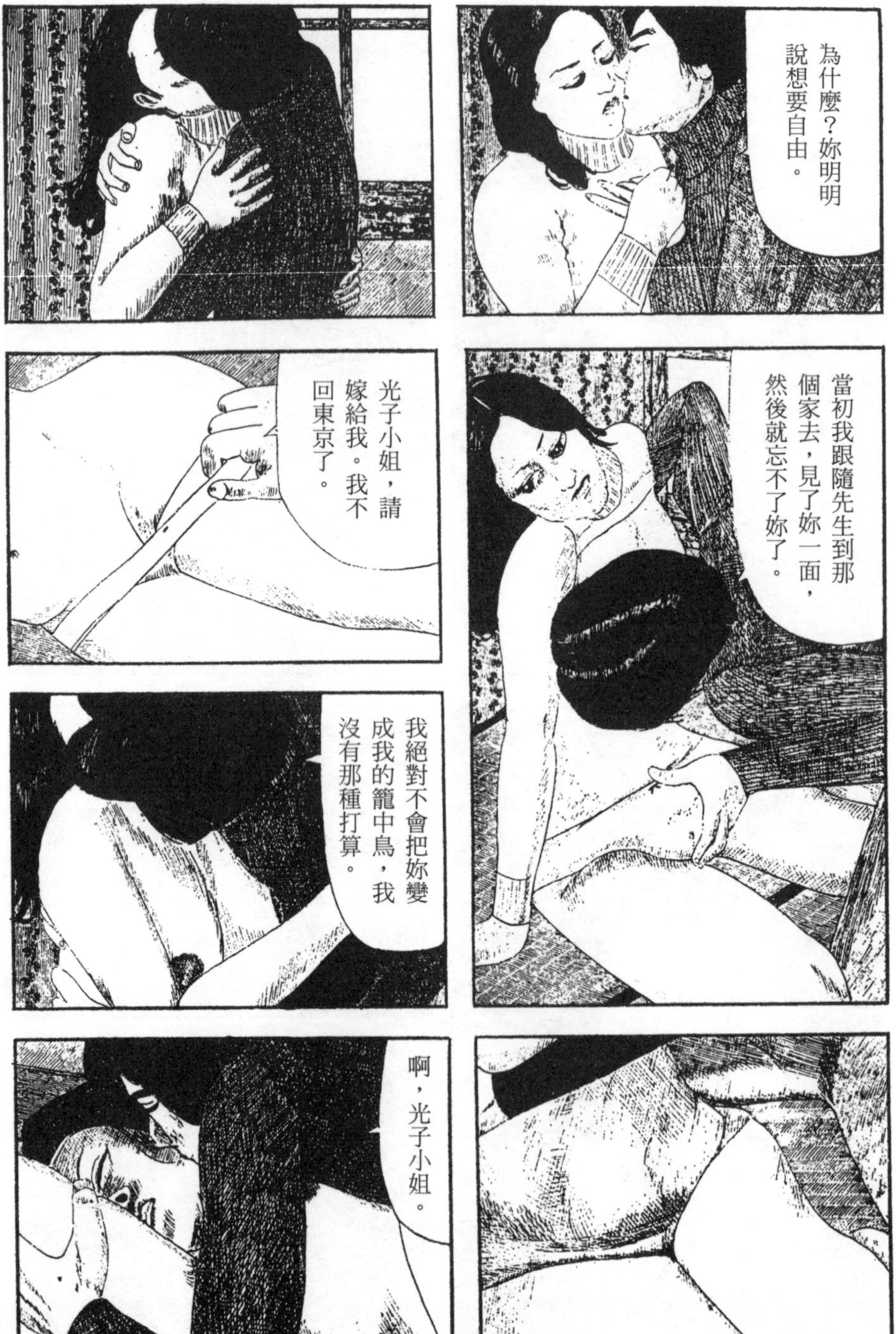
為什麼？妳明明說想要自由。
當初我跟隨先生到那個家去，見了妳一面，然後就忘不了妳了。
光子小姐，請嫁給我。我不回東京了。
我絕對不會把妳變成我的籠中鳥，我沒有那種打算。
啊，光子小姐。

請妳和我一起生活。
NIPPON
20
3.26
先生
感謝您長期照顧，
不過我另有打算，
會暫時離開東京。
請不要擔心我。
光子
為何要讓我知道妳人在哪，光子？
妳想折磨我嗎？

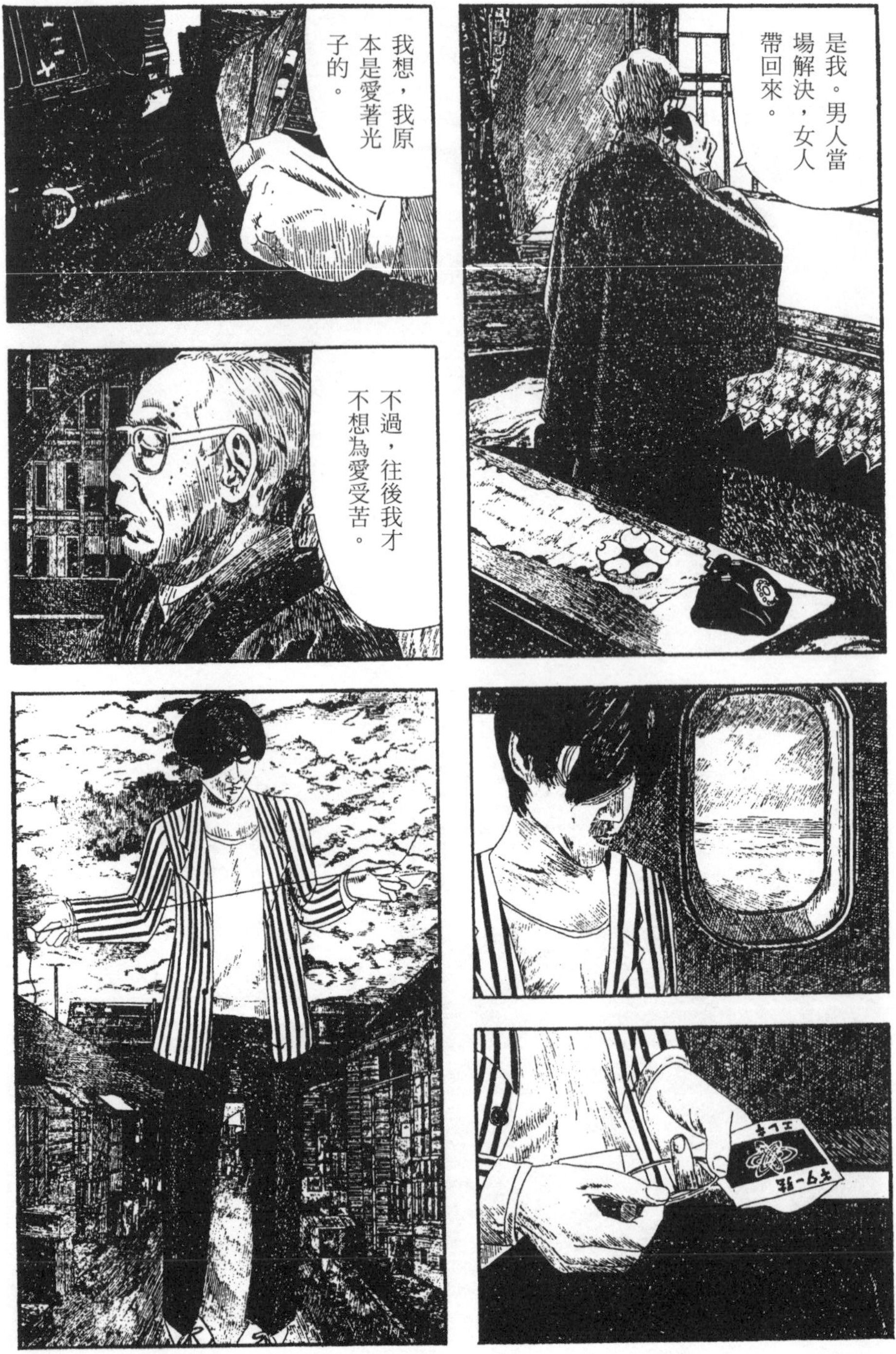
是我。男人當場解決，女人帶回來。
我想，我原本是愛著光子的。
不過，往後我才不想為愛受苦。

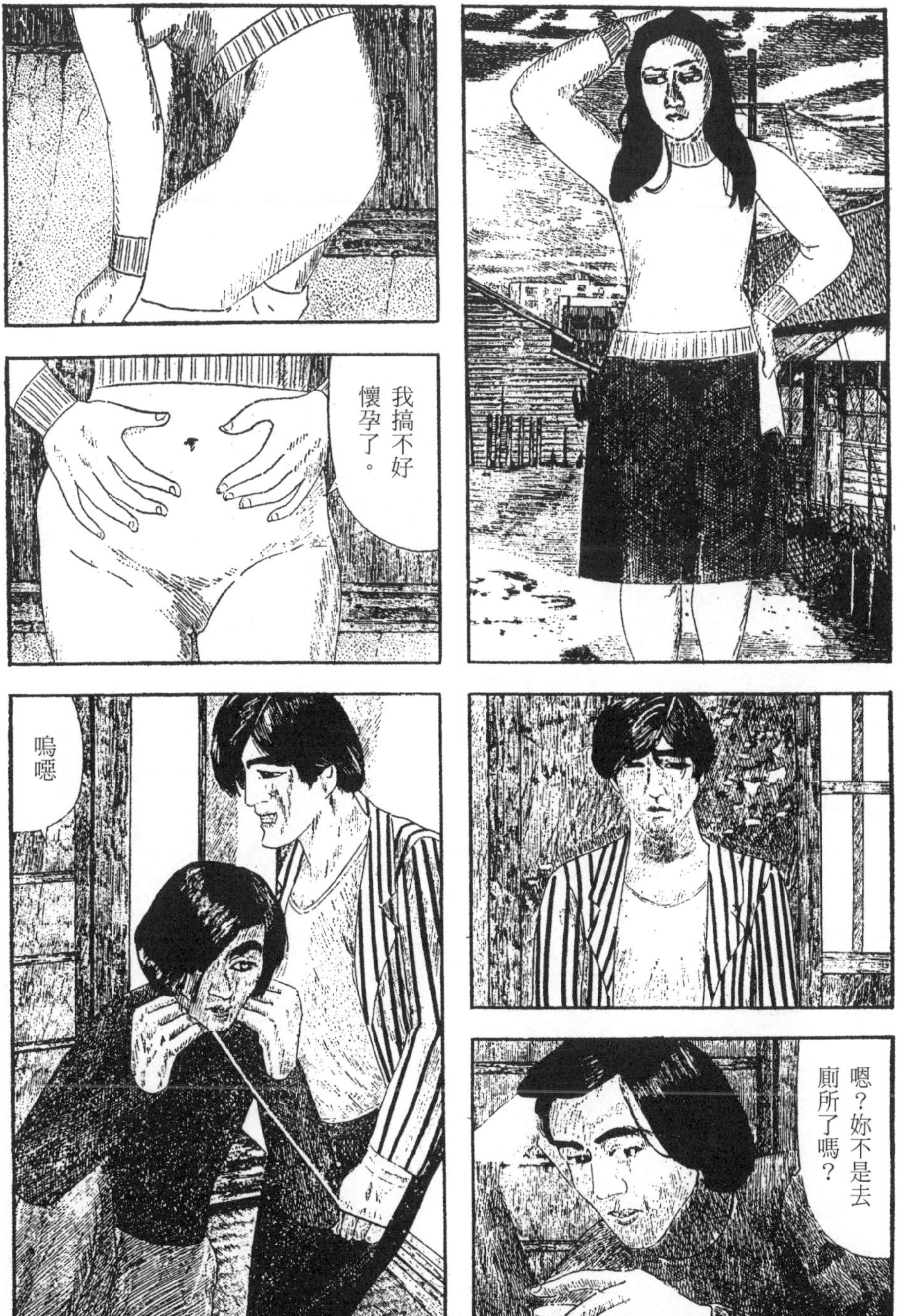
我搞不好懷孕了。
嗯？妳不是去廁所了嗎？
嗚嗯

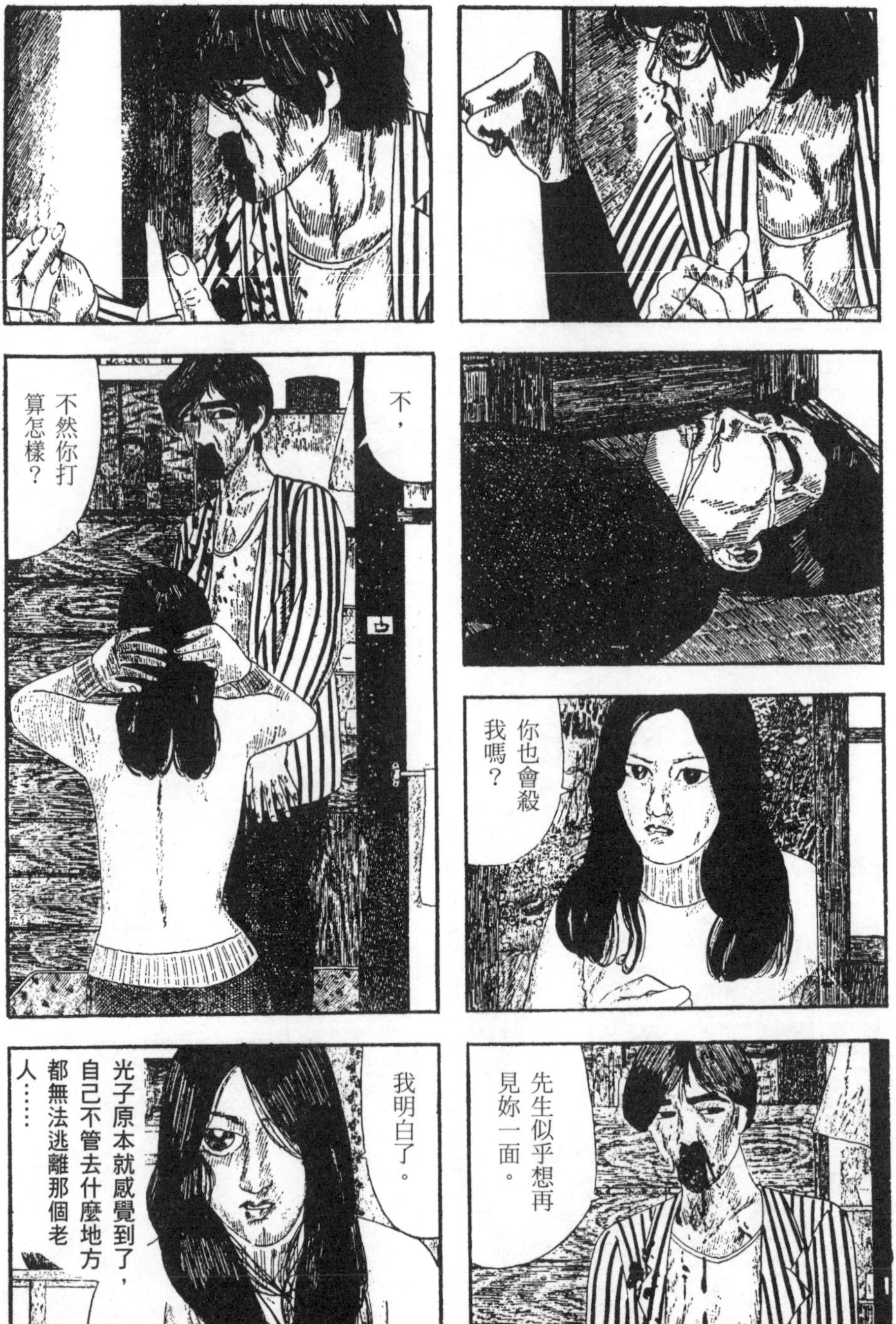
你也會殺我嗎？
不，
不然你打算怎樣？
先生似乎想再見妳一面。
我明白了。
光子原本就感覺到了，自己不管去什麼地方都無法逃離那個老人……

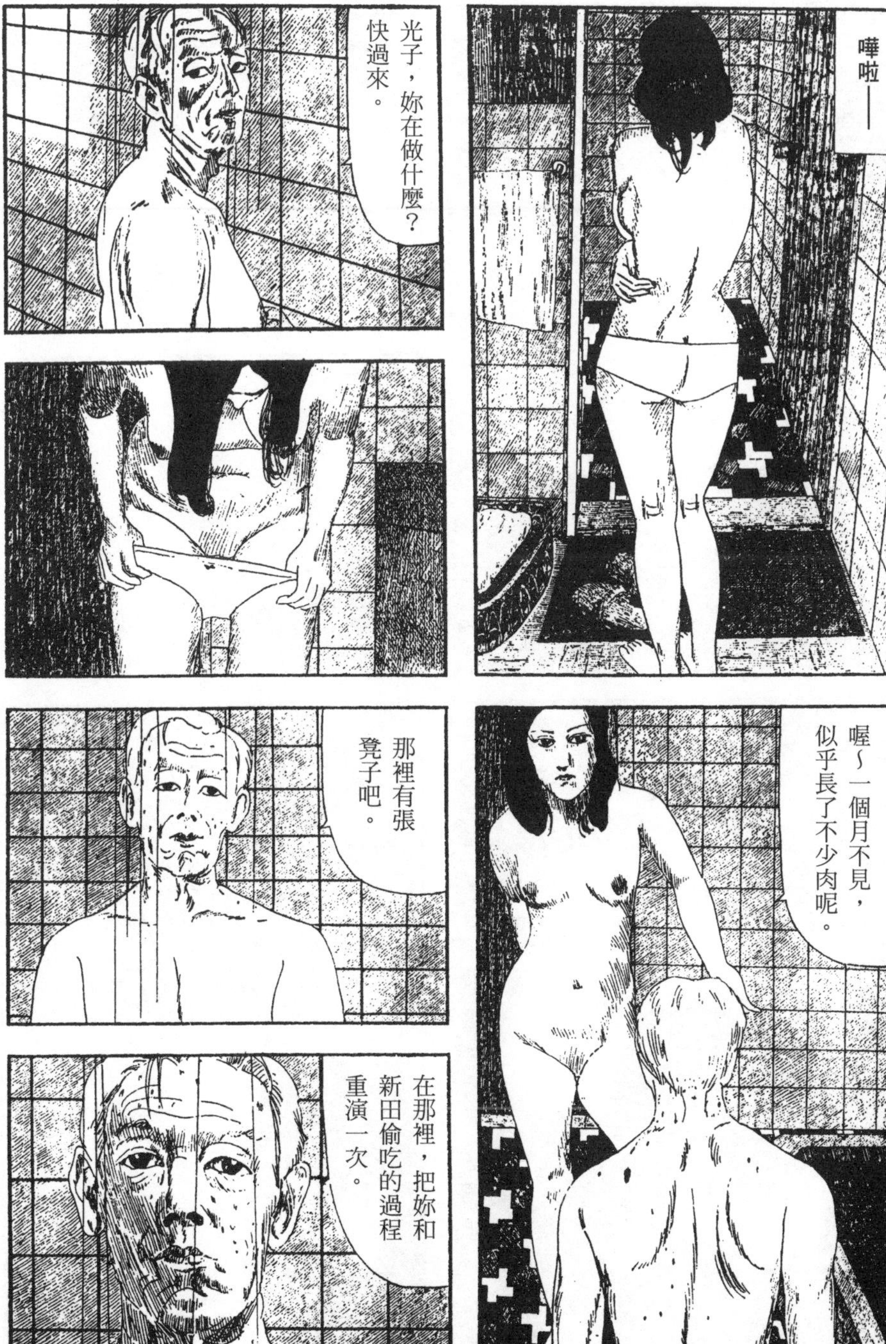
嘩啦——
光子，妳在做什麼？快過來。
喔~一個月不見，似乎長了不少肉呢。
那裡有張凳子吧。
在那裡，把妳和新田偷吃的過程重演一次。

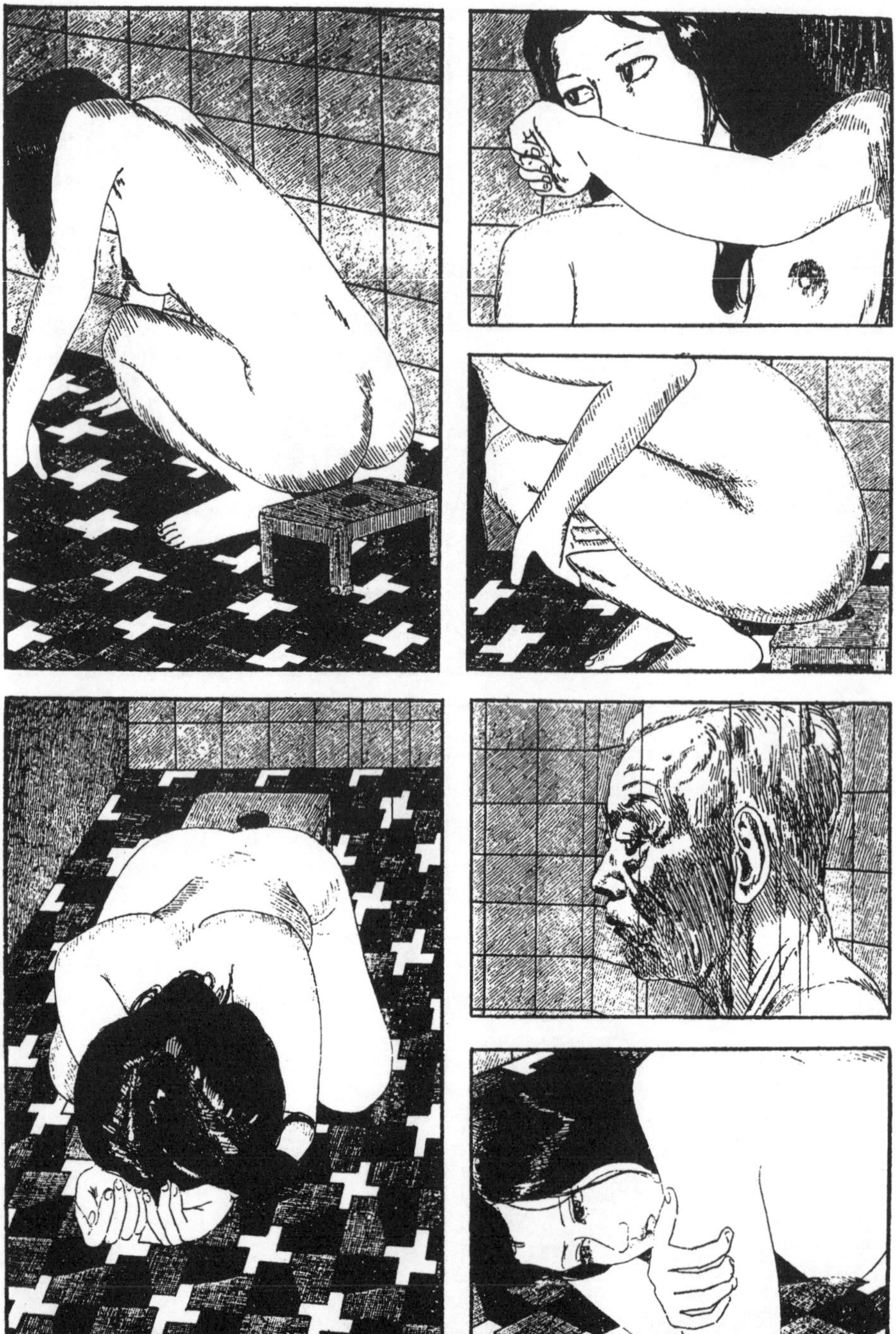

夠了，光子。
他沒有這樣對妳嗎？
或這樣之類的？
嗚嗚
光子。
我第一次在孤兒院發現妳的時候，可是把妳當成我的孩子啊。
因為妳年紀雖小，卻像個獨立的女人，一直盯著我看。

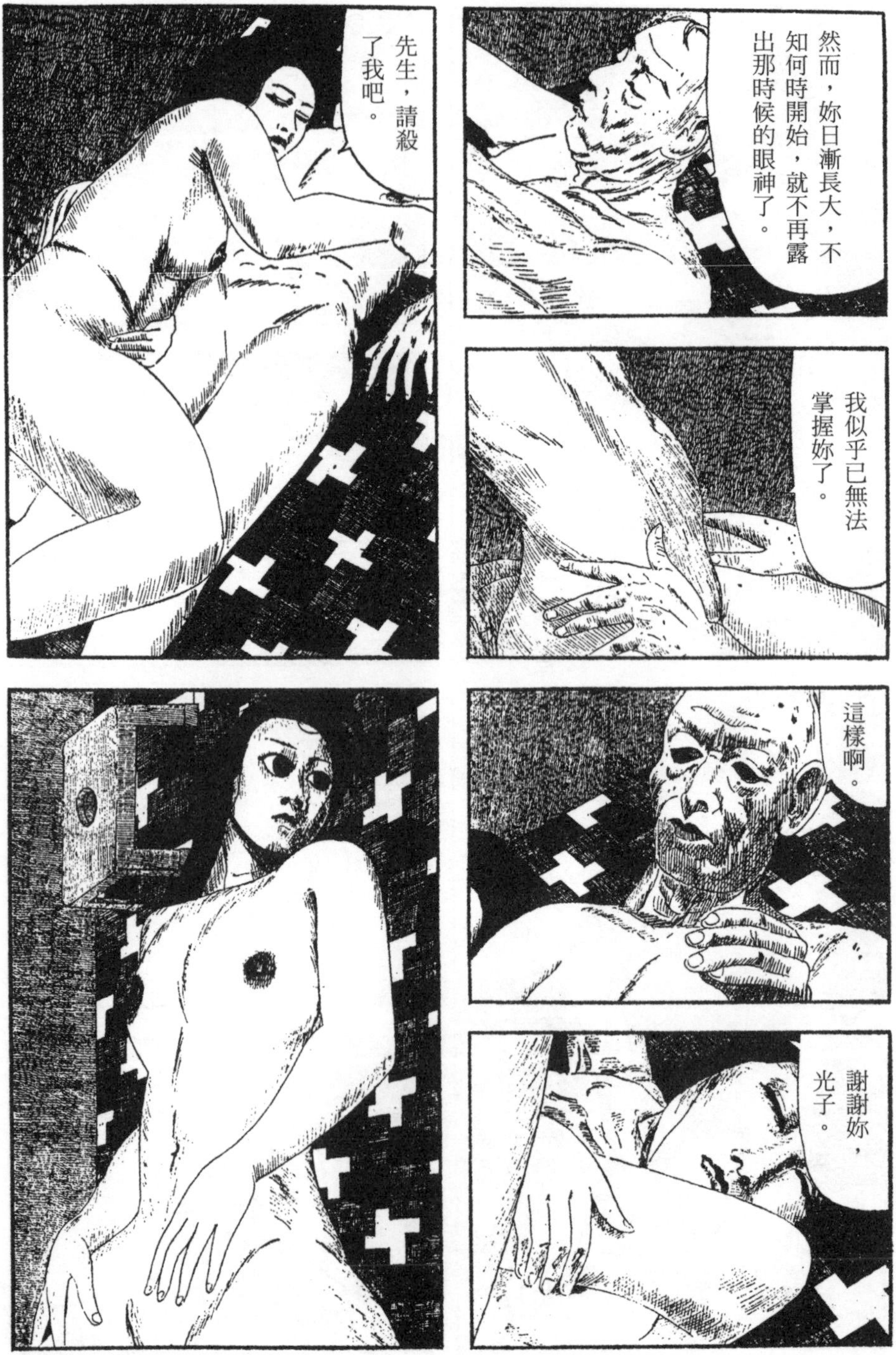

然而，妳日漸長大，不知何時開始，就不再露出那時候的眼神了。
我似乎已無法掌握妳了。
先生，請殺了我吧。
這樣啊。
謝謝妳，光子。

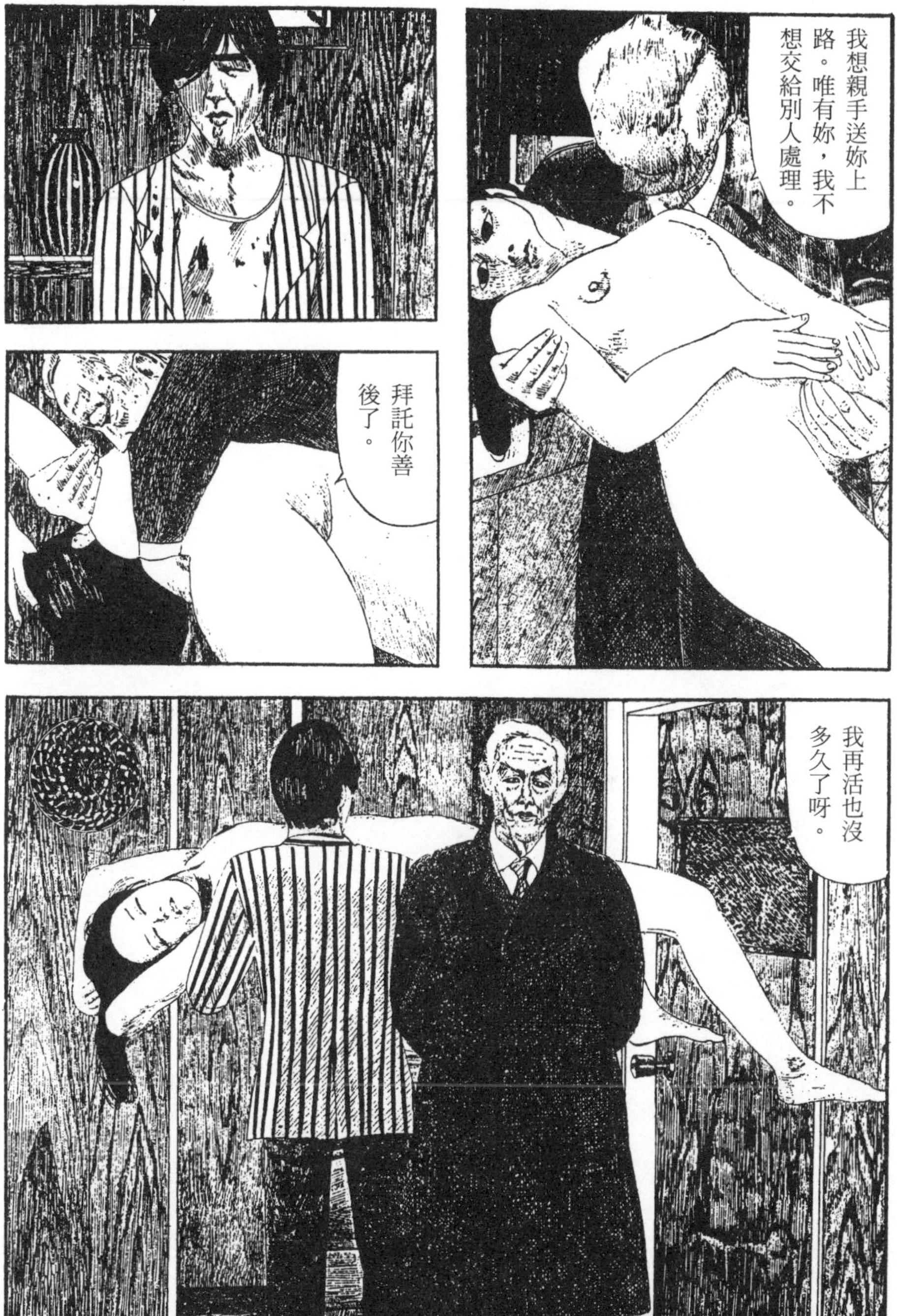
我想親手送妳上路。唯有妳，我不想交給別人處理。
拜託你善後了。
我再活也沒多久了呀。

安部慎一
獣じゅうあい愛

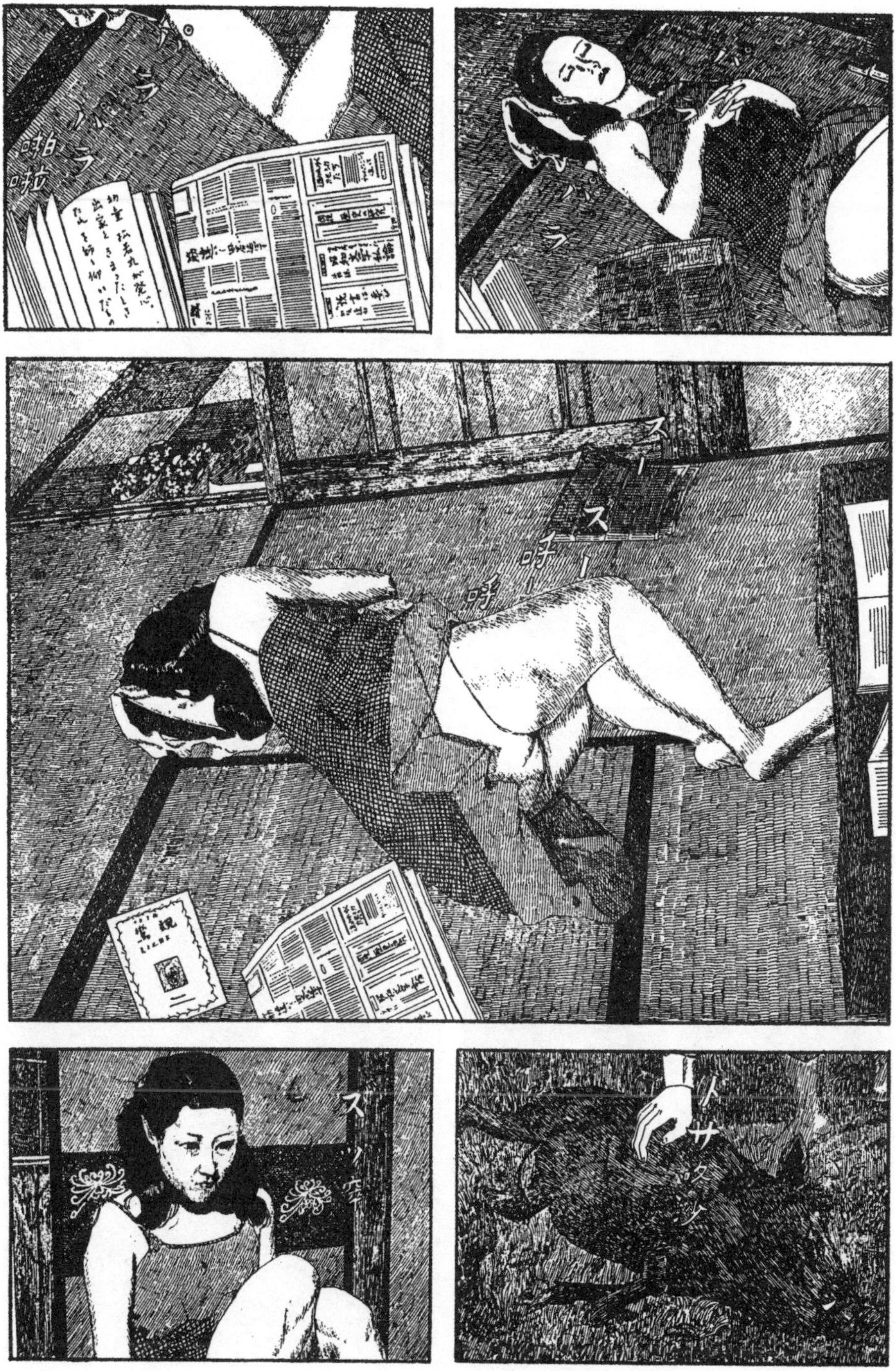
パラ
パラ
啪啦
幼童梅若丸が発心
出家ときまったとき
パラ
パラ
スー
スー
呼ー
呼
ズッ
トサッ

誰？
叔叔嗎？
叔叔？
是你嗎？
妳一個人嗎？
是的。
應該要到傍晚，媽才會回來。

嚓啦
呃……
你要……
等到傍晚嗎……？
不，
要是不回去，野豬又會來把田地搞得一團亂。
甩
我傍晚再來吧。
叮

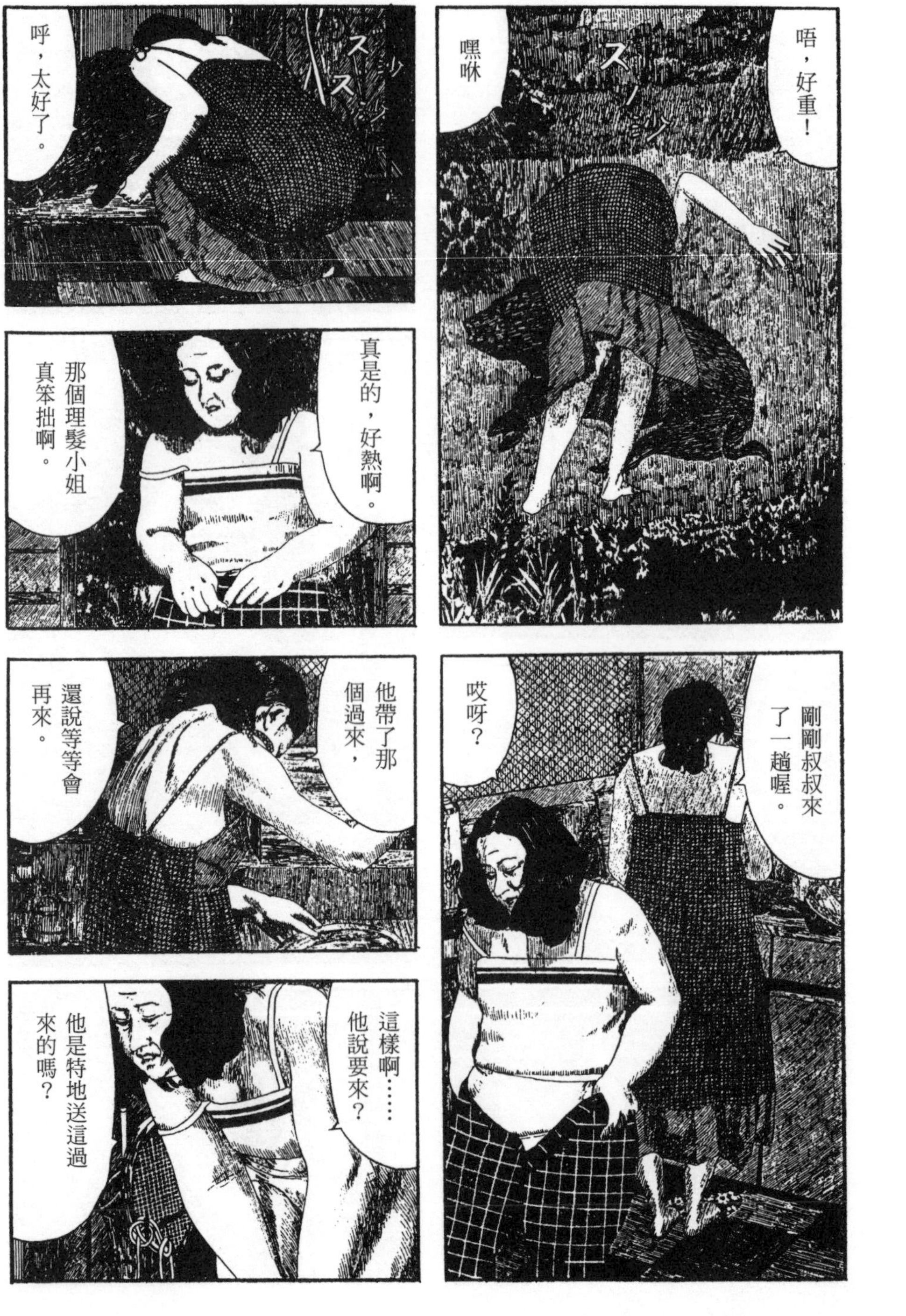
唔，好重！
ス
嘿咻
スス
呼，太好了。
真是的，好熱啊。
那個理髮小姐真笨拙啊。
剛剛叔叔來了一趟喔。
哎呀？
他帶了那個過來，
還說等等會再來。
這樣啊……他說要來？
他是特地送這過來的嗎？

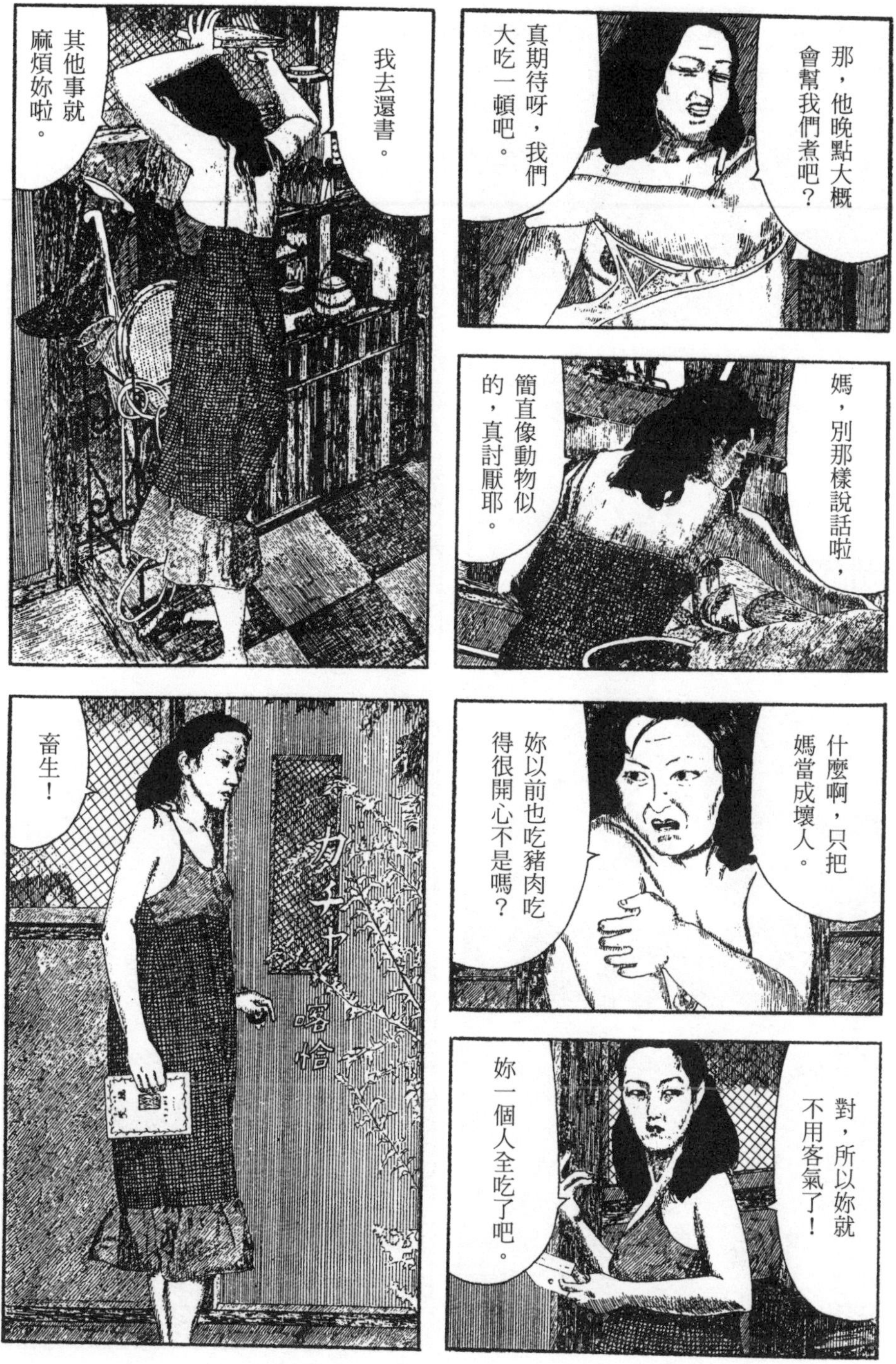
那，他晚點大概會幫我們煮吧？
真期待呀，我們大吃一頓吧。
媽，別那樣說話啦，
簡直像動物似的，真討厭耶。
我去還書。
其他事就麻煩妳啦。
什麼啊，只把媽當成壞人。
妳以前也吃豬肉吃得很開心不是嗎？
對，所以妳就不用客氣了！
妳一個人全吃了吧。
カチャ 喀恰
畜生！

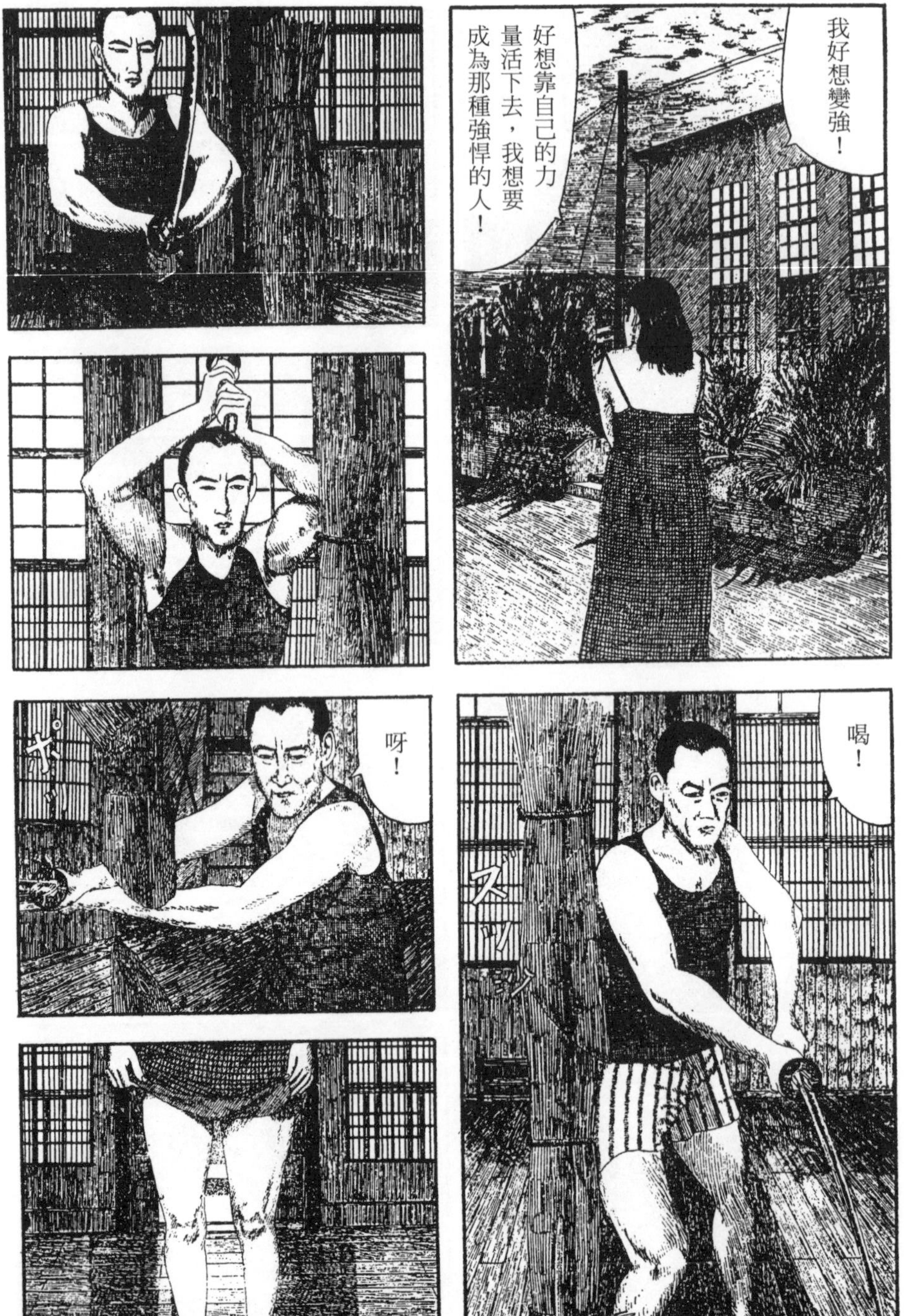
我好想變強！
好想靠自己的力量活下去，我想要成為那種強悍的人！
喝！
呀！

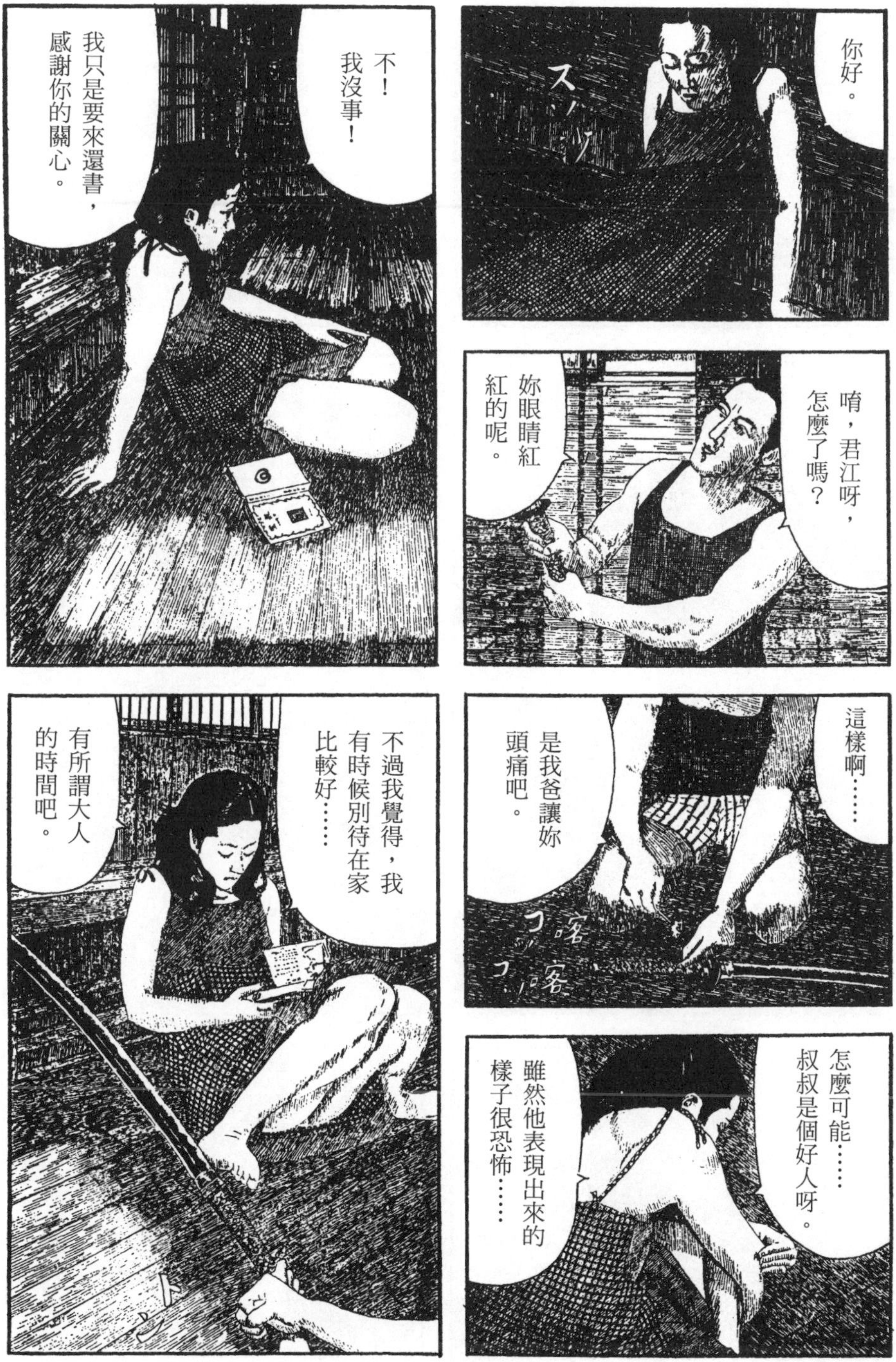
你好。
スッ
唷，君江呀，怎麼了嗎？
妳眼睛紅紅的呢。
不！我沒事！
我只是要來還書，感謝你的關心。
這樣啊……
是我爸讓妳頭痛吧。
コッ喀
コッ喀
怎麼可能……叔叔是個好人呀。
雖然他表現出來的樣子很恐怖……
不過我覺得，我有時候別待在家比較好……
有所謂大人的時間吧。
ト

不過君江得為這種事操心，
說到底還是我老爸害的啊。
我爸從年輕時代靠自己的能耐出人頭地，也難怪他會有嚴厲的一面，
不過在女人方面，他是一塌糊塗啊。
這樣說對君江不好意思，
不過除了阿姨之外，他還弄哭過好幾個女人啊。
當中也有頗年輕的女孩子喔。
跟君江差不多大的。
什麼？
跟我差不多大？
是啊。
我也不知道提這件事是好還是不好。
我媽為了這件事痛苦萬分，最後尋死去了。
連我也……大概就連君江也會痛苦一輩子吧。

因此，接下來如果出了什麼事，我打算試著對抗我爸看看。
讓家長走上正道，是小孩子的工作啊。
走上正道，意思是要叔叔別再玩女人嗎？
可是……我媽的情況不一樣，她是因為叔叔才過得比較順利啊。
如果沒出什麼事就沒關係。
不過君江可別對我爸鬆懈喔。
如果有什麼萬一，妳要咬斷我爸舌頭，
戳他眼睛都行，一定要逃跑啊！
那種事，我感覺我做不出來呀。我也不覺得叔叔是壞人。
是我媽不好啊，我媽太不檢點了！
先別說那些了，可以再借我書嗎？
我想要讀很多書，變成了不起的人。
嗯，那我晚點再帶過去給妳喔。

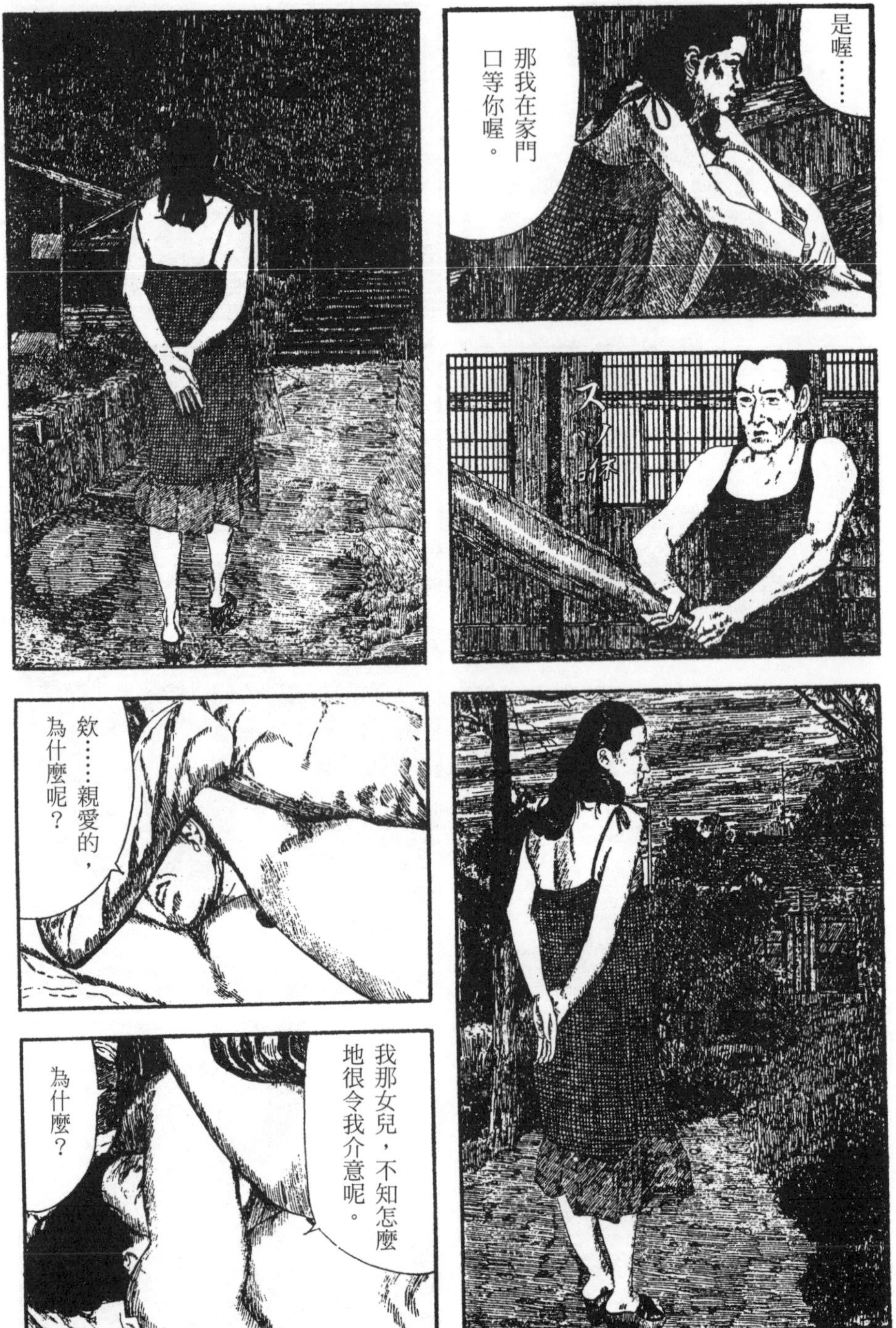
是喔……
那我在家門口等你喔。
咻
欸……親愛的，為什麼呢？
我那女兒，不知怎麼地很令我介意呢。
為什麼？

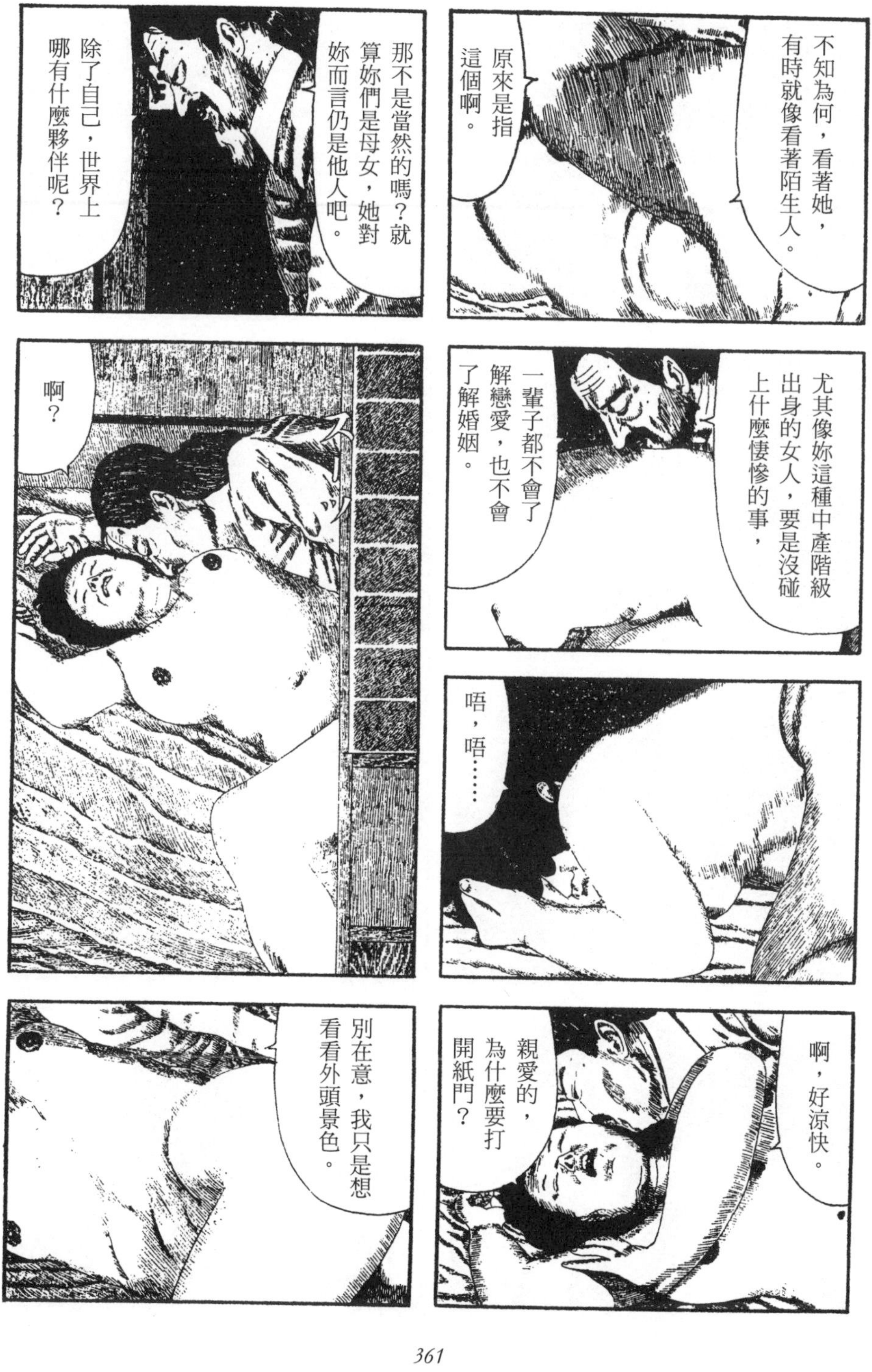
不知為何，看著她，有時就像看著陌生人。
原來是指這個啊。
那不是當然的嗎？就算妳們是母女，她對妳而言仍是他人吧。
除了自己，世界上哪有什麼夥伴呢？
尤其像妳這種中產階級出身的女人，要是沒碰上什麼悽慘的事，
一輩子都不會了解戀愛，也不會了解婚姻。
唔，唔……
啊？
啊，好涼快。
親愛的，為什麼要打開紙門？
別在意，我只是想看看外頭景色。

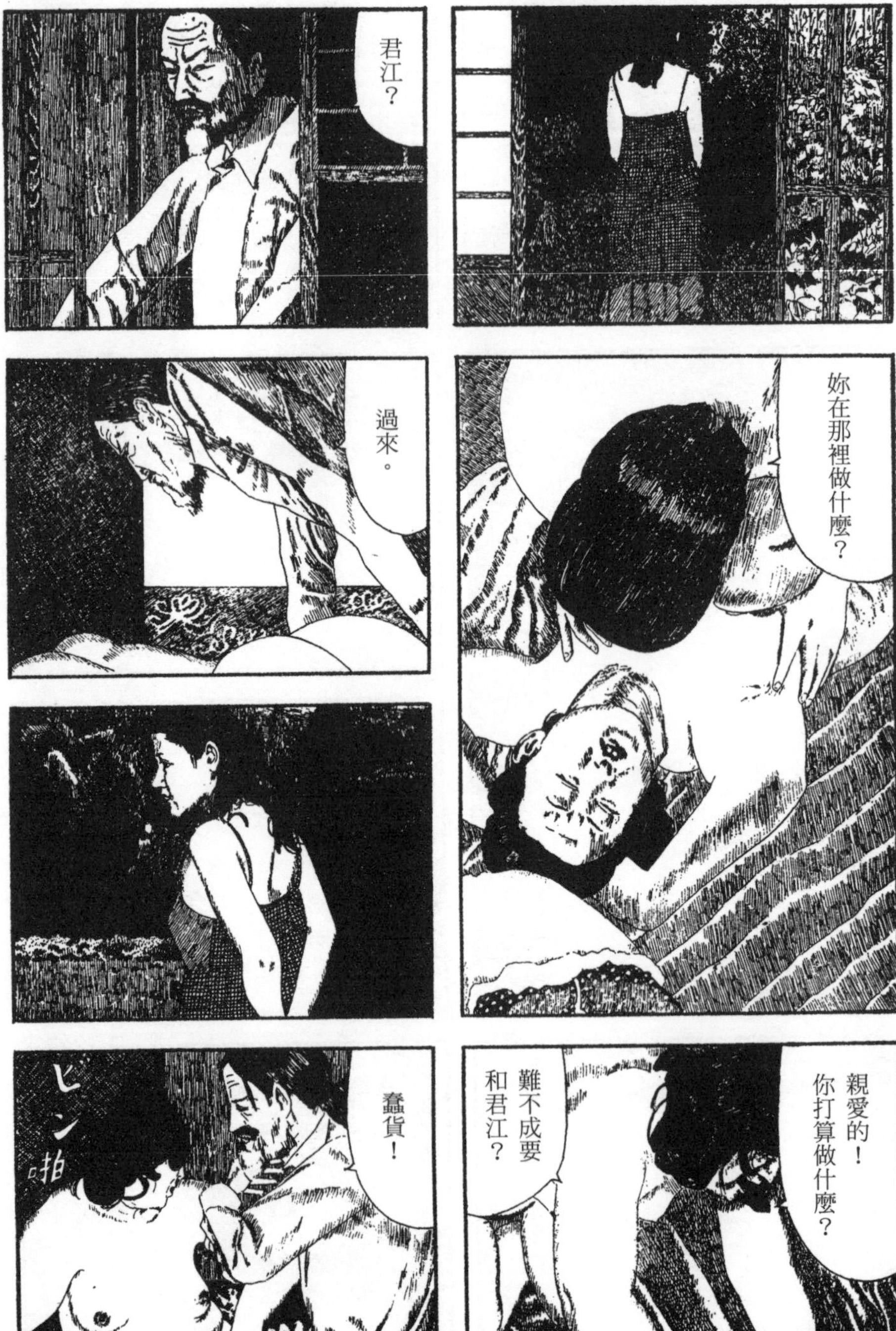
君江？
妳在那裡做什麼？
過來。
親愛的！你打算做什麼？
難不成要和君江？
蠢貨！
ビン
啪

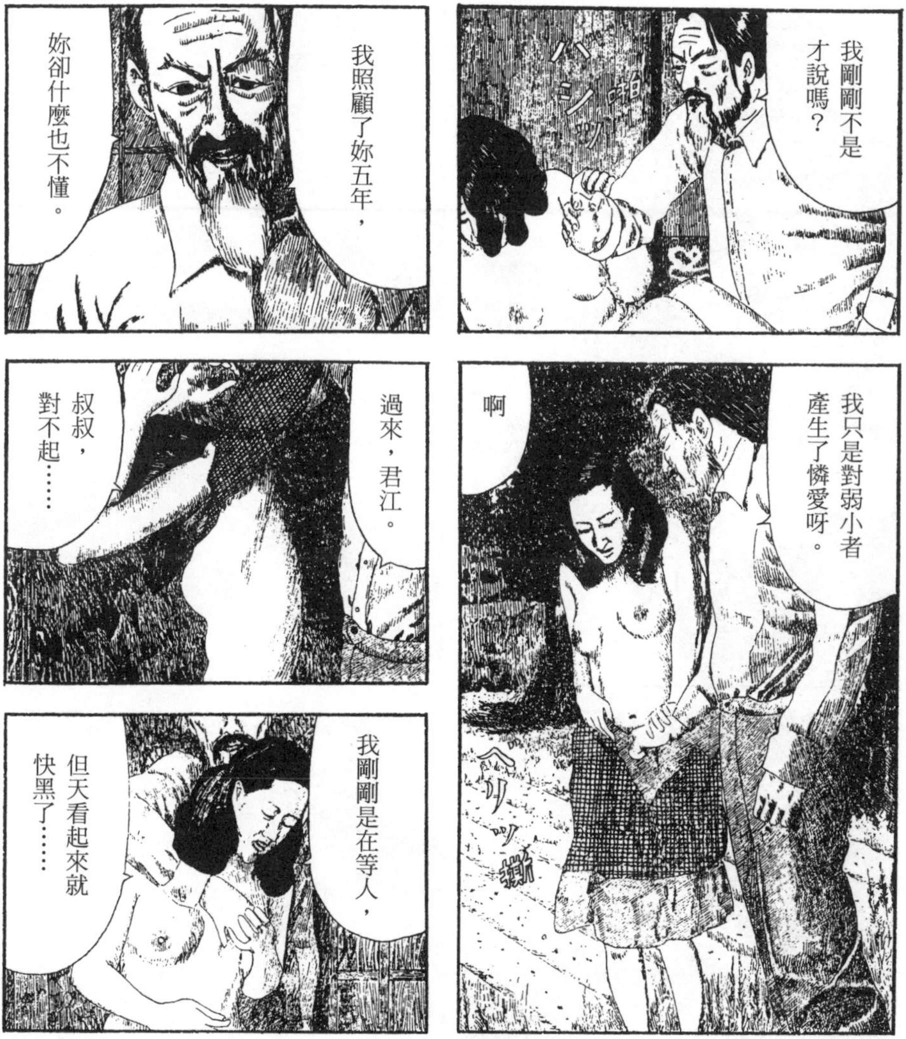
我剛剛不是才說嗎？
啪
我照顧了妳五年，
妳卻什麼也不懂。
我只是對弱小者產生了憐愛呀。
啊
過來，君江。
叔叔，對不起……
撕
我剛剛是在等人，
但天看起來就快黑了……
這個家是我打造、賜給妳們母女的。
因此也是屬於妳的。
啊

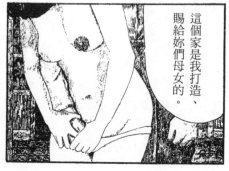

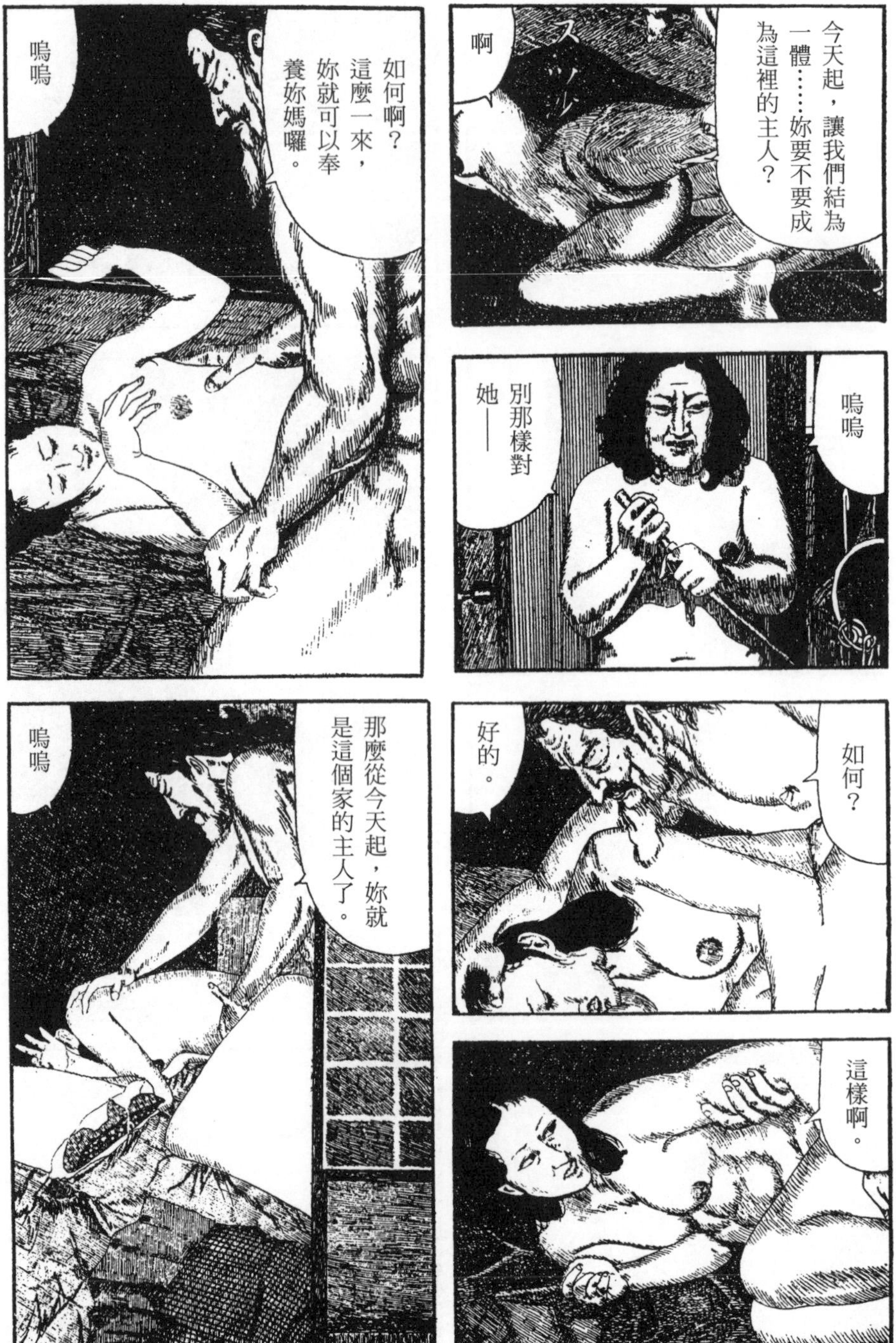
今天起，讓我們結為一體……妳要不要成為這裡的主人？
啊
嗚嗚
別那樣對她——
如何啊？這麼一來，妳就可以奉養妳媽囉。
嗚嗚
如何？
好的。
這樣啊。
那麼從今天起，妳就是這個家的主人了。
嗚嗚

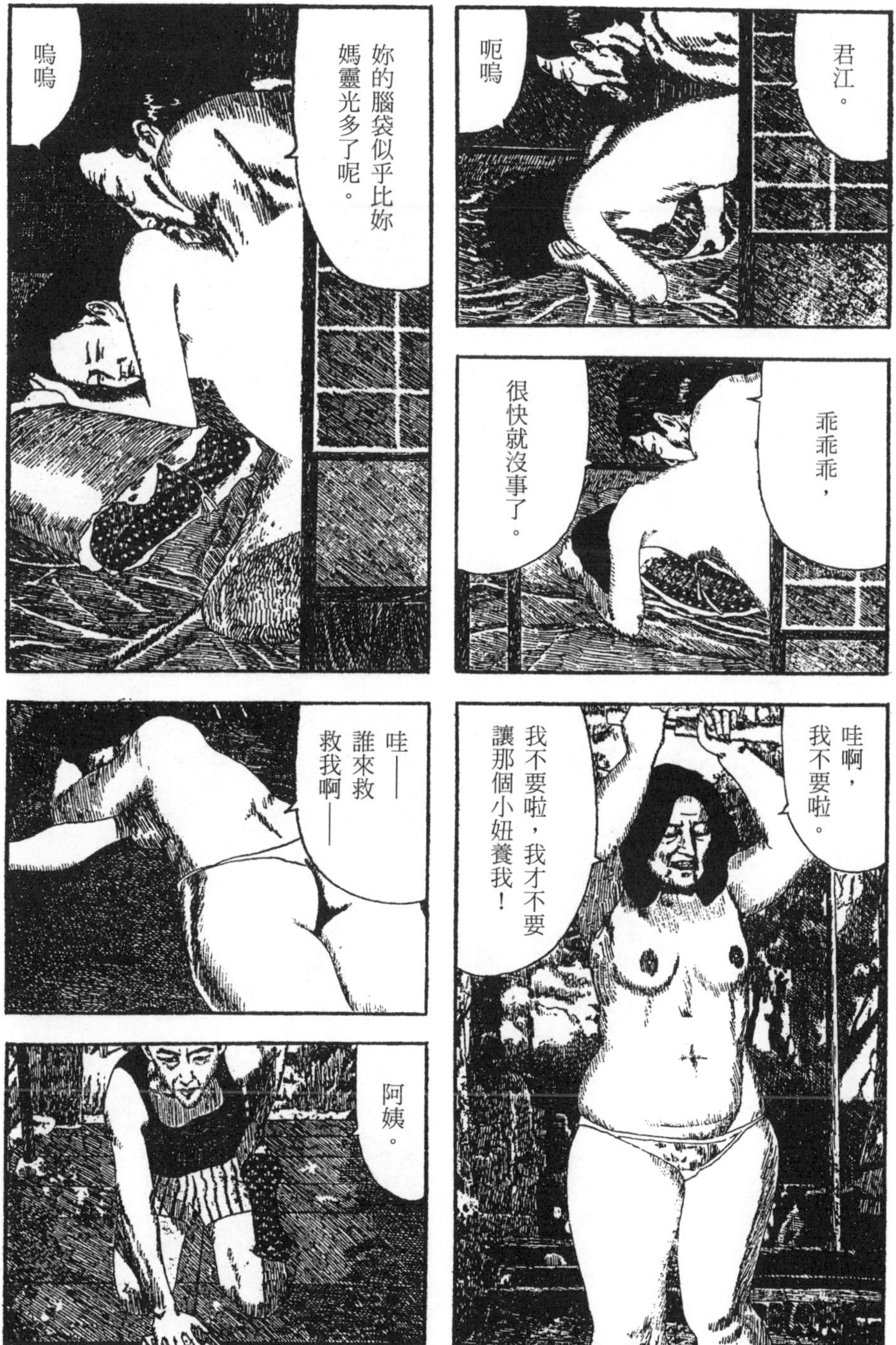
君江。
呃嗚
乖乖乖，
很快就沒事了。
妳的腦袋似乎比妳媽靈光多了呢。
嗚嗚
哇啊，我不要啦。
我不要啦，我才不要讓那個小妞養我！
哇——誰來救救我啊——
阿姨。

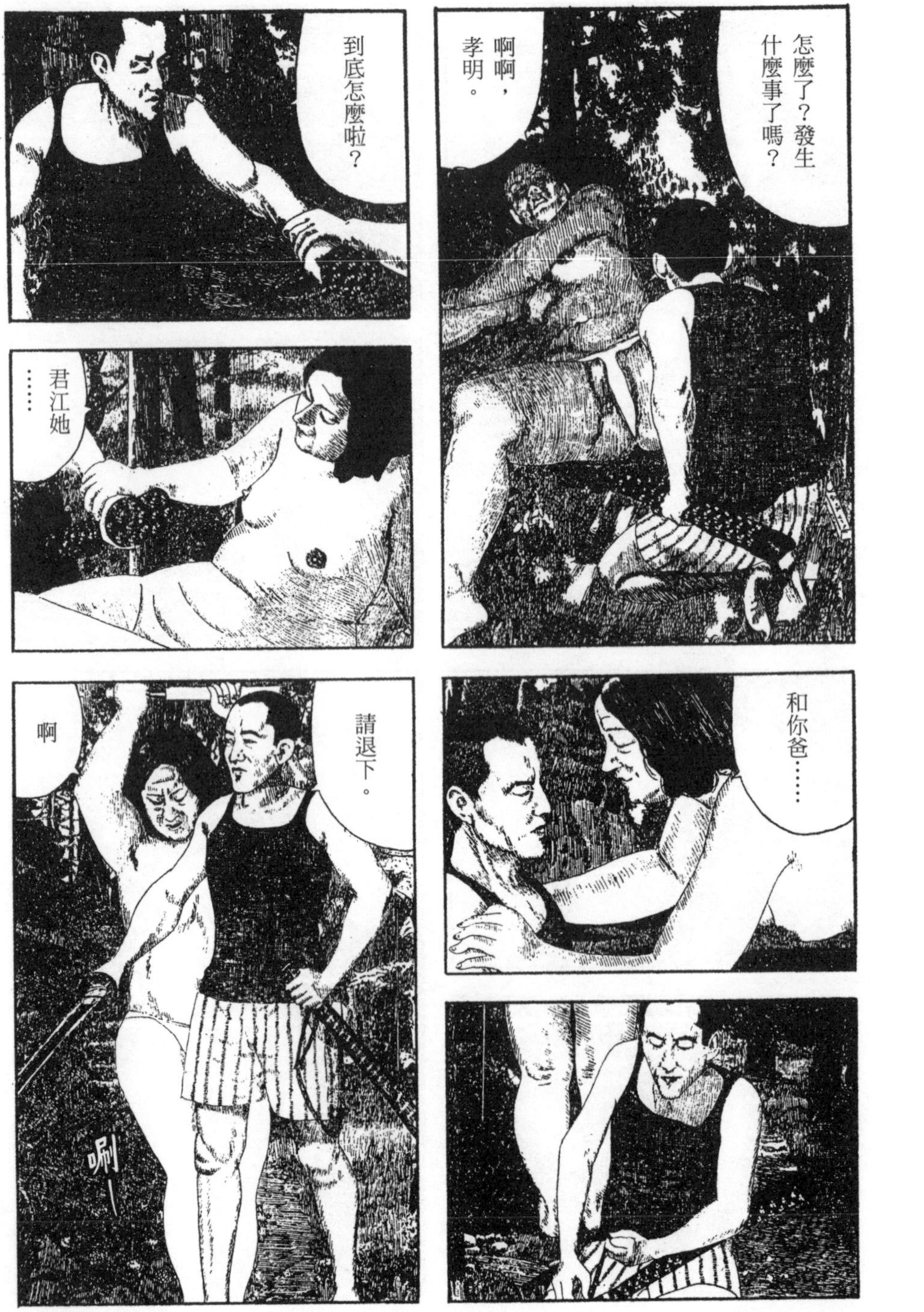
怎麼了？發生什麼事了嗎？
啊啊，孝明。
到底怎麼啦？
君江她……
和你爸……
請退下。
啊
唰—

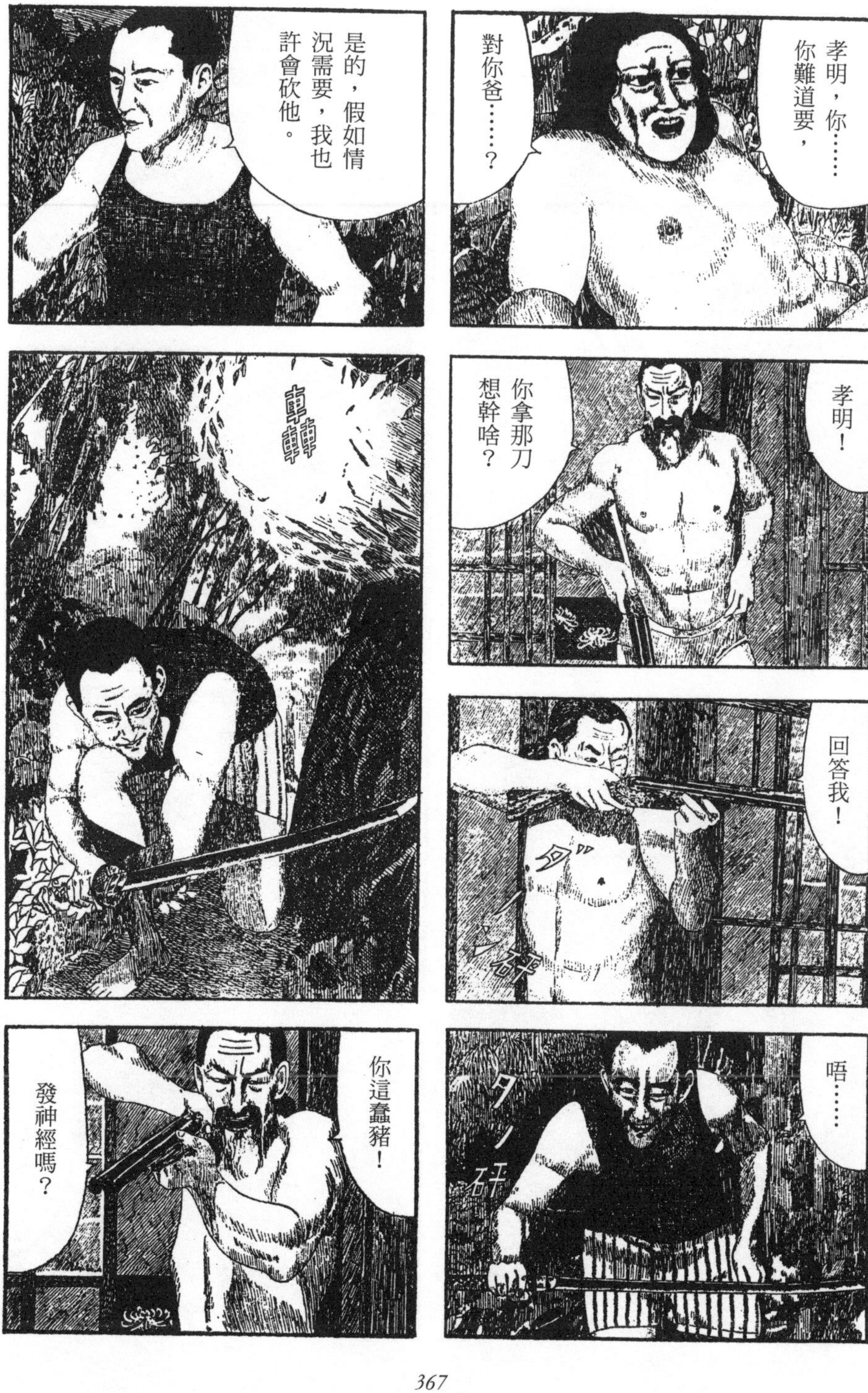
孝明，你……
你難道要，
對你爸……？
是的，假如情況需要，我也許會砍他。
孝明！
你拿那刀想幹啥？
回答我！
唔……
你這蠢豬！
發神經嗎？

是呀，搞不好是。
不過我如果是神經病，你又是什麼？
少說廢話！
砰
人家年紀都可當你女兒了，你還下手。
現在還打算殺了我不是嗎？
發什麼瘋呀，
有種就再靠近點，我不會手下留情的!!
我要上囉，爸！
你果然不是我的父親！
啪

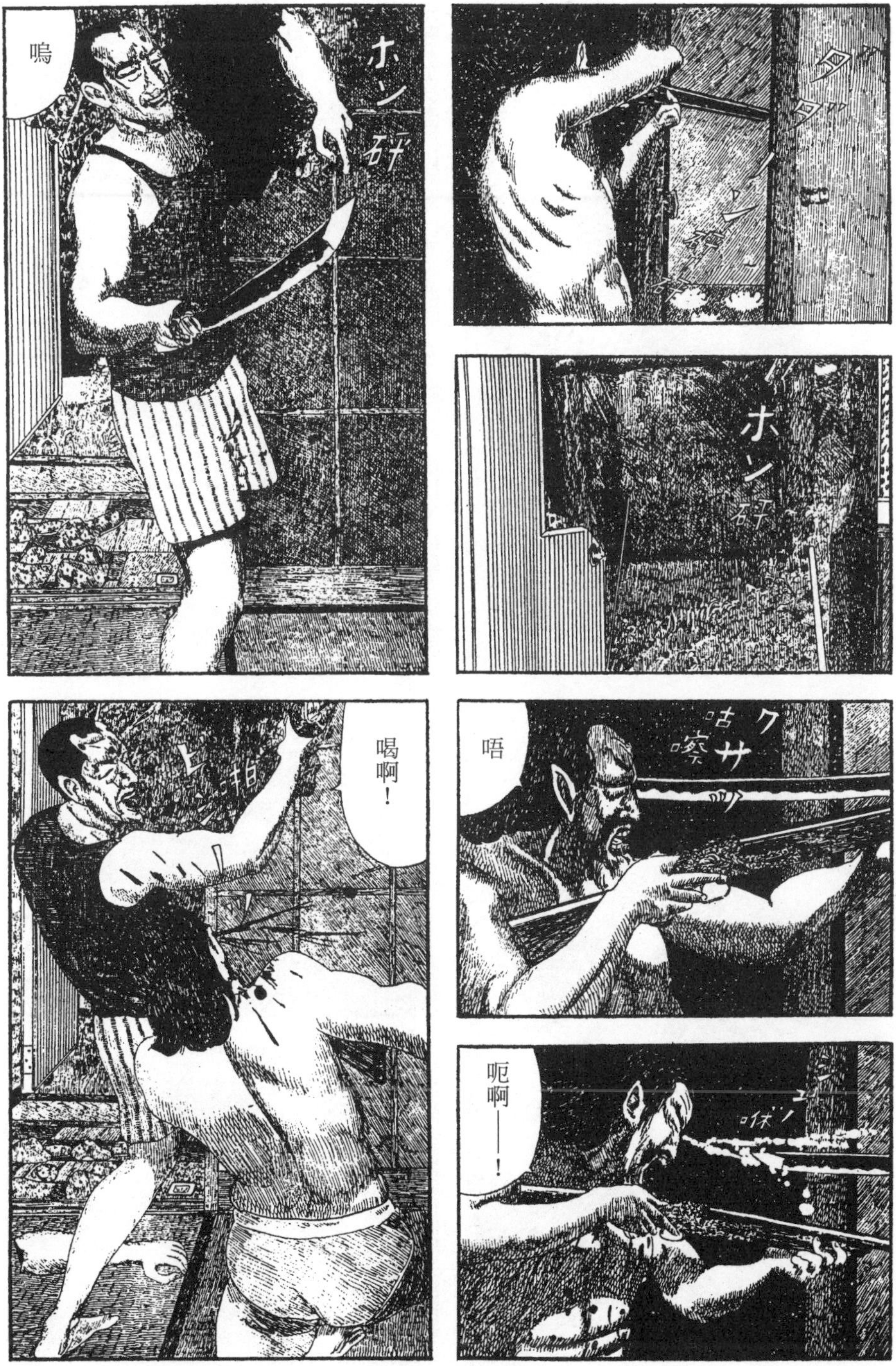
ホン砰
嗚
ホン砰
唔
クサ
咕嗦
呃啊——！
咻
喝啊！

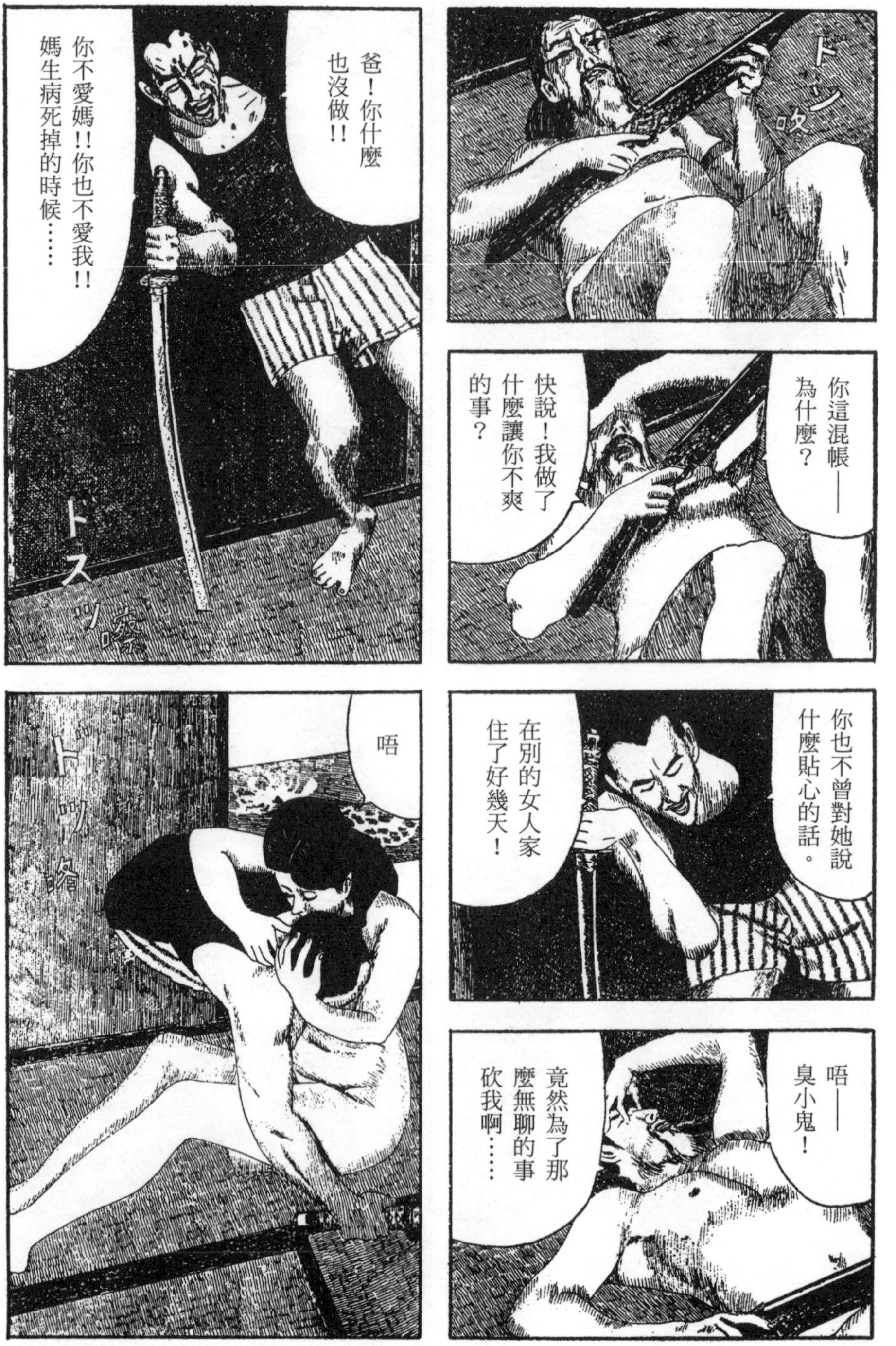
ドン
咚
爸！你什麼也沒做!!
你不愛媽!!你也不愛我!!媽生病死掉的時候……
ドスッ
嚓
你這混帳——為什麼？
快說！我做了什麼讓你不爽的事？
你也不曾對她說什麼貼心的話。
在別的女人家住了好幾天！
唔——臭小鬼！
竟然為了那麼無聊的事砍我啊……
唔
ドッ
咯

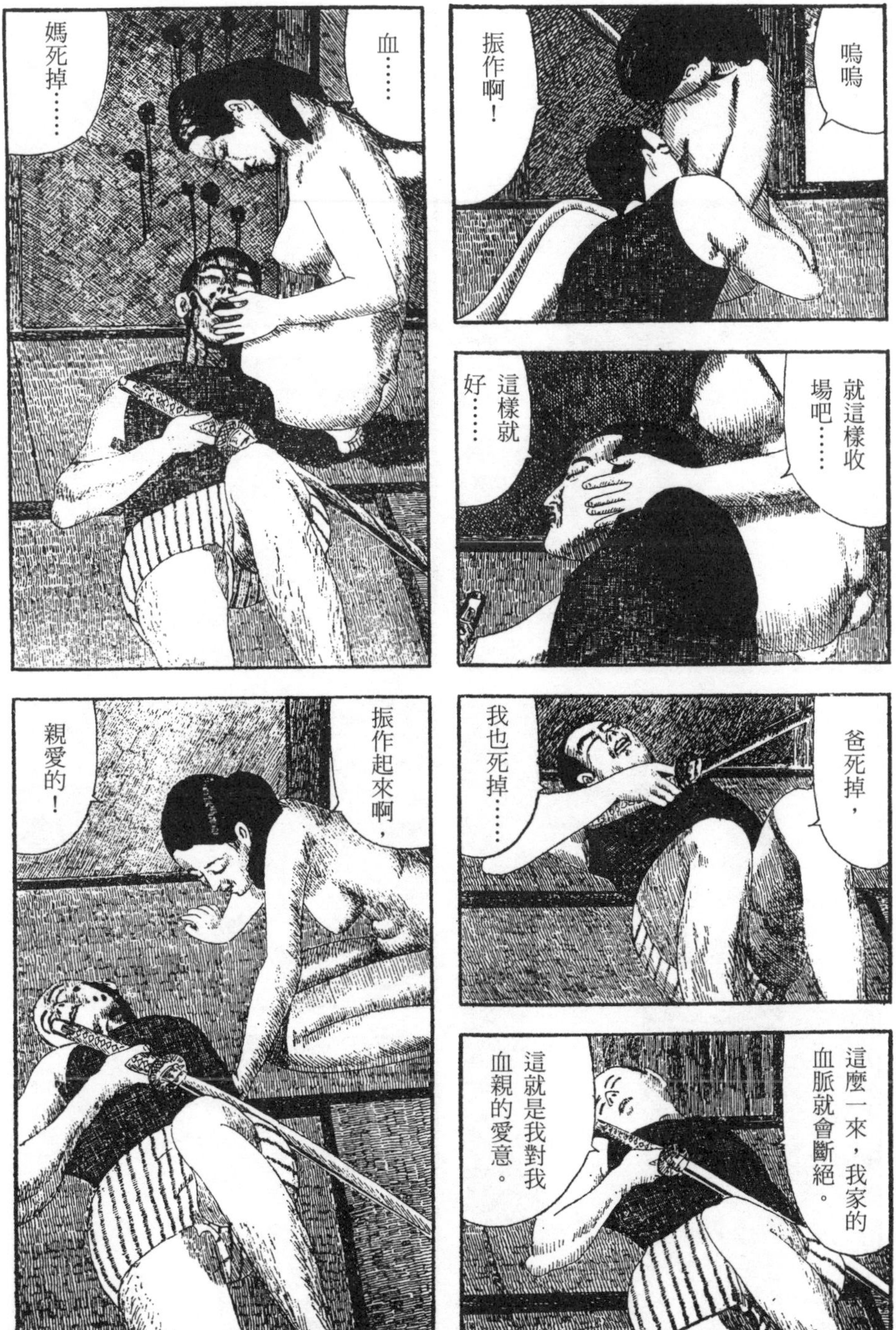
嗚嗚
振作啊！
就這樣收場吧……
這樣就好……
血……
媽死掉……
爸死掉，
我也死掉……
這麼一來，我家的血脈就會斷絕。
這就是我對我血親的愛意。
振作起來啊，
親愛的！

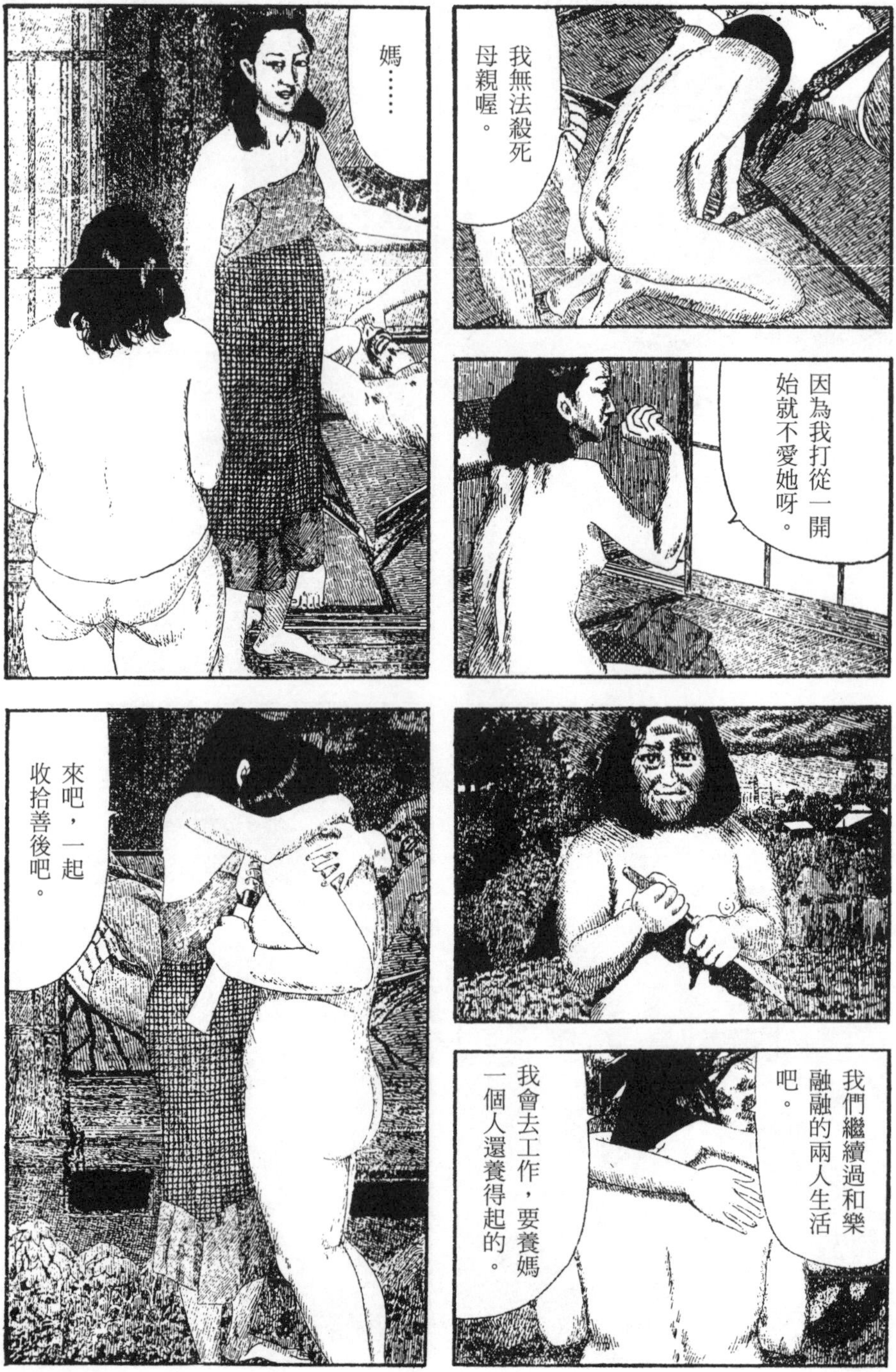
我無法殺死母親喔。
因為我打從一開始就不愛她呀。
媽……
我們繼續過和樂融融的兩人生活吧。
我會去工作，要養媽一個人還養得起的。
來吧，一起收拾善後吧。

我在福岡縣田川市，過得相當平靜喔。
美代子田川心情
安部慎一

株式会社
嗶嗶嗶
哎唷。
好啦——

孩子們，早安。
早安。
早安。
呼啊
好睏啊。
早上一定要吃飯……
和喝咖啡，才能打起精神。

那就來看看吧，今天的這時間，他是不是還在睡。
啊。啊……
床已經變成空殼了。
又跑出去喝酒。

他會在清晨五點買自動販賣機的啤酒來喝喔。
燙燙燙，胃好痛。
那接下來，做早餐吧。
吃麵包就好吧，今天早上讓孩子們吃麵包就好。

員工來之前，我先工作一下。
他就算在工作也會喝，渾身酒氣也漫不在乎。
他以前生了病喔。
被送進精神病院兩次。
第一次說他怕下地獄，還哭出來，
在下著雨的半夜，打赤腳逃進山裡。
第二次，他開始自稱是神呢。
還說電視節目「五花八門仙境」的……
女主持人安娜・迪美歐和他在陰間是夫婦，
甚至對鄰居大肆吹噓。
0947
42-8560
搞成這樣，我當然也很難熬囉。

安娜・迪美歐根本是沒見過面的人啊，他沒見過我也沒見過。
他現在喝酒，服用安眠藥、精神安定劑，
導致身體發抖。那才叫地獄啊。
開始上工了唷，做得來嗎？
嗯。
這布料真難裁呢。
對，搞得臉紅通通的。
哎，下班了下班了。
五點了五點了。
喝太多有害身體喔。
嗯。
殺ス

KIRIN LEMON
我出去散步。
路上小心。
他晚上會一邊喝酒一邊散步，
算是運動呢。
不過這麼一來，我又落單了。

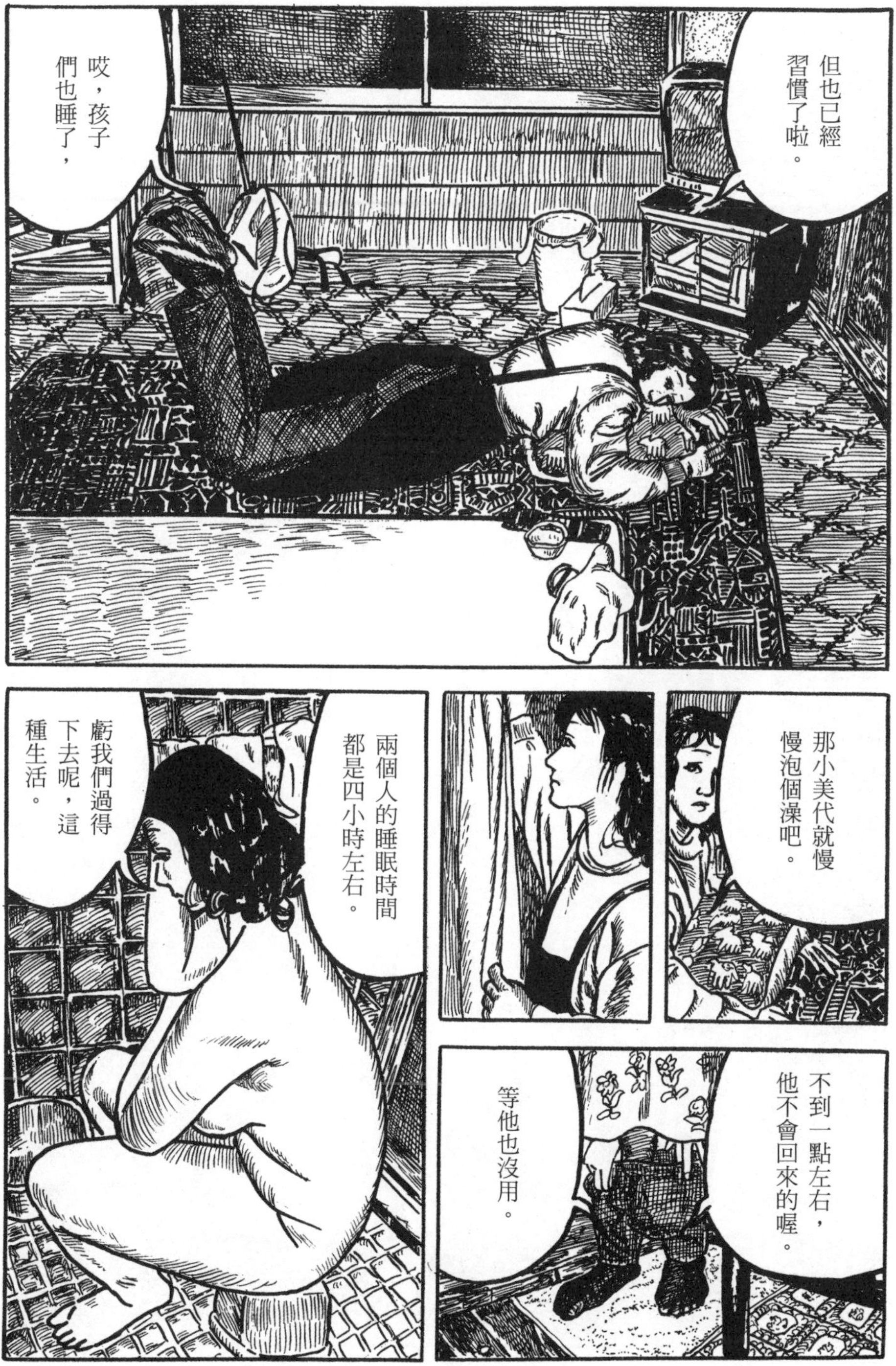
但也已經習慣了啦。
哎，孩子們也睡了，
那小美代就慢慢泡個澡吧。
不到一點左右，他不會回來的喔。
等他也沒用。
兩個人的睡眠時間都是四小時左右。
虧我們過得下去呢，這種生活。

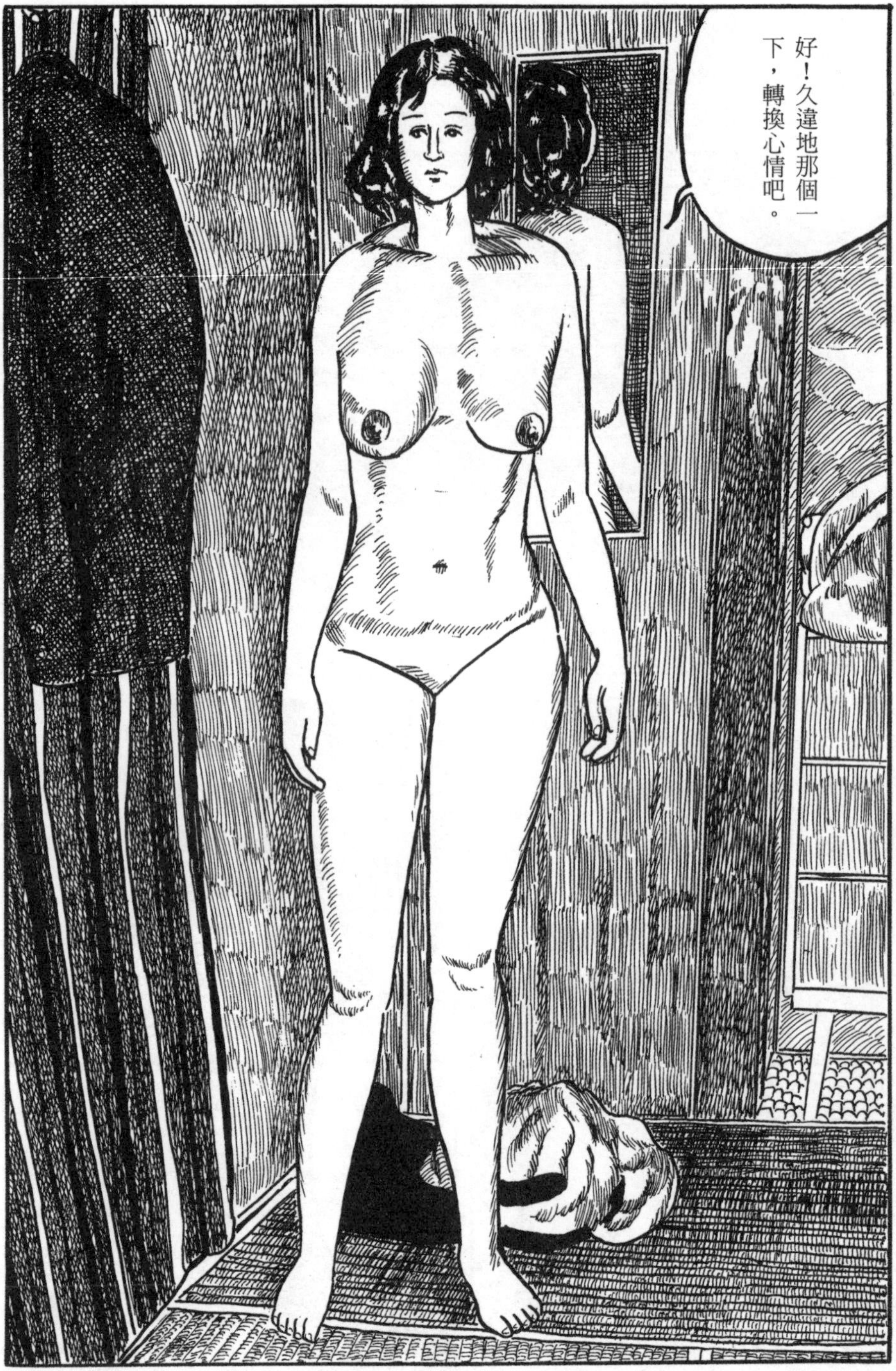
好！久違地那個一下，轉換心情吧。

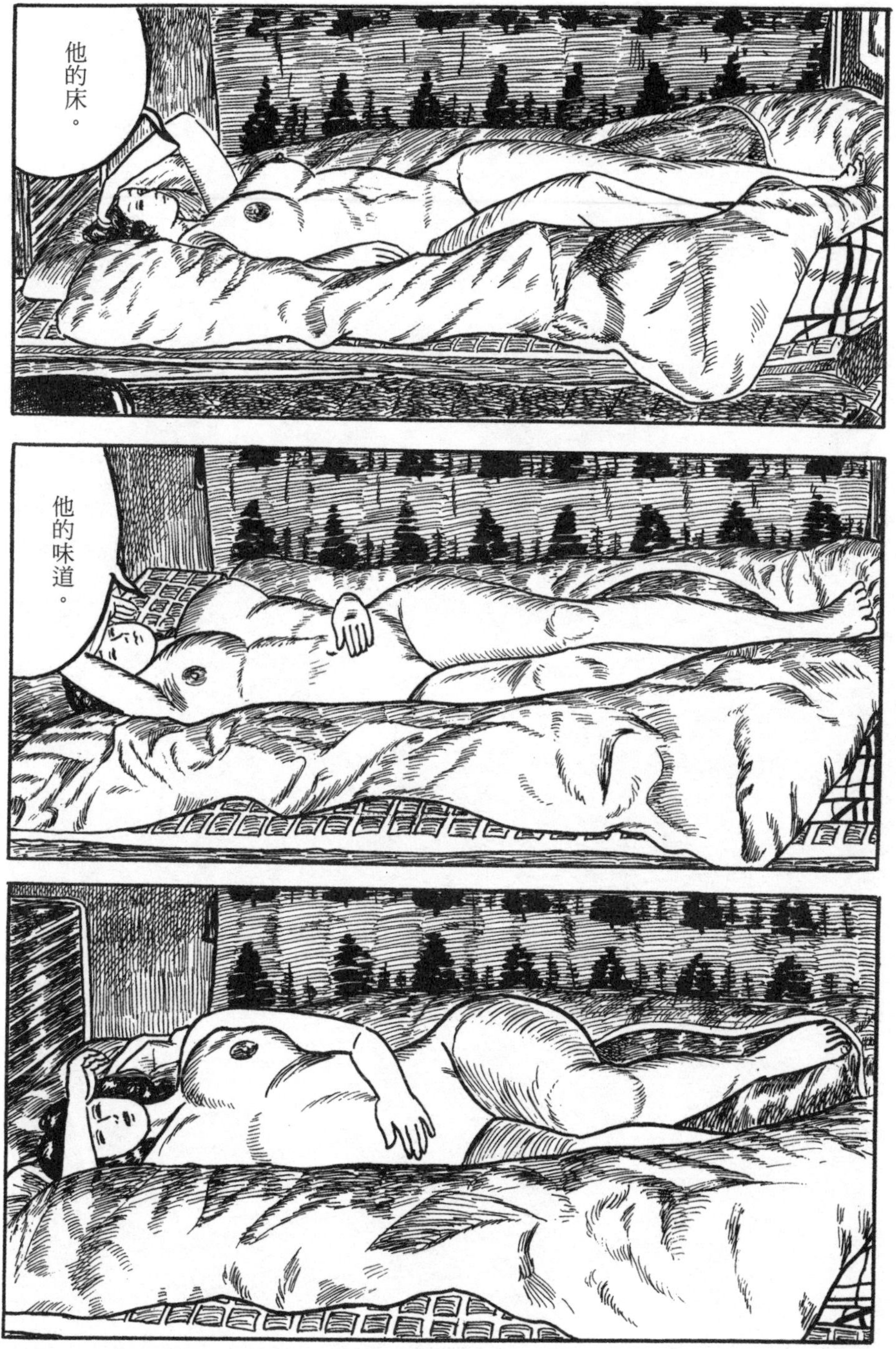
他的床。
他的味道。

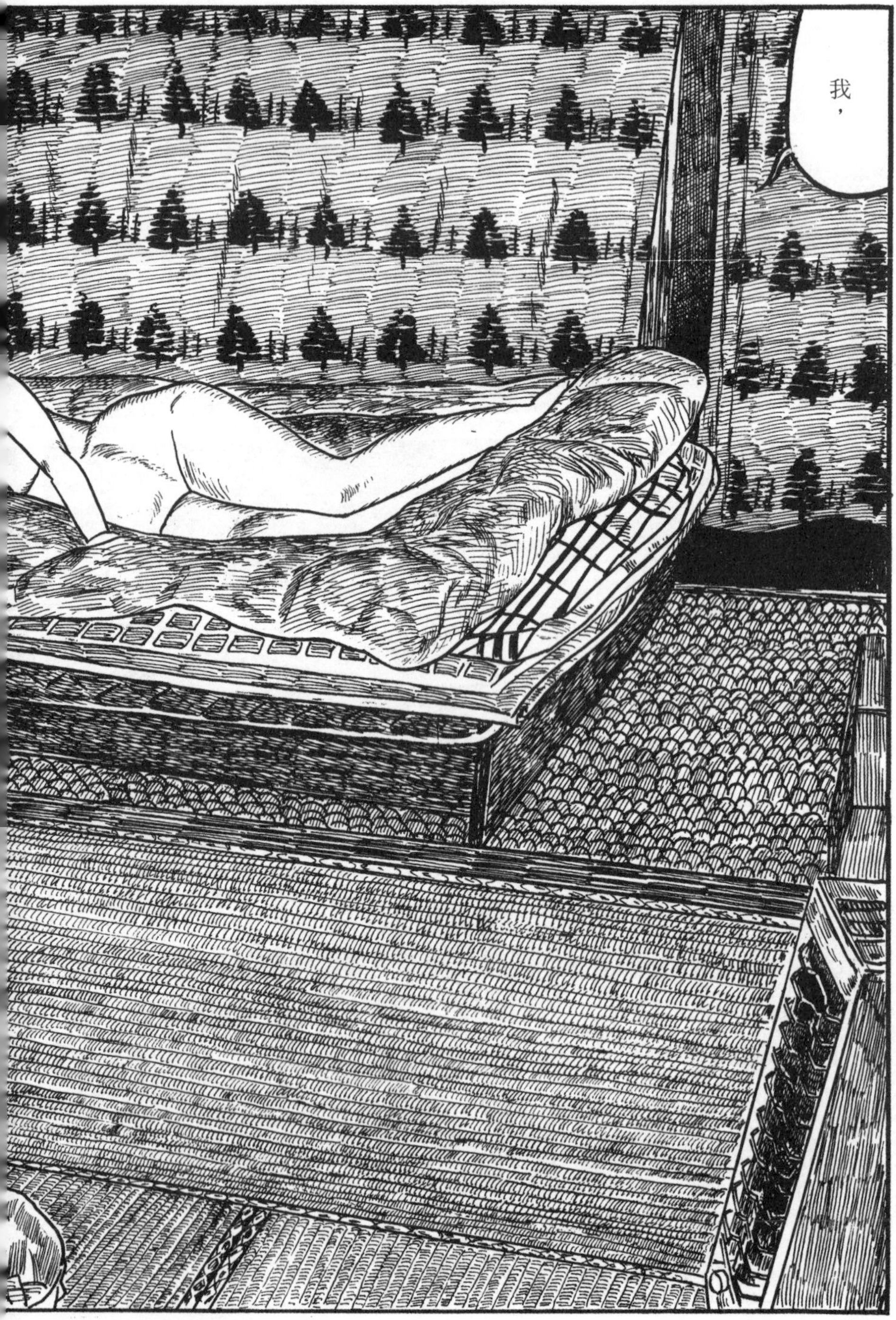
我，

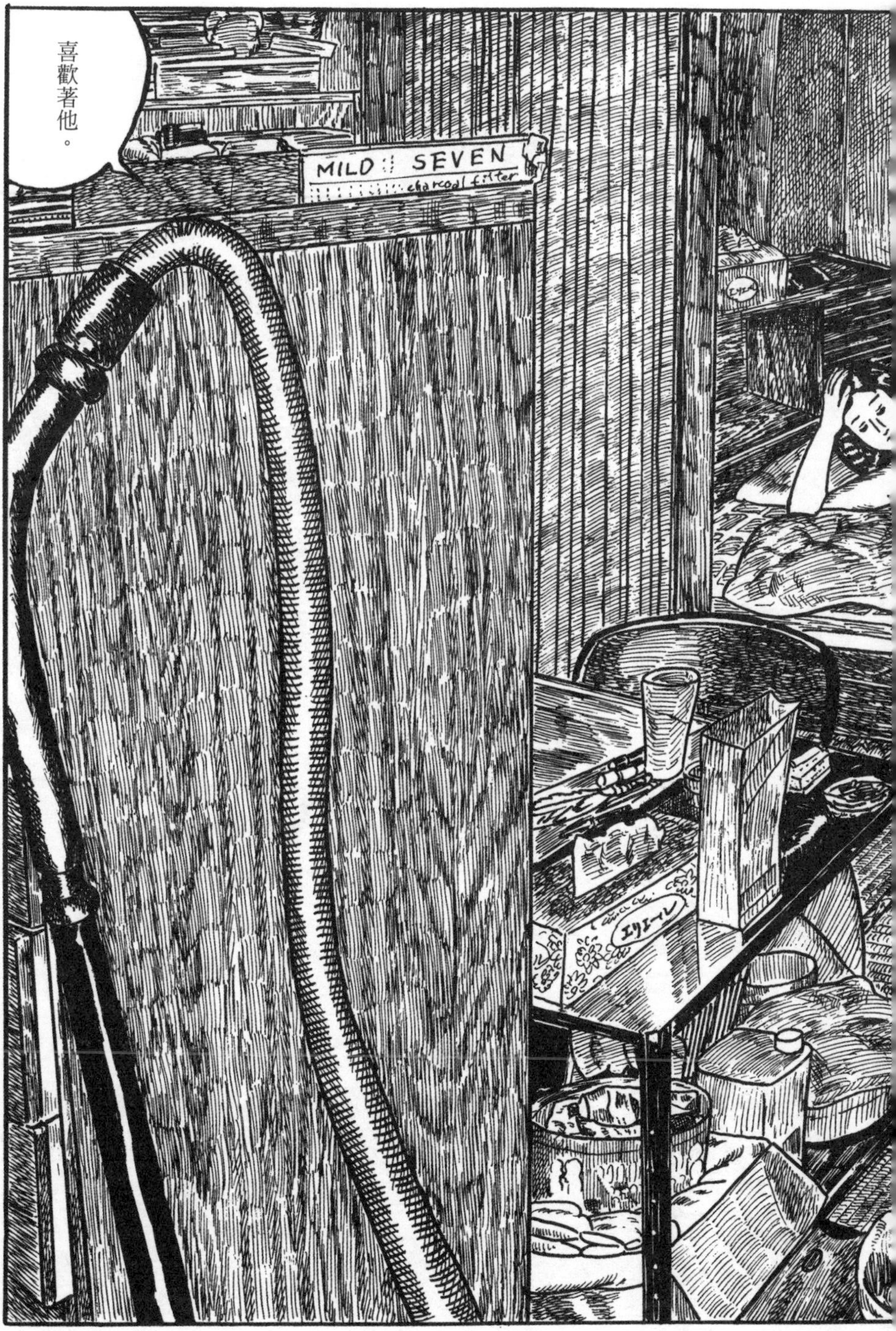
喜歡著他。
MILD SEVEN
charcoal filter
エリエール

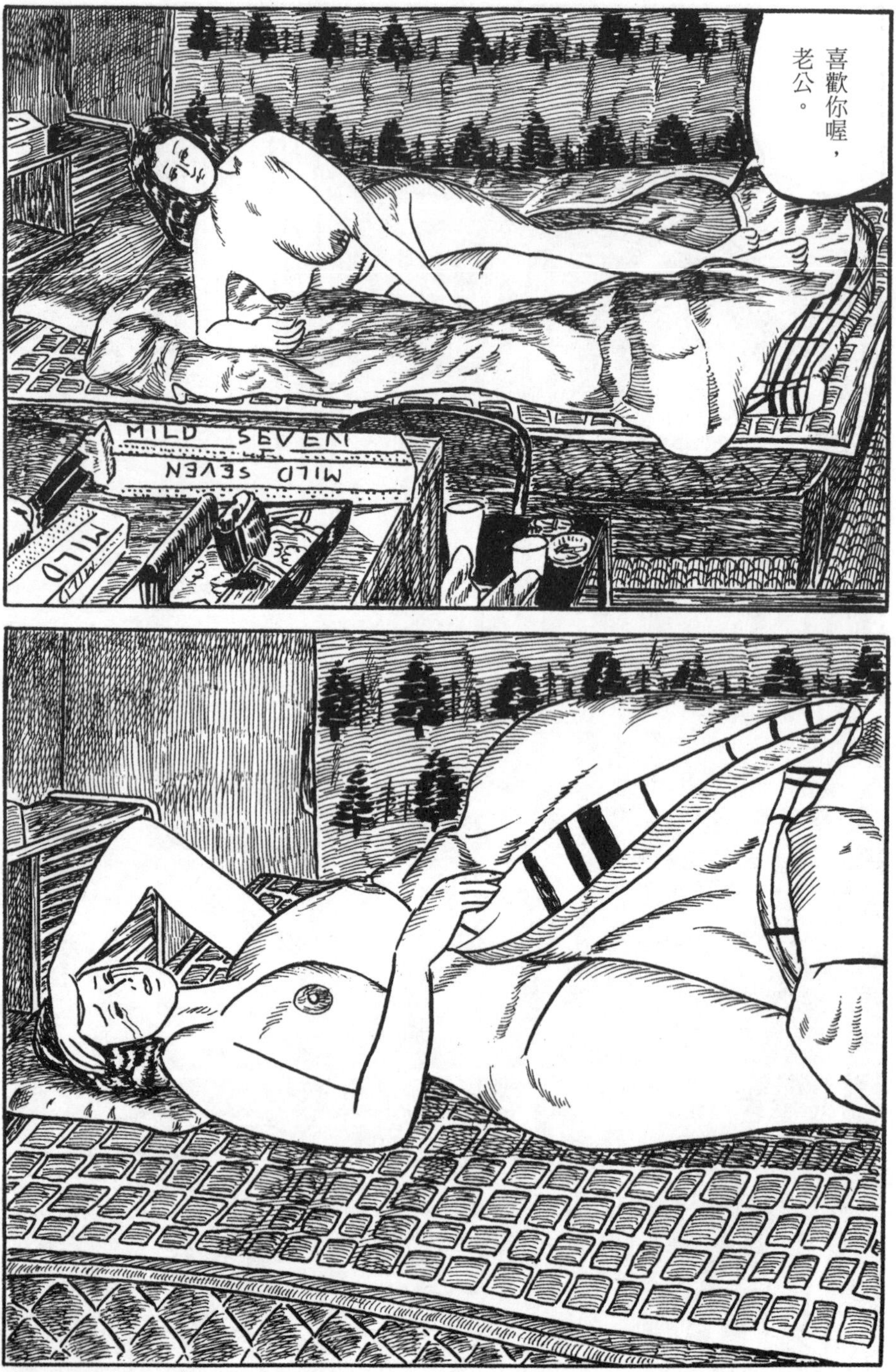

完　1993, 4 ,27

車
安部慎一

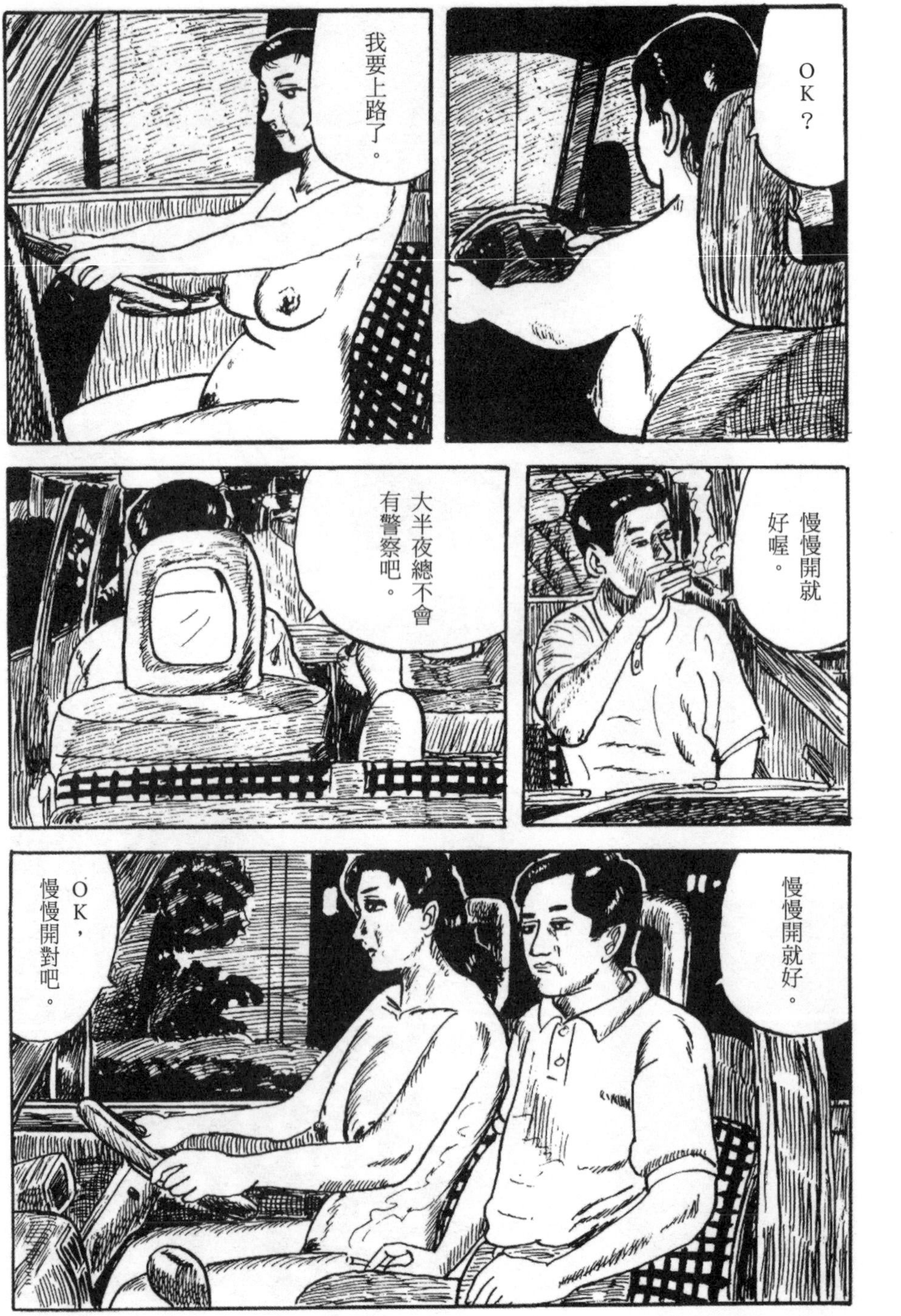
我要上路了。
OK？
大半夜總不會有警察吧。
慢慢開就好喔。
慢慢開就好。
OK，慢慢開對吧。

我想尿尿。
忍著吧，到山上再說。
快漏出來了。
我要加速囉。

80km
100km
120km
真的快漏出來了。
老公，想點辦法啊。
漏啊。
我要忍耐。

呼，舒坦了。
等等，那是你老婆嗎？
真是太好了。
那回去吧。

讓我上她一次吧，不然我就宰了你們喔。
喔？
真有意思。
來吧。
喝
叩

呃啊！
你還早了十年咧。
那就回家囉。
哎，先去修練吧。

老公，別打架嘛。

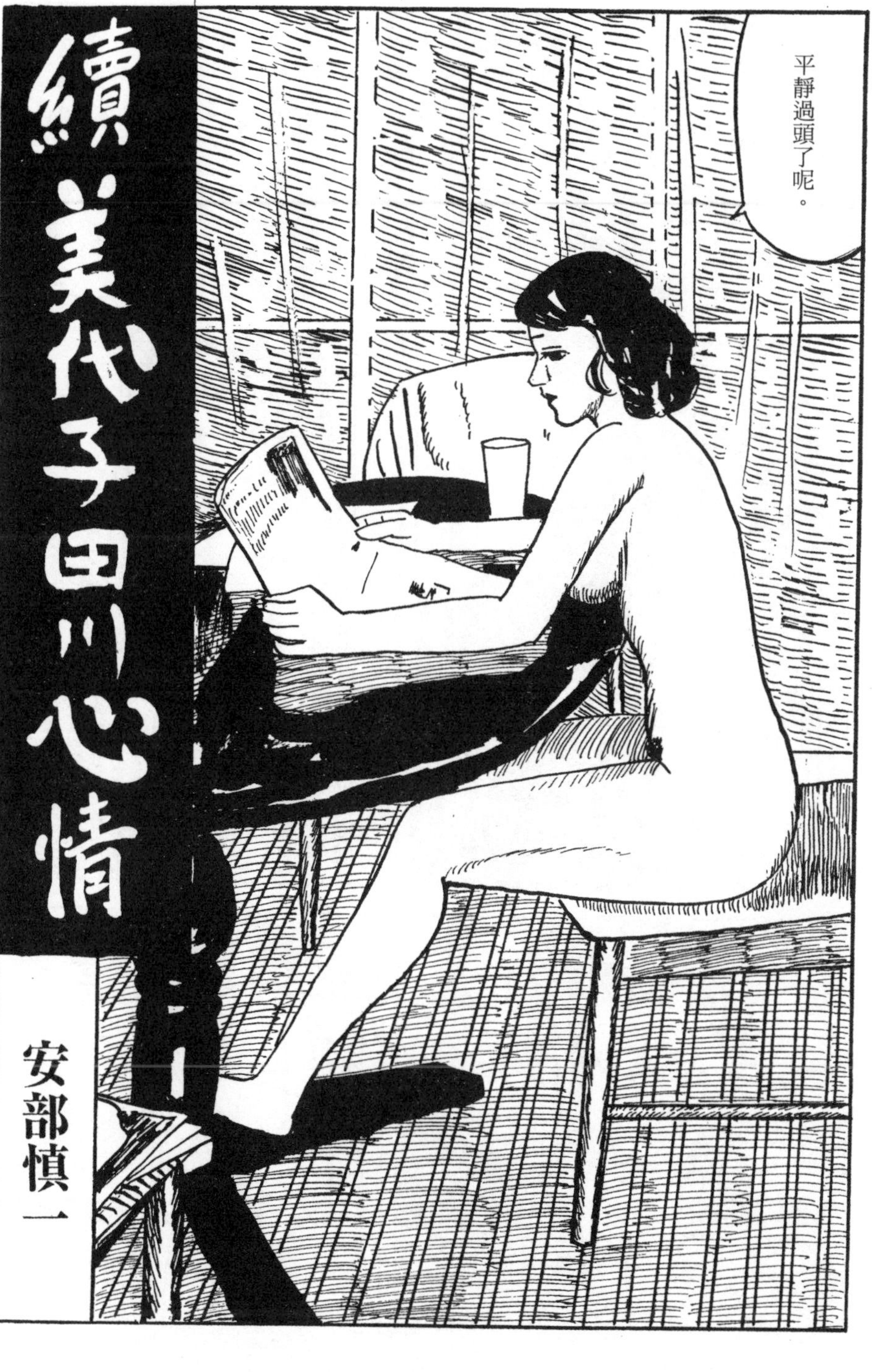
續美代子田川心情
安部慎一
平靜過頭了呢。

不知洗澡水燒好了沒？
還要二十分鐘左右吧。
下面的水還是涼的嘛。
你在寫什麼？

在畫漫畫啊。
又打算畫我的裸體？
並沒有啊。
老是在說謊。
工作做完了，沒事幹呀。

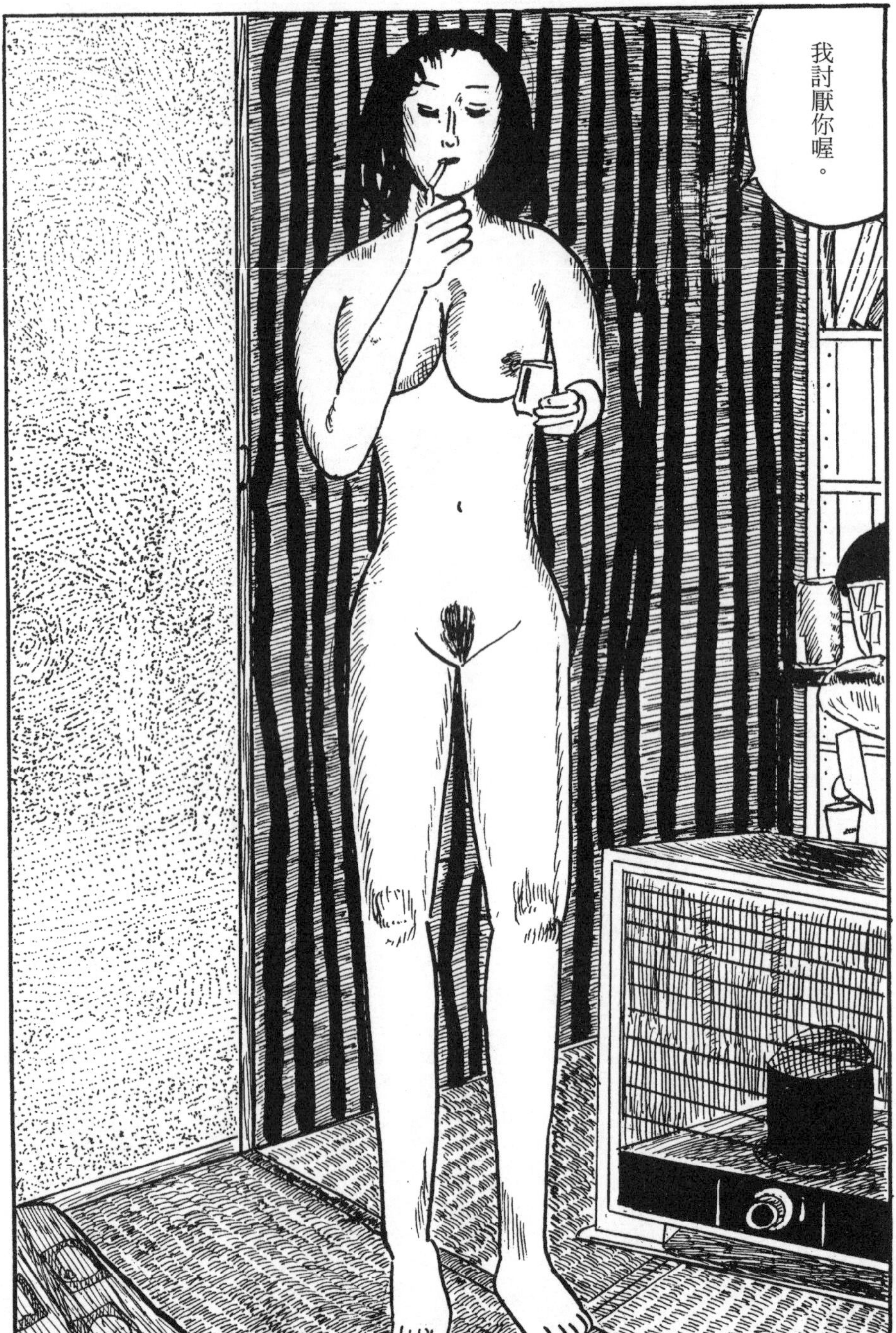
我討厭你喔。

我們這對夫婦也沒戲唱了嗎。
明天要工作喔，該睡了吧？
我再畫一頁就睡喔。
哎，說討厭你是開玩笑的，謝謝你幫我燒洗澡水。

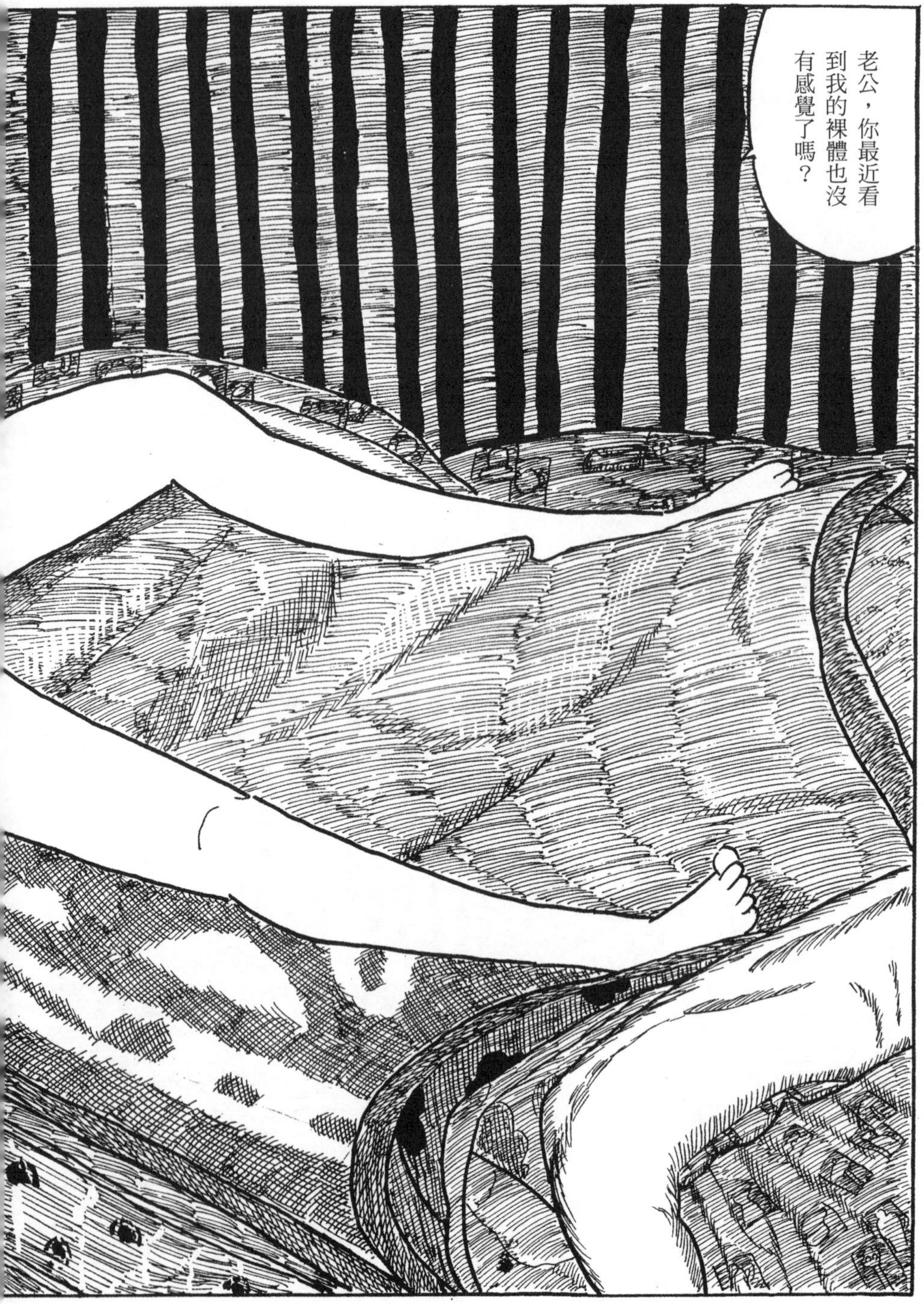
老公，你最近看到我的裸體也沒有感覺了嗎？

沒感覺呢。

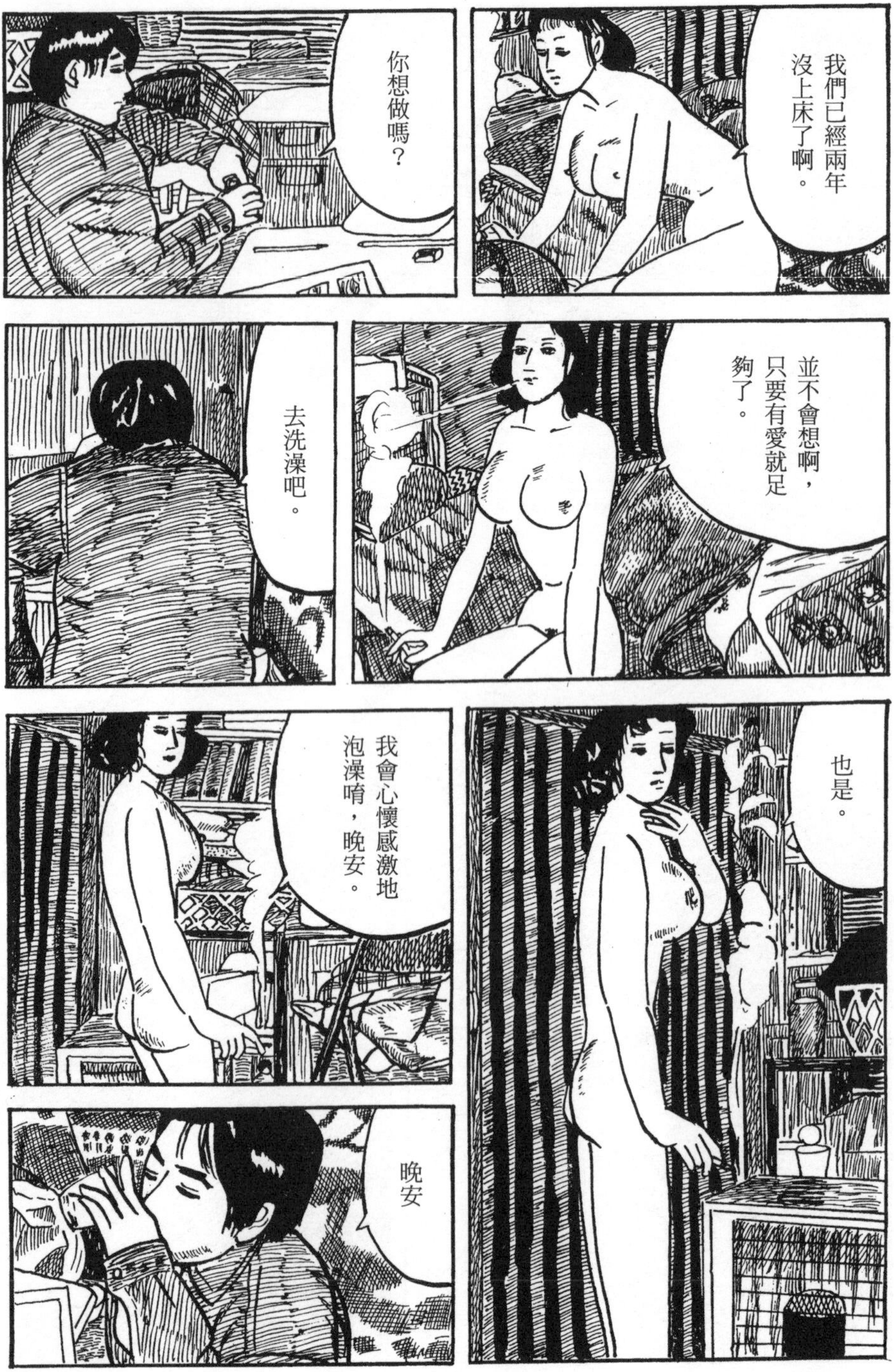

完

首次刊載處一覽

溫和的人（《GARO》一九七〇年五月）

孤獨未滿（《Young Comic》一九七一年四月十四日）

雨少年（《Young Comic》一九七一年六月九日）

貓（《Young Comic》一九七一年九月二十二日）

輕盈的肩膀（《Young Comic》一九七一年十月十三日）

屋頂（《Young Comic》一九七一年十二月二十二日）

獨居（《Young Comic》一九七二年四月十二日）

月（《GARO》一九七三年三月）

天國（《GARO》一九七三年四月）

日之興奮（《GARO》一九七三年五月）

巨人（《GARO》一九七三年八月）

村上的假日（《GARO》一九七三年九月）

番茄（《GARO》一九七三年十月）

佳子的幸福（《GARO》一九七三年十一月）

私生活（《週刊漫畫 Times》一九七六年五月二十二日）

報仇（《漫畫 Erotopia》一九七七年二月三日）

愛奴（《漫畫 Erotopia》一九七七年四月二十一日）

獸愛（《漫畫 Erotopia》一九七七年六月二日）

美代子田川心情（《GARO》一九九三年八月）

車（《幻燈　No. 2》二〇〇〇年一月）

續美代子田川心情（《幻燈　No. 3》二〇〇一年五月）

單行本後記

以下收錄的後記來自高野慎三策劃的四本安部慎一作品集，安部慎一在文中吐露心聲，值得玩味，因而收錄於此。

何謂青春——代後記

不誇張，真的是熬過來的，我和吾妻美代子熬過了青春歲月。而且，那青春至今仍持續著。我和美代子相遇時，我高二，美代子高一。後來的時間像永恆那麼久，也像一瞬間。兩人墜入了愛河，但也曾努力往岸上爬。我練過劍道、空手道，畫過畫，寫過小說和論文等等，也畫了漫畫。這本書收錄的作品是我在二十出頭畫的，我想感謝曾給與我協助的人。

美代子的裸體美極了，具備的某種要素讓我情不自禁地受吸引。那不單是容貌之美。阿佐谷站前賣關東煮、螃蟹的老翁如此評論美代子：純情。美代子滴酒不沾，至今也一樣。她就要四十九歲了，我就要五十了。這本書出版時已經滿五十了。「是不是已經度過充實的人生了!?」釋迦牟尼說：「人不可以去期待，期待是一種執著。」還說：「過去、現在、未來，都存在於『現在』這一個點。」思考，行動，抱持懷疑，小心避免前進三步退兩步，得一步一步確實前進才行。這也是釋迦牟尼說的。

我戒酒滿一年了。十年後我會如何呢？人不知道自己何時會死。希望各位安心。我現在正一步一步寫著小說。為何寫？那是我的業障。不過，我打算一輩子持續下去。書寫是我的天職。這是決定好的事。不對，早在小學生那時候，我的天職就定下來了。回想起來，就是那麼一回事。我會在小學生筆記本上畫漫畫，用色鉛筆著色。二十幾歲時，漫畫是我的生命。

北冬書房的高野慎三是我在《GARO》畫漫畫時的雜誌總編，多虧了他，我的青春才見到天日。我由衷感謝。

（《私生活　安部慎一短篇集》，北冬書房二〇〇〇年六月十五日發行）

失去了愛——代後記

出版社說，要把我年輕時畫的漫畫出成書。著實令人感激。我的思覺失調症在三十二歲左右發病，之後的十七年，我很難正經地進行思考。本次收錄作品是失調症發病前的作品，但病症之芽已可見。我現在四十九歲，至今已六度進入精神病院，總共待了一年又十五天。迷上宗教，然後發病。停筆的這十七年，對我來說是煎熬的連續。妻子美代子和三個孩子竟能包容這樣的我。

最近，高野慎三先生在《幻燈 2》上刊登了我的八頁作品〈車〉。看完它，我感覺自己失去了愛。我和美代子在高中時代相遇，如今我患病的時間已經長過患病前的時間了。但我們還是在一起，並未分手。我認為美代子擁有的愛無比深邃。

高中在學期間，我面臨了抉擇：要走漫畫之路，還是要走寫作之路？最後我離家出走去了永島慎二老師家，三天後就回來了，不過我在那時選擇了漫畫之路。然而，我堪稱漫畫的作品寥寥無幾，因為畫技實在太差了。於是我決定拍照，然後照著畫。作畫方面，我受到林靜一老師和柘植義春老師的影響。原本想在四十歲後開始寫小說。不知道自己何時會死，不過漫畫、小說、油畫的創作，我大概都會持續到死為止吧。我現在在美代子經營的縫紉工廠上班。勞動很難受。不過既然沒收入，也就沒別的辦法了。員工有七個左右，因此虧損時問題很大。經濟方面的事都是美代子在管。

美代子現在四十八歲，職場上極為活躍。我們之間已沒有ＳＥＸ。三個孩子健健康康地長大著。凡事依賴別人的我，已經失去了愛。

（《美代子阿佐谷心情》，Wides 出版二〇〇〇年七月發行）

情色——代後記

如今，我一行文章也寫不出來。精神科醫師叫我停止創作。我現在每天都要服用三顆Kenton，是精神安定劑。安眠藥一天六顆。有邀稿的話，我個人也不是寫不出東西。我現在一天睡三小時。「人無法只為麵包而活。」妻子是這麼說的。書寫對我來說，是終生的行為。要是停下來，我就成了活著的屍體。

和《Erotopia》的平田昌兵先生相遇時，我才二十幾歲。他是個好人，和《GARO》的長井勝一不同類型的好人。把長井氏看作壞人的話，平田先生就是好人。「安部老弟，別喝酒啦。」平田先生曾笑著說。「酒只是米湯不是嗎？你是不喝酒會比較好的那種人喔。」他還這麼說。

所謂將漫畫創作化，我最早是在《Erotopia》達成的。想故事花了許多時間。我是事到臨頭才使出全力的人。為了畫出符合《Erotopia》調性的作品，我盡了全力。「安慎已經不行了。」週刊雜誌的編輯這麼說。安慎是我名字的略稱。我是會在意別人眼光的人。不行就不行，有什麼關係？我轉念一想。在這過程中，我接到了《大快樂》的邀稿。我十分感謝。

《Erotopia》當中讓我印象深刻的人是榊優（暫譯，榊まさる）。我對他說：「你挺拚的嘛。」他便淚汪汪地說：「聽到安部先生這樣說，我……」對情色抱持的罪惡意識，呼喚出榊的悲傷。而我在《Erotopia》之前的創作，已對情色有所意識。平田先生曾試圖阻止我逐漸沉迷於宗教。

之後過了二十年。如今，我很高興作為我創作的漫畫能集結成書。不過我以前不曾有專業意識，最近稍微產生這種意識了。Wides 出版的岡田先生和北冬書房的高野慎三，擁有出版方面的確信。我相信他們的確信，感謝他們。

（《日之興奮》，Wides 出版二〇〇一年四月發行）

後記 關於《天國》

從前，我有個朋友叫岩猿孝廣，是得過新人獎的文學界作家。他讀了拙作《天國》，對我說：「安部看見了天國啊。」天國確實存在於另一個世界。我們擁有肉體，是為了把人間打造成天國。我同樣為了這件事在行動。天國沒有錢。只有人間和地獄有錢。釋迦牟尼活躍於印度的時候，人間並沒有金錢。釋迦牟尼最終會轉世到距今六萬年後，到時的人間也沒有金錢了。

本書收錄作品來自銀音夢書房的荻原啟司從雜誌剪下、保管起來的內頁，經由北冬書房的高野慎三之手集結成書。這是 Wides 出版推出的第三部作品集，如果把《美代子阿佐谷心情》的特裝版算進來，那就是第四部。因此我要向 Wides 出版的岡田博前輩表達由衷的敬意。還有，我發自內心感謝萩原先生和高野前輩。除了〈屋頂〉之外的每一篇，都是以前在《GARO》發表的。當時《GARO》並沒有稿費，因而可以自由地畫。〈屋頂〉是接到《Young Magazine》邀約才畫的作品，不過該雜誌也放手讓我自由地畫。我衷心感謝。

我有個畫家朋友叫風名鷹彥，他說〈村上的假日〉是「很厲害的作品」。他透過畫家之眼來看還感到厲害，對我是莫大的鼓勵。製作漫畫的路上，我始終認為畫面比故事重要，因此我的漫畫幾乎沒有稱得上故事的故事。儘管如此，少數讀者諸君還是不離不棄。我要再次感謝各位。

剛剛提過的萩原先生說〈佳子的幸福〉「節奏很棒」，還說這本書收錄的作品群是「非常沉穩之物」。就像這樣，我是在諸位前輩和朋友的支持下生存於世的。

（《安部慎一作品集　天國》Wides 出版二〇〇二年五月發行）

安部慎一的為人與作品　談其「有板有眼」

高野慎三（權藤晉）

安部慎一的漫畫作品〈溫和的人〉，是在一九七〇年二月或三月寄送到《GARO》編輯部來的。遠自九州的投稿。那陣子的《GARO》以白土三平《神威傳》打頭陣，接著還有水木茂、柘植義春、永島慎二、柘植忠男、池上遼一、楠勝平、佐佐木牧、林靜一、勝又進、鈴木翁二、古川益三的作品填滿書頁，版面十分熱鬧。

〈溫和之人〉是安部慎一的首次投稿作品，只有十九頁，但和每月固定執筆陣容的作品相比，感覺毫不遜色。打開大大的信封，接觸到作品時，它帶給我宛如「文學馨香」的感觸。那不是來自畫面，而是漫畫表現特有的大小分格。

分格的推進與走向非常精彩。感覺不像經過刻意算計，肯定是根基於作者的資質，不會錯的。不，登場人物的交談所流淌出的演出法（dramaturgy）確實支撐著作品的主幹，這點不能忽視。然而，就連這部份也能化約為資質。

總而言之，你甚至能從這位新人身上感受到某種「表現方面的從容不迫」。稱之為「無可挑剔」的風格大概就對了吧。我當場決定在該年《GARO》五月號刊出，並向安部先生表明此事。然而，接下來將近十個月，我都沒收到他的回覆。若有這種程度的創作能耐，兩個月交一篇作品是可能辦到的吧，我心想。

第二篇作品似乎是在七一年一月完成的。而且，在這第二篇作品問世時，先前的疑慮都冰釋了。第二篇作品〈美代子阿佐谷心情〉是安部先生親自交到《GARO》編輯部來的。換句話說，那是我們初次見面。雖然通信過一兩次，我卻沒把他想像成膚色白皙的俊俏男子。坐在我眼前的安部先生更像是作品人物的原型，而非漫畫家。他才二十幾歲，但相貌已有成人風範。

據說，他其實幾個月前才和女友美代子小姐一同上京。因為這緣故，第二篇作品才拖得這麼晚完成。他的解釋和報告還沒結束，我就開始看他第二篇作品了，內容是名為「美代子」的年輕女性所度過的一、兩天。扉頁左側有標題，在頁面中央則會看到硬筆所寫的親筆文字「在阿佐谷的他的房間裡，我很平靜喔」以及唇印。

我並不吃驚。我感覺到，親筆文字的柔軟已經推高了作品的情感。接著，我逐頁翻看，如同我料想的沉靜情感在上頭緩緩展開。並不輸給第一篇，不對，我感覺到超越第一篇作品的濃度在脈動著。深邃的美感和高度的緊張感，自作者特有的漫畫結構傳來。讀起來十分舒暢。我切身感到「精彩」，不過記憶中，我是換了個說法向他表達同樣的意思。

「美代子」的心情動靜隨著畫格往前推進，偶爾會駐足，接著又繼續推進。那是非常舒服的推進方式。可說是非常出眾的畫格展開。分寸拿捏恰到好處的對象化表現。克制的台詞和畫面突顯了「美代子」的心情與心境。看得出來，那當中也包含了一種作用，足以使讀者心服口服地感到滿足。

印象中，我對安部先生說：「接下來也請不斷畫下去。」安部先生始終微笑著，不曾收起笑意。他比我年輕十歲。一直畢恭畢敬地縮在椅子上，卻讓人覺得「真帥氣啊」。「安部慎一在此」的氣氛飄了過來，那氣氛本身就和「文學」氣息相通吧。

兩個月後，安部先生再度帶著以「美代子」為題材的作品來到編輯部。然而，那篇作品大大偏離〈美代子阿佐谷心情〉的路線，自「壓抑的、由緊張感支撐的表現」退卻了。在我看來，像是對象化「美代子」的失敗。安部先生也許認為，自己是採取了和前作相同的姿態進行創作吧。的確，由故事來看，像是前作的後續。不過，有什麼地方不太一樣。

我在那不久之前，拜訪了他和美代子居住的阿佐谷公寓。是安部先生邀我去的，他說：「請過來玩吧。」那是一棟兩層樓公寓，位於九彎十八拐的巷子最深處。房間很整齊，從二樓窗邊能夠看見四周樹木的綠意。那是個清爽的房間。美代子小姐泡了咖啡給我，三人開開心心地閒聊。〈美代子阿佐谷心情〉就是從這房間誕生呢，想到這裡，我感慨萬千。感覺很好。而且，也度過了一個豐富的下午。

正因如此，我對第三篇作品感到不知所措。那可說是青春故事偶爾會展現出的陷阱吧。前作讓我們窺見的「冰冷」或「硬質」（都是好的意思），在本作失去了些許。而且，「甜味」增加了。作者對「美代子」的想法不再建構為理論，心情面向被擺到優先了。我不是不了解作者的心情，但我判斷，以他的才能應該可以打造出更獨立的作品，不予刊登。

「這樣啊。」安部先生看似有些氣餒。然後他說：「我會再努力。」就這麼離開了編輯部。之後，我和安部先生有一陣子沒聯絡。然而《Young Magazine》在同一個時期連續刊登了他的作品。〈孤獨未滿〉、〈雨少年〉、〈沉雪〉、〈偷情女〉等等，每一篇都洋溢著作者的美感。老實說，我非常羨慕該雜誌。

〈貓〉尤其是完成度極高、無可比擬的作品。我看完的心情是「被打敗了啊」。那陣子，我在《Young Magazine》上有個小小的漫畫時評連載專欄。

在專欄上，我大加讚賞了〈貓〉。它只有四頁，而且是扣除扉頁貓圖的話只有三頁的極短篇。在那三頁當中，屹立著深沉、濃密的戲劇場面。靜謐與官能沉潛其中。我認為可斷言為名作。

那之後過了幾個月，安部先生帶著〈軍刀〉來到了編輯部。我們互道「好久不見」後，他將篇幅可說是中篇的〈軍刀〉交到我手中。原稿上展開的，是可讀性極強的硬派故事。主題雖然被鑲嵌在某種乖僻之中，作者誠摯的感情和感性卻反覆交錯，讀了也不會生膩。讓人覺得，它某種意義上到達了比〈溫和的人〉或〈美代子阿佐谷心情〉更前線的位置。「等他真是等對了。」我心想。

到了一九七二年還是七三年吧？安部先生突然從自宅打電話來，說他要回九州了，在那之前希望和我到新宿碰個面。我們決定約在西口的喫茶店。邊喝咖啡邊聊天，聊了兩個小時左右。他說：「我早就隱約察覺到你會辭掉《GARO》的工作了，大概發生了很多事吧。不過那與我無關。

我現在想先確認一件事：你怎麼看我的漫畫？」

我回答，〈溫和的人〉、〈美代子阿佐谷心情〉真的是很好的作品，《Young Comic》上發表的數篇漫畫也是我喜歡的作品。結果，他表現出懷疑：你真的是這麼想的嗎？於是我說，〈貓〉在我看來是非常優秀的作品，我在漫畫時評專欄撰寫了如此評價，結果他說他沒讀到。安部先生的作品接連刊登在該雜誌上，簡直像固定連載漫畫家似的，因此我以為他當然過目了我的文章。我對他說，我寫那文章時懷著激勵你的心情。「真的是那樣嗎？」他再三確認。接著喃喃自語：「要是讀到那篇文章，我就不會回九州了啊。早點告訴我該有多好。」然後又說：「不過太好了，能聽到你的心聲真是太好了。那我走啦。」他就那麼消失在新宿站的票口了。

從那天至今過了五十年，我一次都沒見到安部先生。因此，在喫茶店的那兩個小時是我寶貴的回憶。我們還聊了漫畫，提到柘植義春和林靜一的作品等等。我印象特別深刻的話題是林靜一的美人畫。我出版了林的兩本畫集《紅犯化》和《儚夢》。安部先生對此深感憂心：林靜一會不會就這麼走向插畫家之路？

安部先生如此向我訴說：林確實擁有優異的才華，每張畫都令人覺得很厲害，但我認為漫畫更精彩，他在我心目中是和柘植義春並駕齊驅的漫畫能手；然而，你卻幫他出了畫冊，這會不會使他遠離漫畫呢？我和安部先生同樣期待林靜一漫畫在廣度和深度方面更加拓展，因此我如此回應安部先生給我的諍言：「我認為林靜一沒問題的。」不過在我看來，安部先生對林靜一漫畫的期待比我還要一絲不苟。

在那之後，我們也曾互寄賀年卡和通信，但基於九州和東京相隔甚遠等種種原因，後來還是漸漸疏遠了。因此，我連安部先生再度上京一事也不知情。不，應該說，後來安部作品仍發表於許多雜誌上，我會一一留意閱讀，但我擅自認定它們都是在九州的土地上畫出來的。

再次和安部先生恢復聯繫，是在我替 Wides 出版、北冬書房等單位策畫安部作品集那陣子。不對，正確地說，更久之前的八〇年代初，榆山書房策劃《孤獨未滿》、《真理子的憧憬》時我也參與其中，因此並非毫無接觸。不過那時，我掌握的安部私生活相關情報還很稀少。應該說，安部先生被稱為私小說式的漫畫家，而我刻意避免對他這個人抱持過度的關心。因為我關注的是安部慎一作品，而非他的私生活。

對安部慎一這個漫畫家投以好奇眼光的部份人士如何看待他的作品，我絲毫不關心。因此對我而言，只要安部作品存在於眼前，我就滿足了。我對安部先生本人的過去、現在，對美代子小姐的過去、現在一概不知。然後呢，他作品中或許含有私小說式的內容吧，但我一點也不想從那種角度去讀。我想徹底把它當成創作表現來看待。

私小說作者葛西善藏、川崎長太郎、宮地嘉六等人的作品，我都讀過幾部，但也不是因為我想以好奇的眼光去看待每個作家的現實生活。作品中橫陳著以二〇、三〇、四〇年代為背景的「雖生如死」。而安部作品對我而言，或許同樣具有「時代中的表現」這層意義吧。

如果要用一句話來形容安部慎一和安部慎一作品，那就是「有板有眼」吧。〈悲傷世代〉、〈愛蓮的家族〉、〈私生活〉在內所有作品，都貫徹著「有板有眼」的倫理。七〇至八〇年代的安部作品，象徵了高度經濟成長期歷史背景下雖生如死的創作表現，也是這段時期的記錄。作品並沒有直接反應出時代背景，但我不想忘記這些作品和時代狀況的氛圍有密切關係。

本書收錄的〈溫和的人〉到〈獸愛〉，是七〇年到七七年之間發表的作品。之後的〈美代子田川心情〉發表於九三年。〈車〉和〈續美代子田川心情〉是更晚一點畫出來的作品，這兩篇漫畫我是在九〇年代末拿到的。

八〇年代發表於《Erotopia》等雜誌的安部作品，我也愛不釋手地閱讀。主題、風格都和七〇年代初期作有很大的不同，不過「真是有板有眼呢」這個印象並沒有改變。因此，拿到〈車〉和〈續美代子田川心情〉的原稿時，我感受到「睽違了幾十年啊」的喜悅。於是，我決定刊登在二〇〇〇年發行的《幻燈》上。

尤其〈車〉這篇，是令人感覺無比憐愛的作品。在最後一幕呢喃「老公，別打架嘛」的妻子裸體，自然而然地會在讀者心中留下難以忘懷的印象。同年，北冬書房出版了作品集《私生活》。那時，安部先生在後記如此寫道：「美代子的裸體美極了，具備的某種要素讓我情不自禁地受吸引。」我在想，會不會就是安部慎一對那「某種要素」的強烈意念，使他的作者身份、漫畫家身份得以成立呢？

後記

與疾病的戰鬥

腳突然一軟，我往後倒下，立刻被送到整形中心去，動了四個小時的手術。之後天天做腳的復健，手指也用啞鈴鍛鍊，就這麼過了三個月。無法回家，很難受。腳的狀態也許是帕金森氏症所致吧，不過我患有疾病，也不懂醫術。

妻子一個禮拜會來探望我兩次「我之前都沒提，不過這十天我一直擔心自己得了胃癌。今天去看了醫生，結果沒事。」她笑道。我似乎突然對形形色色的人感到佩服。大家都擔心得病呢。

妻子最近瘦了，為此憂慮：會不會是得了胃癌？她很怕。現在的我無法為她做任何事。在白天，我只能處在無意義的狀態下等待時間流逝。

不過，每天的復健痛苦得要死。有幸還能像這樣寫文章，我要深深感謝高野慎三先生和岡田博先生。吃了妻子帶給我的甜點，我就能打起精神。我同樣要在此感謝她。

我的上半身能動，因此等腳稍微好轉後，我想再繼續畫漫畫。果然，漫畫對我而言就像是生命。六十歲時已出了三十幾本漫畫單行本，已成為別人口中的漫畫家，但我以後還是想要努力畫漫畫。我曾做過死後還在畫漫畫的夢，真的很開心。生命在死後也會永遠存在。

我背靠著四人房的其中一張床，把稿紙放在桌上寫這篇文章，果然還是無法如願回到自己房間寫。我想早點回家，也無法如願。我並不是在這裡找藉口。我不斷向天界祈禱，希望親近的人能夠永生。大家一起永生吧。自家房間內，有愛犬♀吉娃娃「香蕉」在等我回家。

只要同房病友出院，哪怕只有一個，我的心情也會變開朗，覺得太好了。他們是我的復健之友，情同血親。

那麼，同房的燈光變暗了，安眠藥我也吃了。今天只剩一小時了。

年輕時，我喝太多酒了。身體皮膚粗糙，臉長滿皺紋，像是虛弱的狼。那麼，接下來在負荷範圍內再寫幾句，然後就躺下吧。剛剛我已採了睡前該採的尿，這麼一來就萬全了。

金狼，於脊損中心獨自入睡。

附錄

《美代子田川心情》中文版後記／導讀

「我出去散步（順便喝點酒）……酒全都變成汗，流出來了呢」

黃大旺

《美代子田川心情》一書，內頁充滿了黑夜的線條，以為全部塗黑的部分，儘管看起來並不工整，也有可能是沾水筆與毛筆一筆一筆畫成，網點紙也不如那些手繪的陰影來得強烈。分格充滿了壓迫感。在凌亂房間床上百無聊賴滾來滾去的女體，似乎為房內的陰暗帶來一絲光亮。有些房間看起來燈火通明，卻讓讀者感受到一股老房子的氣味。安部慎一看似自暴自棄的「私漫畫」風格，在他與高中社團認識的學妹（後來為他生養三個兒子的愛妻）美代子一起搬到東京定居的前三年間定型，初期風格本來還可看到柘植義春、永島慎二（一九三七—二〇〇五）與宮谷一彥（一九四五—二〇二二）等人的影子，後來經歷了正式結婚、返鄉維持家計、再遷居關東、被新興宗教「天堂」思想洗腦、不斷進出精神病院、出院後就拚命喝酒的低迷生活，中間零星發表的作品，在畫風上還發生激烈轉變，從官能劇畫到新興宗教漫畫般明朗的作品，變化程度之激烈，有時甚至像是被誰逼著畫的作品。本書收錄的短篇，從他在《月刊漫畫Garo》上的第一篇作品〈溫和的人〉到一九七三年的〈佳子的幸福〉可以看成第一期，一九七七年以後發表的作品，開始呈現精神不穩定的傾向（尤其是發表在官能劇畫雜誌上的〈復仇〉〈愛奴〉〈獸愛〉那種像銅版畫一樣剛硬偏執的線條），在他不得不減少產量的時期中繪製的短篇，有一些甚至連號稱來稿照登的青林堂都不敢用。

安部故事中的主角多半過著散漫的生活，即使在歷史故事或仿類型片的題材出現唐突的暴力場面，也因為唐突的結束方式，帶來一種環堵蕭然的蒼白無力感，甚至讓一些讀者產生「哼！這種我也會畫」的心理，但是安部這些專注描繪百無聊賴人生荒蕪景象，並且拒絕在結尾帶來任何救贖的漫畫，在日本以外的地方也成為另類經典，但西方如果以東方主義的「侘寂」公式，強加解析他的作品，卻容易空手而回。相對於柘植義春作品常見的在外流放，安部的漫畫角色看似在沉緩近乎停滯的空間裡躺平，呈現出一種內在流放，細心的讀者卻可能從分格的布置與節奏看到象徵與隱喻，解讀出更深的訊息。他就如同那些明知拿不到《Garo》半毛稿費，還是繼續投稿的作者一樣，由於不需要在乎市場壓力，故事表現出荒唐、破壞衝動、暴力等題材，再冷門詭異都有讀者買單，其他環節例如節奏、時間性、視角等元素的跳躍，也時常挑戰讀者耐性；自謙畫技拙劣而由自己拍攝的大量照片——不論是風景或是人物姿勢擺拍——臨摹出的背景，卻充滿底層生活的氣氛；這種極度私密的圖像寫作，一旦在讀者心底產生連結，就能不斷延伸出作品的宇宙。

日本的漫畫文化已經成為一種全球性的視覺語彙，在網際網路興盛以後，對於其他國家區域的漫畫創作，也帶來或多或少的影響。如果漫畫不再是小孩子才在看的消遣讀物「七䶔仔冊」，以成人為主要訴求對象，又刻意繞過羶色腥的創作自然存在。華文區以「漫畫」一詞稱單幅簡筆畫或連環圖之前，浮世繪大師葛飾北齋（一七六〇—一八四九）的畫集《北齋漫畫》（第一卷，一八一四）的序文之中，便描述自己在書中的畫作都是「不追求事物外貌，放漫意念所向而成之畫」。幕末在西洋人社群間流通的諷刺漫畫刊物《日本諷刺畫》（*Japan Punch*）被日本出版商仿效，並與浮世繪相互影響；進入明治時代以後，〈時事新報〉刊登今泉一瓢（一八六五—一九〇四）與北澤樂天（一八七六—一九五五）的時事諷刺畫，一瓢與樂天分別將英文的 caricature/cartoon 與 comics 翻譯為漫畫兩字，日本的漫畫才正式誕生。同時英屬香港的報紙上，也開始出現了英式諷刺畫，成為華文近代漫畫的原點。然後日本就出了模仿美國卡通漫畫的作者，然後是二戰後圓熟運用迪士尼卡通語法的「漫畫天皇」手塚治虫與的全盛時期。

「劇畫」這種類型，就是創作者對既有表現手法力求突破的結果。手塚已經從其前人田河水泡（一八九九—一九八九）或杉浦茂（一九〇八—二〇〇〇）的娛樂漫畫路線，分化出少年與少女等風格。早年專門從事出租店漫畫創作的辰巳嘉裕（一九三五—二〇一五），就試著將自己喜歡的私家偵探電影分格、構圖、氣氛與寫實的線條放進作品之中，並開始以「劇畫」自居，企圖與同屬於出租店漫畫的其他作品建立區隔。辰巳過去的死對頭松本正彥（一九三四—二〇〇六），以及後來回到漫畫領域，以日本少見的美式分工制度製作長壽動作漫畫《哥爾哥十三》（ゴルゴ13）的齊藤隆夫（一九三六—二〇二一）三人去東京打拚，曾經共同以「劇畫工房」名義發表宣言，主張他們的連環圖畫可以帶來更深入的表現。出租店漫畫家白土三平（一九三二－二〇二一）曾經在兒童漫畫中處理過原爆受害者題材，後來在《Garo》雜誌上發表的漫畫《神武傳》（カムイ伝）更是風靡一時。該作品因為以層層交織的手法詳述戰國時代的武家、忍者、浪人、商人、百姓、不可觸民與傷殘者等各階級的故事，全系列成為日本劇畫史上的經典，白土自己到死前還在繼續構思其續篇。白土漫畫結束連載後，《Garo》以素人與另類漫畫家為主打，這時也有越來越多商業漫畫開始走遠離手塚的劇畫風格，連手塚自己也創辦實驗漫畫刊物《COM》培育新人。梶原一騎編劇的《虎面人》（タイガーマスク，辻真先繪）、《巨人之星》（川崎伸繪）、《小拳王》（あしたのジョー，千葉徹彌繪）等運動劇畫都造成轟動，連一九七〇年「赤軍派」劫機到平壤之前，也在聲明裡宣示「我們是小拳王」。然而劇畫風格被濫用，也造成一部分漫畫家的不滿。藤子不二雄兩人、石之森章太郎、赤塚不二夫等昭和漫畫大師早年共同居住的「常盤莊」大前輩寺田博雄（一九三一－一九九二），眼見自己堅守的兒童漫畫市場被「寫實化」路線吞噬，就對於劇畫相當反感。漫畫曾經被視為「反文化」象徵，被「全共鬥世代」左翼青年喜愛的劇畫，也隨著七〇年代左翼思潮與日本經濟高度成長期的落幕而走下坡，一些漫畫家走向時代劇、實錄、任俠漫畫等厚重路線，也有些走向側重性愛描寫的作品，發表於成人向「三流劇畫」雜誌。這時主流出版社以十八歲以上讀者為主的漫畫刊物，例如後來連載《蠟筆小新》的《漫畫Action》，也靠著幾部大作如《魯邦三世》、時代劇畫《帶子狼》（子連れ狼）、大阪下町風情漫畫《小麻煩千惠》（じゃりン子チエ）或是大友克洋的漫畫，滿足成年讀者需求。後來台灣漫畫家鄭問（一九五八—二〇一七）榮獲日本漫畫家協會頒發優秀賞的《東周英雄傳》，當初就發表在講談社的青年漫畫雜誌上。在劇畫成為漫畫的表現方式之一，並且成為像歐美的圖像小說那樣，可以乘載更多更密集內容的媒介之後，安部在幾年間沒有醉倒的時候，偶爾回到畫桌生出幾篇作品，不同時代的讀者，還是能透過他那種自暴自棄的筆觸與隨時戛然而止的「節制美感」，看到一個與過去有著似有若無連結的世界。

發行本書的鯨嶼文化，在二〇二三年四月發行了安部最具代表性的短篇私漫畫集《美代子阿佐谷心情》（美代子阿佐ヶ谷気分，由漫畫私倉 Mangasick 副店長黃鴻硯翻譯並撰寫解說），可以與本書連著看。本書有幾篇二十一世紀後發表於《幻燈》的短篇，在主角（漫畫家自己）百無聊賴地抽著菸的時候，美代子在下一格又全身赤裸躺在床上，似乎又回到《阿佐谷心情》的時空，算是他精神趨於穩定後，在編輯與老戰友的支持下，以家鄉福岡縣田川市入題，向讀者宣示自己存在的證明。關於安部慎一出道以來畫出的那些短篇之中，最令人好奇的部分還是他的文字稿，《漫畫雜誌架空》的發行人西野空男就曾在自己主編的同人雜誌上刊登了由安部原作改編的短篇漫畫（其中一篇由齊藤種魚繪製），後來在二〇一二年加上安部的一篇短篇與一則新作的短篇小說〈山茶花〉（椿），於出過《美代子阿佐谷心情》、《美代子田川心情》原文版的WIDES出版社發行短篇集《心情》（気分），又可看成安部「私漫畫」的延伸與再詮釋。

MANGA 009

美代子田川心情

美代子田川気分

作　　者　安部愼一
譯　　者　黃鴻硯
導　　讀　黃大旺
美術／手寫字　林佳瑩
內頁排版　藍天圖物宣字社
校　　對　魏秋綢
社長暨總編輯　湯皓全
出　　版　鯨嶼文化有限公司
地　　址　231 新北市新店區民權路 108-3 號 6 樓
電　　話　(02) 22181417
傳　　真　(02) 86672166
電子信箱　balaena.islet@bookrep.com.tw

發　　行　遠足文化事業股份有限公司【讀書共和國出版集團】
地　　址　231 新北市新店區民權路 108-2 號 9 樓
電　　話　(02) 22181417
傳　　真　(02) 86671065
電子信箱　service@bookrep.com.tw
客服專線　0800-221-029
法律顧問　華洋法律事務所 蘇文生律師
印　　刷　勁達印刷有限公司
初　　版　2023 年 8 月

定價 520 元
ISBN 978-626-7243-32-9
EISBN 978-626-7243-33-6（PDF）
EISBN 978-626-7243-34-3（EPUB）